国学经典

幼学琼林

李正辉 刘洪霞 注译

中州古籍出版社

幼学琼林

前 言

《幼学琼林》的前身是《幼学须知》,明程登吉撰,黄汪若注,钱元龙厘正。清乾隆时邹圣脉作了增补,并重新为注,这个本子方是今天所说的《幼学琼林》。至于道光时董成重注,改名《幼学求源》;民国后,费有容、叶蒲逊、蔡东藩等人亦为增补之事,无关本书,姑不论之。

是书冠之幼学,显而易见,它是一部童蒙读物。虽说是童蒙读物,然而书中广辑天文地理、典章制度、伦理道德、风俗人情、衣食住行、技艺制作、神话传说等各方面的古代知识与典故,又俨然一部小百科全书。故四部分类,多属之类书。全书按内容分类编排,计四卷三十三类,文法取诸骈体,合辙押韵,易于诵读。

这次整理,以清同治十年(1871)文盛堂刻本《幼学琼林》(卷端题《新增幼学故事琼林》)为底本,进行注释、译文。注释当中,凡经多方查考无从解释的字词或典故,明标未详。(黄侃先生尝谓:"治学之病有四,其一曰不能阙疑。读古书当择其可解者而解之,以阙疑为贵,不以能疑为贵也",详见《量守庐学记续编·黄先生语录》。)兹举二例:《天文》:"欻火、谢仙,俱掌雷火。"即注为:"欻火:未详。或为掌管雷火的神。"《文臣》:"俗美化醇,尹翁归去思蜀郡。"即注为:"'去思蜀郡',意者未详。译文强解之。"据查,尹翁归没有在蜀郡待过。注释当中，凡遇到正文所述史实或典故显系误者，注文中指出其误，但不修改正文。兹举三例：《老幼寿诞》："寇公七岁咏山，已卜具瞻气象。"注释："据考，时寇准八岁。"《文事》："江淹梦笔生花，文思大进。"注释："按此误以李白事属江淹。"《技艺》："橘中之乐，是说围棋。"注释："象棋游戏为'橘中戏'，此以橘中之乐指围棋，疑误。"注释当中，凡后文被注释者同于前文，不复注，标详见《××》。译文力求信、达、雅。

本书的注译者为李正辉（郑州市图书馆）、刘洪霞（郑州大学）。李正辉负责注释工作，刘洪霞负责译文工作。信阳师范学院苑学正老师，在稽核典故上，为我们提供了无私帮助，谨表感谢。笔者学识浅陋，不免疏漏错误，敬祈方家批评指正，不胜感激之至。

注译者

2009 年 9 月于郑州

目 录

卷一 ———————————————————— 7
　天文 ———————————————————— 7
　地舆 ———————————————————— 16
　岁时 ———————————————————— 27
　朝廷 ———————————————————— 39
　文臣 ———————————————————— 46
　武职 ———————————————————— 60

卷二 ———————————————————— 70
　祖孙父子 ——————————————————— 70
　兄弟 ———————————————————— 81
　夫妇 ———————————————————— 88
　叔侄 ———————————————————— 97
　师生 ———————————————————— 101
　朋友宾主 ——————————————————— 106
　婚姻 ———————————————————— 116
　女子 ———————————————————— 123
　外戚 ———————————————————— 133
　老幼寿诞 ——————————————————— 139

身体 —————————————————————————— 148
　　衣服 —————————————————————————— 165

卷三 ———————————————————————————— 175
　　人事 —————————————————————————— 175
　　饮食 —————————————————————————— 209
　　宫室 —————————————————————————— 221
　　器用 —————————————————————————— 229
　　珍宝 —————————————————————————— 241
　　贫富 —————————————————————————— 249
　　疾病死丧 ————————————————————— 257

卷四 ———————————————————————————— 269
　　文事 —————————————————————————— 269
　　科第 —————————————————————————— 284
　　制作 —————————————————————————— 292
　　技艺 —————————————————————————— 299
　　讼狱 —————————————————————————— 305
　　释道鬼神 ————————————————————— 313
　　鸟兽 —————————————————————————— 323
　　花木 —————————————————————————— 345

钱元龙《幼学须知·序》———————————————— 357
邹圣脉《幼学琼林·序》———————————————— 358
董成《幼学求源·自序》———————————————— 359

卷 一

天 文

混沌初开,乾坤始奠。

[注释] 混沌:世界开辟前元气未分、模糊一团的状态。 乾坤:此谓天地。

[译文] 传说远古时代,天地就像一个由清浊气体混成的圆团,自从盘古把它劈开后,天地才奠定了自己的地位。

气之轻清上浮者为天,气之重浊下凝者为地。

[注释] 轻清:轻而清澈。 重浊:浓重浑浊。

[译文] 那轻而清澈的气,上浮升起形成了天;那重而浑浊的气,下沉凝结成了地。

日月五星,谓之七政;天地与人,谓之三才。

[注释] 五星:即东方岁星(木星)、南方荧惑(火星)、中央镇星(土星)、西方太白(金星)、北方辰星(水星)。 七政:古时天文术语。说法不一。此指日、月和金、木、水、火、土五星。

[译文] 日、月和金、木、水、火、土五星,统称为"七政";

天、地、人,合称为"三才"。

日为众阳之宗,月乃太阴之象。
[注释] 众阳:宇宙间各种使万物萌动生长的阳气。 太阴:纯阴。
[译文] 太阳是众多阳气的主宰,月亮是众多阴气的形象。

虹名螮蝀,乃天地之淫气;月里蟾蜍,是月魄之精光。
[注释] 螮蝀(dì dōng):虹的别名。 蟾蜍:代指嫦娥。
[译文] 彩虹的别名叫螮蝀,古人认为这是阳气和阴气相交而成,因而认为它是天地间的淫气;月宫里有个蟾蜍,乃是嫦娥奔月而变成,是月亮的精华。

风欲起而石燕飞,天将雨而商羊舞。
[注释] 石燕:《湘州记》:"零陵山有石燕,遇风雨即飞,止还为石。" 商羊:传说中的鸟名。据云,大雨前,常屈一足起舞。
[译文] 湖南零陵山上有一种形似燕子的石头,风将刮起时,它们会群而飞起,风停了,它们又落下仍化为石头;春秋齐国有一种一只脚的鸟,天将下雨时,它会乱舞,孔子称它为商羊。

旋风名为羊角,闪电号曰雷鞭。
[注释] 羊角:《庄子·逍遥游》成玄英疏:"旋风曲戾,犹如羊角。"
[译文] 旋风叫做"羊角",闪电叫做"雷鞭"。

青女乃霜之神,素娥即月之号。
[注释] 素娥:嫦娥的别称。亦用作月的代称。
[译文] "青女"是主管降霜雪的神灵,"素娥"是月亮的别号。

雷部至捷之鬼曰律令，雷部推车之女曰阿香。

[注释] 阿香：明张岱《夜航船》引《搜神记》："永和中，有人暮宿道旁女子家，夜半闻小儿呼：'阿香，官唤汝推雷车。'忽骤雷雨，明日视宿家，乃一新冢。"

[译文] 雷部有一个跑路极快的小鬼，叫做"律令"；雷部有一个专门推雷车的女神，叫做"阿香"。

云师系是丰隆，雪神乃是滕六。

[注释] 丰隆：古代神话中的雷神。此以丰隆为云师，不当。

[译文] 掌管云的法师就是"丰隆"，掌管雪的神就是"滕六"。

欻火、谢仙，俱掌雷火；飞廉、箕伯，悉是风神。

[注释] 欻（xū）火：未详。或为掌管雷火的神。　谢仙：雷部中神名。主行火。　飞廉：风神。能致风的神禽名。　箕（jī）伯：风师。古代神话中的风神。

[译文] "欻火"和"谢仙"，都是掌管雷火的神；"飞廉"和"箕伯"，都是风神。

列缺乃电之神，望舒是月之御。

[注释] 望舒：神话中为月驾车的神。

[译文] "列缺"是管闪电的神，"望舒"是为月神驾车的御夫。

甘霖、甘澍，俱指时雨；玄穹、彼苍，悉称上天。

[注释] 时雨：应时的雨水。

[译文] "甘霖"和"甘澍"，都是指及时的好雨；"玄穹"和"彼苍"，都是上天的统称。

雪花飞六出，先兆丰年；日上已三竿，乃云时晏。

[注释] 六出：花分瓣叫"出"，雪花六角，因以为雪的别名。

[译文] 天上飞舞着六个瓣的雪花，预兆着来年将是一个丰收年；太阳已升到三根竹竿那么高了，是说时间已经不早了。

蜀犬吠日，比人所见甚稀；吴牛喘月，笑人畏惧过甚。

[注释] 蜀犬吠（fèi）日：蜀郡多雾，不常见日，每逢日出，狗皆疑而惊叫。 吴牛喘月：吴地之牛畏热，见月疑日而气喘。

[译文] 蜀地雨多晴天少，那里的狗看见太阳就会狂叫，这是比喻有的人见识太少；吴地的天气炎热，那里的牛看见月亮以为是太阳就会喘气，这是讥笑有的人过于胆小。

望切者，若云霓之望；恩深者，如雨露之恩。

[注释] 云霓：彩虹。 雨露：此谓恩泽。

[译文] 期望深切的人，就像久旱盼望天上出现彩虹；受到别人恩情深厚的人，好比万物受到了雨露的滋润。

参商二星，其出没不相见；牛女两宿，惟七夕一相逢。

[注释] 参商：参星和商星。参星在西，商星在东，此出彼没，永不相见。传说它们是上古高辛氏的两个儿子，因二人争斗不已，被安排在两个不能相见的位置上。

[译文] 参星和商星不会同时在天空中出现，彼此永远不会相见；牛郎星和织女星，只有在每年七月初七才会相逢一次。

后羿妻，奔月宫而为嫦娥；傅说死，其精神托于箕尾。

[注释] 傅说（yuè）：殷高宗时的贤相。

[译文] 传说后羿的妻子偷吃了长生不老药，奔到月宫里变成了

嫦娥；商朝高宗的宰相傅说，死后灵魂寄托于箕星和尾星之间。

披星戴月，谓早夜之奔驰；沐雨栉风，谓风尘之劳苦。

[注释] 沐雨栉（zhì）风：沐是洗头，栉是理发。劳人在外，不避风雨，好像风理他的发，雨洗他的头。

[译文] 披星戴月，比喻人早起晚睡不停地奔波；沐雨栉风，形容人在旅途中饱经风霜的劳苦。

事非有意，譬如云出无心；恩可遍施，乃曰阳春有脚。

[注释] 阳春有脚：五代王仁裕《开元天宝遗事·有脚阳春》："宋璟爱民恤物，朝野归美，时人咸谓璟为有脚阳春，言所至之处，如阳春煦物也。"后遂以"阳春有脚"称誉贤明的官员。

[译文] 事情在无意中就做成了，好比天上的云彩出来无心；恩惠广为施舍，可以说是温暖的春光就像长脚一样，遍及八方。

馈物致敬，曰敢效献曝之忱；托人转移，曰全赖回天之力。

[注释] 献曝（pù）：所献菲薄、浅陋，但出于至诚的谦辞。

[译文] 送人礼物表达敬意，是仿效古人献曝的诚意；托人调解，是全靠人家扭转难以挽回的局面。

感救死之恩曰再造，诵再生之德曰二天。

[注释] 二天：恩人。对庇护者的感恩之辞。

[译文] 感激别人救死之恩，如同又一次给了自己生命，叫再造；称颂他人使自己重生的功德，如同换了苍天，叫二天。

势易尽者若冰山，事相悬者如天壤。

[注释] 冰山：冰山遇天气转暖即消融，故以此比喻不可长久依赖的靠山。

[译文] 权势容易丧失，就像冰山遇见太阳一样就融化了；事理相差悬殊，如同天地一样遥远。

晨星谓贤人寥落，雷同谓言语相符。
[注释] 晨星：晨见之星。常以喻人或物之稀少。
[译文] 晨星是指有贤才的人像早晨的星星一样稀少；雷同是指彼此间言语相合，像雷声一样相同。

心多过虑，何异杞人忧天；事不量力，不殊夸父追日。
[注释] 杞人忧天：详见《列子·天瑞》。 夸父追日：详见《列子·汤问》、《山海经·海外北经》。
[译文] 心中忧虑过多，无异像杞人担心天要下坠；做事不量力，和古代夸父追逐太阳没什么不同。

如夏日之可畏，是谓赵盾；如冬日之可爱，是谓赵衰。
[注释] 赵盾：晋国贤臣。 赵衰（cuī）：赵盾的父亲。
[译文] 战国时晋国大夫赵盾威严，让人见了感到像炎热的夏天一样畏惧可怕；而他的父亲赵衰温和，让人见了感到像冬天的太阳般温暖可爱。

齐妇含冤，三年不雨；邹衍下狱，六月飞霜。
[注释] 邹衍：《白孔六帖》卷二《霜》："灾异五月降霜。"注云："《淮南子》曰：'邹衍事燕惠王，尽其忠贞。左右谮之，王弃衍，衍仰天而哭，感霜降。'"
[译文] 汉时山东一孝妇含冤而死，上天三年不曾下雨；战国时燕国的学者邹衍遭陷害蒙冤入狱，结果六月天下起了霜雪。

父仇不共戴天，子道须当爱日。

[注释] 爱日：人子爱惜供养父母的光阴，如同爱惜冬天的太阳一样。

[译文] 和杀父的仇人，不能共处在一个天底下；做儿子的应该懂得珍惜每一天以尽孝心的道理。

盛世黎民，嬉游于光天化日之下；
太平天子，上召夫景星庆云之祥。

[注释] 景星：大星，德星，瑞星。古谓现于有道之国。 庆云：五色云。古人以为喜庆、吉祥之气。

[译文] 太平盛世的百姓，可以自由地游乐在明朗的天空下；天下太平的皇帝，头顶上就会呈现景星、庆云等吉祥星云。

夏时大禹在位，上天雨金；
《春秋》、《孝经》既成，赤虹化玉。

[注释] 上天雨金：大禹治水成功后，天雨金三日。 赤虹化玉：孔子作《春秋》、制《孝经》既成，赤虹从天而降，化为黄玉，长三尺，上有刻文，孔子跪而受之。

[译文] 夏朝大禹在位时，天下下起了黄金雨；孔子编成《春秋》、《孝经》后，赤虹化成了黄玉。

箕好风，毕好雨，比庶人愿欲不同；
风从虎，云从龙，比君臣会合不偶。

[注释] 箕：星宿名。二十八宿之一，主风。 毕：星宿名。二十八宿之一，主雨。

[译文] 箕星喜欢风，毕星喜欢雨，好比众人的愿望和想法各有不同；虎啸风生，龙腾云涌，比喻君臣相遇不是偶然的。

雨旸时若，系是休征；天地交泰，斯称盛世。

[注释] 雨旸（yáng）时若：谓晴雨适时，气候调和。　天地交泰：谓天地之气相交，物得大通。

[译文] 晴雨适宜，是美好的象征；天地万物兴旺发达，这才是太平盛世。

【增】

大圜乃天之号，阳德为日之称。

[注释] 大圜（yuán）：谓天。　阳德：谓太阳。

[译文] 大圜是天的别号，阳德是太阳的别称。

涿鹿野中之云，彩分华盖；柏梁台上之露，润浥金茎。

[注释] 华盖：帝王或贵官车上的伞盖。　柏梁台：汉代台名，汉武帝所起。　金茎：用以擎承露盘的铜柱。

[译文] 黄帝在涿鹿田野上看见天上的彩云，就仿照着做成了华盖；汉武帝皇宫柏梁台上的承露盘所接的露水，滋润了承露盘的铜柱。

欲知孝子伤心，晨霜践履；每见雄军喜气，晚雪销融。

[注释] 晨霜践履：周朝尹吉甫之子伯奇因为后母在父亲面前说他坏话被赶出家门。早晨他脚踩霜花，悲痛自己的遭遇，于是作了《履霜操》的曲子。　晚雪销融：唐季绅镇扬州，章孝标赋《春雪诗》云"朱门到晚难盈尺，尽是三军喜气销"，绅览而奇之。

[译文] 清晨踏着霜操琴，是孝子伤心的表现；傍晚春雪消融，是雄壮的军队喜气洋洋的征兆。

郑公风一往一来，御史雨既沾既足。

[注释] 御史雨：《旧唐书·颜真卿传》："四命为监察御史……五原有冤

狱，久不决，真卿至，立辨之。天方旱，狱决乃雨，郡人呼之为'御史雨'。"

[译文] 东汉学者郑弘在山上求得的风，朝南暮北，人称郑公风；唐朝颜真卿做御史时，办理了狱中的冤案，天下久旱大雨，人称御史雨。

赤电绕枢而附宝孕，白虹贯日而荆轲歌。

[注释] 附宝：古代传说中黄帝之母。

[译文] 电光围绕枢星（北斗星），附宝受孕而生黄帝；白虹横穿长空，燕国壮士荆轲悲歌刺秦王。

太子庶子之名，星分前后；旱年潦年之占，雷辨雌雄。

[注释] 太子庶子：太子，被预定继承君位的人。庶子，旧时指嫡子以外的众子，亦指妾所生之子。 潦（lào）：同"涝"。

[译文] 太子和庶子的名分，从他们各自的星座中就可以分出前后；旱年和涝年的征兆，从雷电的不同声音中就可以分辨出来。

中台为鼎鼐之司，东壁是图书之府。

[注释] 鼎鼐（nài）：古代两种烹饪器具，喻指宰相等执政大臣。 东壁：《晋书·天文志上》："东壁二星，主文章，天下图书之秘府也。"

[译文] 三台星里面，中台是公卿之位，专门负责辅佐帝王。东壁星，主管天下图书，后用东壁代指天下藏书的地方。

鲁阳苦战挥西日，日返戈头；诸葛神机祭东风，风回纛下。

[注释] 鲁阳：战国时楚鲁阳邑公，传说为挥戈使太阳返回的英雄。 纛（dào）：古时军队或仪仗队的大旗。

[译文] 战国时楚国的鲁阳公日暮战韩兵，操戈向太阳一挥，日头又从西边转了回来；三国时诸葛亮助周瑜破曹兵，登台祭东风相

助,风果然将军旗都吹向了西边。

束先生精神毕至,可祷三日之霖;张道士法术颇神,能作五里之雾。

[注释] 束先生:指晋束皙。天旱为民求雨,雨降,民歌之曰"束先生"。

[译文] 晋人束皙天旱求雨精诚,感动神灵,连下了三天大雨;东汉张楷道术精通,祭起的大雾能笼罩五里之遥。

儿童争日,如盘如汤;辩士论天,有头有足。

[注释] 儿童争日:事见《列子·汤问》。 辩士论天:事见《三国志·蜀书·秦宓传》。

[译文] 有两个儿童在争论太阳,一个说像盘子那么圆,另一个说像汤一样热。三国时吴国使者张温与蜀国的秦宓在一起论天,张温很佩服秦宓的学问和才华。

月离毕而雨候将征,星孛辰而火灾乃见。

[注释] 毕:二十八宿之一,为白虎七宿的第五宿。 辰:指二十八宿之一的心宿。

[译文] 月亮离开毕星,预示着天要下雨;彗星冲到辰星边,就会出现火灾。

地舆

黄帝画野,始分都邑;夏禹治水,初奠山川。

[注释] 黄帝画野:《汉书·地理志》:"昔在黄帝,作舟车以济不通,旁行天下,方制万里,画野分州。"

[译文] 自从黄帝划分了疆域的范围和界限后,才开始有了都城和乡镇;大禹治平洪水后,才有了山川的走向。

宇宙之江山不改,古今之称谓各殊。

[注释] 称谓:称呼;名称。

[译文] 天地间山川,是不会改变的;但人们对它的称号,古今却大不相同。

北京原属幽燕,金台是其异号;
南京原为建业,金陵又是别名。

[注释] 幽燕:古称今河北北部及辽宁一带。 建业:历史上三国吴、南朝宋、齐、梁、陈、五代十国之吴几个朝代建立都城的地方。

[译文] 北京原来属于古代的幽国和燕国,"金台"是它的别称;南京原来叫建业,"金陵"是它的别名。

浙江是武林之区,原为越国;江西是豫章之地,又曰吴皋。

[注释] 武林:旧时杭州的别称。 豫章:今南昌地区一带。

[译文] 浙江是武林的所在地,古代属于越国;江西是豫章的所在地,又叫"吴皋"。

福建省属闽中,湖广地名三楚。

[注释] 闽中:古郡名。秦置。治所在今福州市。 三楚:战国楚地疆域广阔,秦汉时分为西楚、东楚、南楚,合称三楚。

[译文] 福建省在秦朝属于闽中郡,湖广一带旧称三楚。

东鲁西鲁,即山东山西之分;东粤西粤,乃广东广西之域。

[注释] "东粤西粤"句:广东,古扬州域;广西,古荆州域,都是春秋

时百粤旧地。

[译文] 东鲁、西鲁是山东、山西的别称；东粤、西粤是广东、广西的地域。

河南在华夏之中，故曰中州；陕西即长安之地，原为秦境。
[注释] 中州：古豫州（今河南省一带）地处九州之中，故称中州。
[译文] 中国古代称华夏，河南地处华夏的中部，所以叫"中州"；陕西是长安的所在地，本来是秦国境域。

四川为西蜀，云南为古滇。
[注释] 西蜀：今四川省。古为蜀地，因在西方，故称"西蜀"。 滇（diān）：云南省的旧称。因有滇池而得名。
[译文] 四川别称"西蜀"，云南就是古代的"滇国"。

贵州省近蛮方，自古名为黔地。
[注释] 蛮方：荒野遥远，不设法制的地方。
[译文] 贵州省靠近古代南蛮地，自古以来就称为黔地。

东岳泰山，西岳华山，南岳衡山，北岳恒山，中岳嵩山，此为天下之五岳；饶州之鄱阳，岳州之青草，润州之丹阳，巴陵之洞庭，苏州之太湖，此为天下之五湖。
[注释] 五岳：五大名山的总称；说法不一。 五湖：五大湖的总称。说法不一。
[译文] 东岳泰山，西岳华山，南岳衡山，北岳恒山，中岳嵩山，这是天下的五大名山；饶州之鄱阳，岳州之青草，润州之丹阳，巴陵之洞庭，苏州之太湖，是天下的五大湖泊。

金城汤池，谓城池之巩固；砺山带河，乃封建之誓盟。

[注释] 砺山带河：封爵之誓词。极言国基坚固，国祚长久。语出《史记·高祖功臣侯者年表序》。

[译文] 城墙如用金子筑成，护城河的水像滚烫的沸水，比喻城池坚固，牢不可破。泰山变得像砺石一样小，黄河变得像衣带一样窄，以此来祝愿封国永久存在，生生不息。这是汉高祖册封功臣的盟约。

帝都曰京师，故乡曰梓里。

[注释] 梓（zǐ）里：故乡。《诗·小雅·小弁》："维桑与梓，必恭敬止。"

[译文] 皇帝所在的都城叫"京师"；故乡叫"梓里"。

蓬莱弱水，惟飞仙可渡；方壶员峤，乃仙子所居。

[注释] 蓬莱：蓬莱山。 弱水：古水名。由于水浅或当地人不习造船而不通舟楫，只用皮筏济渡的，古人往往认为是水弱不能载舟，因称弱水。 方壶、员峤（qiáo）：皆传说中神山名。《列子·汤问》："渤海之东，不知几亿万里，有大壑焉……其中有五山焉：一曰岱舆，二曰员峤，三曰方壶，四曰瀛洲，五曰蓬莱。"

[译文] 蓬莱和弱水，都是只有神仙才能飞渡过去的地方；方壶和员峤，是神仙居住的地方。

沧海桑田，谓世事之多变；河清海晏，兆天下之升平。

[注释] 河清海晏：黄河水清，沧海波平。旧时用来形容国内安定，天下太平。

[译文] 大海变成农田，农田变成大海，比喻人世间事情的多变；黄河水清，海不扬波，预兆着天下太平。

水神曰冯夷,又曰阳侯;火神曰祝融,又曰回禄。

[注释] 冯夷:传说中的黄河之神,即河伯。 阳侯:古代传说中的波涛之神。 祝融:帝喾时的火官,后尊为火神。 回禄:《左传·昭公十八年》杜预注:"回禄,火神。"

[译文] 水神叫"冯夷",又叫"阳侯";火神叫"祝融",又叫"回禄"。

海神曰海若,海眼曰尾闾。

[注释] 海若:《楚辞·远游》王逸注:"海若,海神名也。" 尾闾(lǘ):古代传说中泄海水之处。

[译文] 海神叫"海若";海眼叫"尾闾",传说是海水归宿之处。

望人包容,曰海涵;谢人恩泽,曰河润。

[注释] 河润:谓恩泽及人,如河水之滋润土地。

[译文] 希望别人宽容原谅自己,要说"海涵";感谢别人对自己的恩惠,要说"河润"。

无系累者,曰江湖散人;负豪气者,曰湖海之士。

[注释] 江湖散人:江湖间闲散自在之人。 湖海之士:心胸广阔若湖海之人。

[译文] 心中没有牵挂的人,叫做"江湖散人";胸中抱有豪迈气概的人,叫做"湖海之士"。

问舍求田,原无大志;掀天揭地,方是奇士。

[注释] 问舍求田:置屋买田。多形容只求个人小利,没有远大志向。

[译文] 到处打听房子,追求土地的人,原本就没有什么大志;能够翻天覆地地做一番大事业的人,才称得上是奇才。

凭空起事，谓之平地风波；独立不移，谓之中流砥柱。

[注释] 中流砥柱：砥柱，山名，在河南三门峡东，屹立于黄河激流中。比喻坚强而能起支柱作用的人或集体。

[译文] 事情凭空而起，叫做"平地风波"；能够坚定不移地独当一面，顶住危局不动摇，叫做"中流砥柱"。

黑子弹丸，漫言至小之邑；咽喉右臂，皆言要害之区。

[注释] 黑子、弹丸：皆指地域狭小。北周庾信《哀江南赋》："地惟黑子，城犹弹丸。"

[译文] 黑子、弹丸，是指极小的地方；咽喉、右臂，比喻形势扼要的地方。

独立难持，曰一木焉能支大厦；
英雄自恃，曰丸泥亦可封函关。

[注释] 丸泥亦可封函关：用为守险拒敌的典实。《东观汉纪》卷二十三《隗嚣载记》："（王）元请以一丸泥为大王东封函谷关，此万世一时也。"

[译文] 一个人的力量难于成大事，就像一根木头不能支撑一座大厦；一个人依仗自己有英雄才略，就像夸口说用一丸泥就能封住险要的函谷关。

事先败而后成，曰失之东隅，收之桑榆；
事将成而终止，曰为山九仞，功亏一篑。

[注释] 失之东隅，收之桑榆：东隅，因日出东隅，故以东隅指早晨。桑榆，日落时光照桑榆树端，因以指日暮。谓初虽有失，而终得补偿。 为山九仞，功亏一篑（kuì）：语出《尚书·旅獒》。言堆九仞高的山，只差一筐土而未能成功。多含惋惜意。

[译文] 做事先失败后又成功，就是说在东边日出的地方丢失的

东西，在西边日落的地方又找到了；事情即将成功，却突然停止不做了，就像是土山已经堆得很高了，却失败在最后只差一筐土上。

以蠡测海，喻人之见小；精卫衔石，比人之徒劳。

[注释] 以蠡（lí）测海：蠡，瓠瓢。用瓢量海水。比喻以浅陋之见揣度事物。 精卫衔石：传说炎帝之女在东海被淹死，灵魂化为精卫，常衔西山之木石以填东海。

[译文] 用瓠瓢来测量海水，比喻人的见识太少；一种叫精卫的鸟用嘴衔石想把大海填平，比喻人做事徒劳无功。

跋涉谓行路艰难，康庄谓道路平坦。

[注释] 康庄：谓宽阔平坦。

[译文]"跋涉"是指行路的艰难；"康庄"是指道路的平坦。

硗地曰不毛之地，美田曰膏腴之田。

[注释] 硗（qiāo）地：土质坚硬瘠薄的土地。

[译文] 不长庄稼的盐碱薄地，叫"不毛之地"；肥沃的田地，叫"膏腴之田"。

得物无所用，曰如获石田；为学已大成，曰诞登道岸。

[注释] 石田：多石而不可耕之地。喻无用之物。 诞登道岸：诞，语气助词。诞登，登上。道岸，佛教语。即菩提岸；指彻悟的境界。

[译文] 得到的东西没有什么用处，就好比获得一块不能种庄稼的石头田一样；做学问已有成就，就像登上了知识的彼岸。

淄渑之滋味可辨，泾渭之清浊当分。

[注释] 淄渑（zī miǎn）：指淄水和渑水的并称。皆在今山东省。相传二

水味各不同，淄水味甘，渑水味苦。

[译文] 春秋齐国的易牙，通过品尝可以辨别出淄水、渑水的不同味道；泾水清澈，渭水浑浊，两水即使合流三百余里，仍清浊分明。

沁水乐饥，隐居不仕；东山高卧，谢职求安。

[注释] 沁水乐（liào）饥：沁水，河南一水名。乐饥，疗饥、充饥。东山高卧：东山，在浙江上虞县西南，为谢安早年隐居之地。典详《晋书·谢安传》。

[译文] 看着沁水可以让人忘记了饥饿，所以隐居的高士不愿出来做官；晋朝的谢安隐居在东山上高枕无忧，谢绝了朝廷的多次征召，以求安逸。

圣人出则黄河清，太守廉则越石见。

[注释] 黄河清：《文选》卷五十三《运命论》："夫黄河清而圣人生，里社鸣而圣人出。" 越石见：典出《南齐书·虞愿传》。

[译文] 只有圣人出世，黄河才会清澈；只有太守廉洁，才能见到南海边隐于云雾中的越王石。

美俗曰仁里，恶俗曰互乡。

[注释] 互乡：地名。语出《论语·述而》："互乡难与言。"后泛称风俗恶劣的乡里。

[译文] 风俗淳美的地方叫"仁里"，风俗恶劣的地方叫"互乡"。

里名胜母，曾子不入；邑号朝歌，墨翟回车。

[注释] 胜母、朝歌：皆古地名。《史记·鲁仲连邹阳列传》："臣闻盛饰入朝者不以利污义，砥厉名号者不以欲伤行，故县名胜母而曾子不入，邑号朝

歌而墨子回车。"

[译文] 一个叫胜母的地方，曾子认为地名不合礼俗，不肯入境；一个叫朝歌的都城，墨子认为名字起得不好，回车就离开。

击壤而歌，尧帝黎民之自得；让畔而耕，文王百姓之相推。

[注释] 让畔而耕：古代传说由于圣王的德化，种田人互相谦让，在田界处让对方多占有土地。

[译文] 尧帝时的百姓，击打着田壤尽情歌唱，十分得意；周文王时的百姓，互相谦让着地界而耕作，礼让之风盛行。

费长房有缩地之方，秦始皇有鞭石之法。

[注释] 缩地之方：传说中化远为近的神仙之术。 鞭石之法：《艺文类聚》卷七九引晋伏琛《三齐略记》："始皇作石桥，欲过海观日出处。时有神人，能驱石下海，石去不速，神人辄鞭之。"

[译文] 传说东汉人费长房有缩短土地的奇法；秦始皇想渡海观日，有神仙鞭打石头，为他下海架桥的怪事。

尧有九年之水患，汤有七年之旱灾。

[注释] 汤：商开国之君。

[译文] 相传上古尧时，一连九年洪水为患；商汤在位时，发生过七年旱灾。

商鞅不仁而阡陌开，夏桀无道而伊洛竭。

[注释] 阡陌：田界。 伊洛：伊水与洛水。两水汇流，多连称。

[译文] 商鞅变法，不施仁政，废井田而开阡陌，使田界大开；夏桀荒淫暴虐没有君道，伊水和洛水都干枯了。

道不拾遗，由在上有善政；海不扬波，知中国有圣人。

[注释] 海不扬波：相传周成王时，周公代为摄政，所有地区都争相朝贡。事见《尚书大传》。

[译文] 路上丢失的东西，没人贪拾，这是因为执政的地方长官治理有方；周成王时，大海三年不翻滚波涛，来朝贡的人都知道中国一定是出了圣人。

【增】

神州曰赤县，边地曰穹庐。

[注释] 赤县："赤县神州"的省称。见《史记·孟子荀卿列传》。后借指中原或中国。 穹庐：泛指北方少数民族。

[译文] 神州又称"赤县"，边塞地方又叫"穹庐"。

白鹭洲，二水中分吴壮丽；金牛路，五丁凿破蜀空虚。

[注释] 白鹭洲：位于南京西南的长江中。 金牛路：古川陕间栈道名。自秦以后，由汉中入蜀者，必取道于此。

[译文] 长江中的白鹭洲，将长江和赣江分流，造成了吴地（今江苏）的壮丽景观；战国时蜀王为了得到五条金牛，派五个力士开凿了金牛路，结果被秦惠王利用，灭掉了蜀国。

瀑布岭头悬，苍碧空中垂白练；
君山湖内翠，水晶盘里拥青螺。

[注释] 君山：山名。在湖南洞庭湖口，又名湘山。

[译文] 瀑布在岭头上悬空飞流而下，就好似在碧空中垂下一条白练；君山在洞庭湖中青翠兀立，就好像水晶盘里放着一只青螺。

浩荡吴江，险称天堑；嵯峨秦岭，高谓坤维。

[注释] 吴江：指长江。　秦岭：在陕西境内。李白《秦岭赋》："为天之枢，为坤之维。"

[译文] 浩荡的吴江，像天堑一般险要；巍峨的秦岭，高耸于坤维。

雪浪涌鞋山，清洗步武；彩云笼笔岫，绚出文章。

[注释] 鞋山：即大孤山。在江西省鄱阳湖出口处。山形似鞋，故称。笔岫（xiù）：邹圣脉注："涿郡有笔山，宛然若笔。宋人诗云：'紫雾凝成应濡毕，彩云笼处便生花。一天星斗晴光晖，绚出文章自一家。'"

[译文] 鄱阳湖中的鞋山下翻涌着白浪，将人们的脚印都冲洗掉了；河北涿郡的笔山上笼罩着彩云，仿佛显现出一篇绚丽的文章。

金谷园中，花卉俱备；平泉庄上，木石皆奇。

[注释] 金谷园：金谷，古地名（今河南省洛阳市西北）。指晋石崇于金谷涧中所筑的园馆。　平泉庄：唐李德裕游息的别庄。距洛阳三十里。

[译文] 晋石崇在洛阳所建的金谷园中，各种花卉都有；唐朝李德裕的平泉庄里，一石一木都很奇巧。

滩之凶无如虎臂，路之险莫若羊肠。

[注释] 虎臂：此指虎臂滩。在今重庆忠县。　羊肠：此为山名。《楚辞·大招》："西薄羊肠，东穷海只。"洪兴祖补注："《战国策》注云：羊肠，赵险塞名，山形屈辟，状如羊肠。今在太原晋阳之西北。"今注本多以羊肠小道（狭窄曲折的小路）解之，未当。

[译文] 最凶险的河滩，莫如虎臂滩；最险恶的道路，莫过于羊肠山上的道路。

烟树晴岚，潇湘可纪；武乡文里，汉郡堪夸。

[注释] 潇湘：湘江与潇水的并称。多借指今湖南地区。

[译文] 绿树如烟，山峦秀美，是潇湘的美景；古代汉中的乡郡崇尚文武，汉中的确是个值得夸耀的地方。

七里滩是严光乐地，九折坂乃王阳畏途。

[注释] 七里滩：在今浙江省桐庐县城南三十里。钱塘江两岸山峦夹峙，水流湍急，连绵七里，故名。东汉隐士严光曾在此垂钓。 九折坂：又名邛（qióng）道，在四川荥经县西邛郲山。因道路崎岖，西汉王阳扶先人灵柩经此时，知难而退。

[译文] 七里滩是东汉严光隐居的乐地；九折坂被汉代益州刺史王阳看作可怕的路途。

将军征战之场，雁门紫塞；仙子遨游之境，玄圃阆风。

[注释] 雁门：在山西省代县北部。长城重要关口之一。 紫塞：北方边塞。 玄圃：传说中昆仑山顶的神仙居处，中有奇花异石。 阆（làng）风：即阆风巅，在昆仑山上。

[译文] 雁门紫塞，是将军打仗的战场；昆仑山上的玄圃阆风，是神仙遨游的境地。

岁　时

爆竹一声除旧，桃符万户更新。

[注释] 桃符：古代挂在大门上的两块画着神荼、郁垒二神的桃木板，以为能压邪。为新年风俗，一年一换。即是现在的春联。

[译文] 爆竹一声响，人们辞去了旧岁；家家换上新的桃符，一片气象更新的吉祥景象。

履端是初一元旦，人日是初七灵辰。

[注释] 履端：年历的推算始于正月朔日，谓之"履端"。《左传·文公元年》孔颖达疏："履，步也，谓推步历之初始，以为术历之端首。" 人日：旧俗以农历正月初七为人日。亦称灵辰，即良辰吉日。

[译文] 一年开始的头一天，称作元旦；正月初七，称为人日，是个良辰吉日。

元日献君以椒花颂，为祝遐龄；
元日饮人以屠苏酒，可除厉疫。

[注释] 椒花颂：晋刘臻妻陈氏曾于正月初一献《椒花颂》，后常用为春节贺词之典。《晋书·列女传·刘臻妻陈氏传》："陈氏献《椒花颂》，其词曰：'圣容映之，永寿于万。'"

[译文] 元旦那天，晋刘臻的妻子陈氏写了一篇《椒花颂》，祝夫君长寿；元旦那天，人们喝用药浸泡而成的屠苏酒，可以清除各种疫病。

新岁曰王春，去年曰客岁。

[注释] 王春：《公羊传·隐公元年》："元年春，王正月。春者何？岁之始也；王者孰谓？谓文王也。"后以"王春"指阴历新春。

[译文] 新的一年叫"王春"，过去的一年叫"客岁"。

火树银花合，谓元宵灯火之辉煌；
星桥铁锁开，谓元夕金吾之不禁。

[注释] 星桥：指七星桥。在四川省成都市。传为秦时李冰所造，上应七星，故称。 金吾：邹圣脉注："汉戒夜行之官，天子出行，执金革以御非常。惟正月十五敕金吾驰夜禁，谓之放夜。"

[译文] 唐苏味道《正月十五夜》诗中有"火树银花合，星桥铁锁开"句。上句形容元宵佳节烟花灯光的辉煌；下句指元宵节时官府取消夜禁，人们可以自由通行。

二月朔为中和节,三月三为上巳辰。

[注释] 中和节:唐德宗贞元五年,下诏以二月初一为中和节。 上巳(sì):汉以前以农历三月上旬巳日为"上巳";魏晋以后,定为三月三日,不必取巳日。

[译文] 二月初一叫"中和节",取春天之中气候和缓的意思,人们在这一天互赠百谷瓜果;三月初三叫"上巳日",人们在这一天都到水边饮酒,以祛除不祥。

冬至百六是清明,立春五戊为春社。

[注释] 五戊:立春后的第五个戊日。古时以此为春社之日。于春耕前祭祀土神,以祈丰收。

[译文] 冬至过后一百零六天,是清明节;立春过后第五个带"戊"字的日子,是祭土地神的春社日。

寒食节是清明前一日,初伏日是夏至第三庚。

[注释] 寒食:相传春秋时晋文公负其功臣介之推。介愤而隐于绵山。文公悔悟,烧山逼令出仕,之推抱树焚死。人民同情介之推的遭遇,相约于其忌日禁火冷食,以为悼念。以后相沿成俗,谓之寒食。

[译文] 寒食节在清明的前一天,初伏是夏至后第三个带"庚"字的日子。

四月乃是麦秋,端午却为蒲节。

[注释] 蒲节:旧时风俗,端午节时切菖蒲以泛酒中饮之,可避瘟气,故称。

[译文] 四月是麦子成熟的时候,所以叫"麦秋";五月初五端午节,人们都喝菖蒲酒以避瘟疫,所以叫"蒲节"。

六月六日,节名天贶;五月五日,节号天中。

[注释] 天贶（kuàng）：上天的恩赐,此指宋代节日名。宋真宗大中祥符四年正月诏以六月六日天书再降日为天贶节。 天中：端午节的别称。

[译文] 六月初六叫"天贶节",五月初五叫"天中节"。

端阳竞渡,吊屈原之溺水;重九登高,效桓景之避灾。

[注释] 重九登高：详见南朝梁吴均《续齐谐记·重阳登高》。

[译文] 端午节赛龙舟,是为了凭吊屈原投汨罗江而死;九月初九重阳节登高饮菊花酒,是效仿东汉桓景登山避灾。

五戊鸡豚宴社,处处饮治聋之酒;
七夕牛女渡河,家家穿乞巧之针。

[注释] 治聋之酒：社日饮的酒。传说社日饮酒可以治聋,故名。 乞巧：旧时风俗,农历七月七日夜（或七月六日夜）妇女在庭院向织女星乞求智巧。

[译文] 立春后第五个戊日（即春社日）,乡亲们到处杀鸡宰猪,家家都喝防治耳聋的酒;七月初七夜,牛郎、织女渡过天河相会,妇女们穿针引线,向织女乞求智巧。

中秋月朗,明皇帝游于月殿;九日风高,孟嘉帽落于龙山。

[注释] 明皇帝游于月殿：《逸史》："罗公远有道术,中秋夜,侍唐明皇玩月,取拄杖掷之,化为大桥。至一大城阙,远曰：'此月宫也。'" 孟嘉帽落于龙山：晋人孟嘉在桓温于龙山举行的宴会中帽落而依然风度翩翩,当人们嘲笑他时,他从容应对使四座叹服。事具《晋书·孟嘉传》。

[译文] 中秋节月光明亮,罗公远施展道术,取拄杖化作桥,陪同唐明皇游月宫;重阳节那天,晋朝参军孟嘉,在龙山宴会中帽子被风吹落而不知。

秦人岁终祭神曰腊，故至今以十二月为腊；
始皇当年御讳曰政，故至今读正月为征。

[注释] 腊：祭名。古代称祭百神为"蜡"，祭祖先为"腊"；秦汉以后统称"腊"。 政：始皇之名。政通"正"。故秦避其讳，读正月为征月。

[译文] 秦国人年终祭神叫腊，所以到现在仍把农历十二月叫做腊月；秦始皇名嬴政，为避其讳，至今正月读作征月。

东方之神曰太皞，乘震而司春，甲乙属木，
木则旺于春，其色青，故春帝曰青帝。
南方之神曰祝融，居离而司夏，丙丁属火，
火则旺于夏，其色赤，故夏帝曰赤帝。
西方之神曰蓐收，当兑而司秋，庚辛属金，
金则旺于秋，其色白，故秋帝曰白帝。
北方之神曰玄冥，乘坎而司冬，壬癸属水，
水则旺于冬，其色黑，故冬帝曰黑帝。
中央戊己属土，其色黄，故中央帝曰黄帝。

[注释] 震、离、兑、坎：八卦名。分别配东、南、西、北四方。 木、火、金、水、土：五行。古代以十天干配五行，分别配甲乙、丙丁、庚辛、壬癸、戊己。

[译文] 东方的神叫"太皞"，东方在八卦中属震卦，主管春天。春天在天干中属甲乙，甲乙在五行中属木，木气在春天最旺盛，它的颜色是青色的，所以春帝叫"青帝"。

南方的神叫"祝融"，南方在八卦中属离卦，主管夏天。夏天在天干中属丙丁，丙丁在五行中属火，火气在夏天最旺盛，它的颜色是赤色的，所以夏帝叫"赤帝"。

西方的神叫"蓐收"，西方在八卦中属兑卦，主管秋天。秋天在天干中属庚辛，庚辛在五行中属金，金气在秋天最旺盛，它的颜色是白色的，所以秋帝叫"白帝"。

  北方的神叫"玄冥"，北方在八卦中属坎卦，主管冬天。冬天在天干中属壬癸，壬癸在五行中属水，水气在冬天最旺盛，它的颜色是黑色的，所以冬帝又叫"黑帝"。

  中央在天干中属戊已，戊已在五行中属土，它的颜色是黄色的，所以中央帝又叫"黄帝"。

  夏至一阴生，是以天时渐短；冬至一阳生，是以日晷初长。

  [注释] 一阴生：夏至后白天渐短，古代认为是阴气初动，所以夏至又称"一阴生"。 一阳生：冬至后白天渐长，古代认为是阳气初动，故冬至又称"一阳生"。 日晷（guǐ）：日影。

  [译文] 从夏至这一天开始生阴气，所以夏至后的白天一天比一天短；从冬至这一天开始阳气回升，所以冬至后的白天一天比一天长起来。

  冬至到而葭灰飞，立秋至而梧叶落。

  [注释] 葭（jiā）灰：葭，芦苇。古人烧苇膜成灰，置于律管中，放密室内，以占气候。某一节候到，某律管中葭灰即飞出，示该节候已到。

  [译文] 冬至到了，天上飞着人们燃烧葭草而形成的烟灰；立秋开始，梧桐树上的叶子纷纷飘落在地上。

  上弦谓月圆其半，系初八九；下弦谓月缺其半，系廿二三。

  [注释] 上弦：农历每月初七或初八，在地球上看到的月相呈"D"字形，称"上弦"。 下弦：农历每月二十二日或二十三日，在地球上看到月亮呈反"D"字形，称"下弦"。

  [译文] 上弦月是指月亮半圆，在农历每月初八、初九日；下弦月是指月亮缺了一半，在农历每月的二十二、二十三日。

月光都尽谓之晦，三十日之名；
月光复苏谓之朔，初一日之号；
月与日对谓之望，十五日之称。

[注释] 晦：邹圣脉注："晦，灭也。火死为灭，月尽似之，故为月尽之名。" 朔：邹圣脉注："朔，苏也。月死复苏，故为月初之名。" 望：邹圣脉注："望，月满之名也。月大十六，月小十五，日在东，月在西，遥相望也。"

[译文] 月亮光完全没有了叫"晦"，是每月三十日的别名；月亮光重新恢复叫"朔"，是每月初一的别号；月亮与太阳遥遥相对叫"望"，是每月十五日的别称。

初一是死魄，初二旁死魄，初三哉生明，十六始生魄。

[注释] 死魄：旧谓月亮的有光部分为明，无光部分为魄。朔后月明渐增，月魄渐减，故谓之死魄。反之，望后月明渐减，月魄渐生，即谓之生魄。
旁死魄：农历每月初二的月相。亦借指农历每月初二。 哉生明：指农历每月初三。此时月亮开始有光。

[译文] 初一那天的月亮最暗，叫"死魄"；初二和初一差不多，叫"旁死魄"；到初三那天开始有光，叫"哉生明"；十六那天月亮又开始亏缺，月亮逐渐暗淡，叫"始生魄"。

翼日、诘朝，皆言明日；榖日、吉旦，悉是良辰。

[注释] 榖（gǔ）日：吉日。《书言故事·岁月》："言吉日曰榖日。" 吉旦：泛指吉祥的日子。

[译文] 翼日、诘朝，都是说的明天；榖日、吉旦，都是良辰。

片晌即谓片时，日曛乃云日暮。

[注释] 日曛（xūn）：日色昏黄。指天色已晚。

[译文] 片晌就是片时、片刻的意思；日曛是指日暮、傍晚。

畴昔、曩者，俱前日之谓；黎明、昧爽，皆将曙之时。

[注释] 曩（nǎng）：先时，以前。

[译文] 畴昔、曩者，都是指以往的日子；黎明、昧爽，都是指天将亮的时候。

月有三浣：初旬十日为上浣，中旬十日为中浣，下旬十日为下浣；学足三余：夜者日之余，冬者岁之余，雨者晴之余。

[注释] 三浣（huàn）：唐制，官吏十日一休沐，沐谓澣（huàn，同浣）濯。后来对应一个月的上旬、中旬、下旬。 三余：《三国志·魏志·王肃传》裴松之注引三国魏鱼豢《魏略》："（董）遇言：'（读书）当以三余。'或问三余之意。遇言：'冬者岁之余，夜者日之余，阴雨者时之余也。'"

[译文] 唐代官员每月要洗濯三次，叫"三浣"：每月前十天叫"上浣"，中间十天叫"中浣"，最后十天叫"下浣"；三国时董遇说过，治学要充分利用三个空余时间：夜晚是白天的空余时间，冬天是一年的空余时间，雨天是晴天的空余时间。

以术愚人，曰朝三暮四；为学求益，曰日就月将。

[注释] 朝三暮四：典出《列子·黄帝》。 日就月将：每天有成就，每月有进步。形容积少成多，不断进步。

[译文] 用权术愚弄别人，就像古代养猴人喂猴，今天早上三升，晚上四升，明天早上四升，晚上三升，哄骗猴子一样；做学问求得收益，叫日就月将，天天有所成就，月月有所进步。

焚膏继晷，日夜辛勤；俾昼作夜，晨昏颠倒。

[注释] 焚膏继晷：膏，油脂之属，指灯烛。晷，日光。后以形容夜以继日地勤奋学习、工作等。 俾昼作夜：把白昼当作夜晚。指不分昼夜地寻欢作乐。

[译文] 点着油灯，夜以继日，是比喻勤奋好学的人白天黑夜都在读书；把白天当成黑夜，是指有的人沉醉于灯红酒绿的生活，把早晨和黄昏都弄颠倒了。

自愧无成，曰虚延岁月；与人共语，曰少叙寒暄。
[注释] 寒暄：问候起居寒暖。暄，暖也。
[译文] 自己惭愧一事无成，叫"虚延岁月"；和别人交谈，说几句问寒问暖的话，叫"少叙寒暄"。

可憎者，人情冷暖；可厌者，世态炎凉。
[注释] 人情冷暖、世态炎凉：皆指趋炎附势的人情世故。
[译文] 最可憎恨的是人情有冷暖，最可厌恶的是世态有炎凉。

周末无寒年，因东周之懦弱；秦亡无燠岁，由嬴氏之凶残。
[注释] 燠（yù）：暖，热。《汉书·五行志》："周失之舒，秦失之急，故周衰亡寒岁，秦灭亡燠年。"
[译文] 东周的末年，没有寒冷的岁月，因为它的王权太虚弱；秦朝灭亡时没有暖和的岁月，因为它的政权太残暴。

泰阶星平曰泰平，时序调和曰玉烛。
[注释] 泰阶：古星座名。即三台。上台、中台、下台共六星，两两并排而斜上，如阶梯，故名。 玉烛：谓四时之气和畅。
[译文] 泰阶六星阴阳平和叫"太平"，天气四季调和叫"玉烛"。

岁歉曰饥馑之岁，年丰曰大有之年。
[注释] 饥馑（jǐn）：灾荒。 大有：丰收。

[译文] 庄稼歉收的年份叫"饥馑之岁",丰收的年份叫"大有之年"。

唐德宗之饥年,醉人为瑞;梁惠王之凶岁,野莩堪怜。
[注释] 莩(piǎo):通"殍",指饿死的人。
[译文] 唐德宗时的饥荒年,连酿酒的粮食都没有,偶尔看见有人喝醉了,都认为是祥瑞的征兆;战国梁惠王时的荒年,到处是饿死的穷人,孟子认为十分可怜。

丰年玉,荒年谷,言人品之可珍;
薪如桂,食如玉,言薪米之腾贵。
[注释] 丰年玉,荒年谷:比喻可贵的人才。 薪如桂,食如玉:比喻柴米的昂贵。
[译文] 像丰收年份的玉,像饥荒年份的谷子,这是比喻人的品德的珍贵;柴像桂枝,食物像白玉,这是形容柴米价钱飞涨,贵得惊人。

春祈秋报,农夫之常规;夜寐夙兴,吾人之勤事。
[注释] 春祈秋报:春祈,古代春日祈求谷物丰熟的祭礼。秋报,古代秋日祭祀社稷,以报神佑。
[译文] 春天祈求丰收,秋天庆祝回报,这是农夫的常规;天黑就睡,清晨早起,这是勤劳人的作为。

韶华不再,吾辈须当惜阴;日月其除,志士正宜待旦。
[注释] 韶(sháo)华:美好的时光。
[译文] 青春年华不会再来,我们应当珍惜光阴;日月过得很快,有志向的人应抓紧时间有所作为。

【增】

寒暑代迁，居诸迭运。

[注释] 居诸：《诗·邶风·柏舟》："日居月诸，胡迭而微。"孔颖达疏："居、诸者，语助也。"后用以借指日月、光阴。

[译文] 冬夏在循环转换，日月在不停更迭。

九秋授御寒之服，自古已然；三月上踏青之鞋，于今不改。

[注释] 九秋授御寒之服：谓制备寒衣。古代以九月为授衣之时。《诗·豳风·七月》："七月流火，九月授衣。"毛传："九月霜始降，妇功成，可以授冬衣矣。" 三月上踏青之鞋：踏青，清明节前后郊野游览的习俗。旧时以清明节为踏青节。

[译文] 秋天的九月，就开始准备过冬御寒的衣服，这在古代就已是这样了；春天的三月，穿着踏青的鞋子，至今没有改变。

双柑斗酒，雅称春游；对影三人，仅堪夜饮。

[注释] 双柑（gān）斗酒：唐冯贽《云仙杂记》卷二："戴颙（南朝宋人，字仲若，是当时高人雅士）春携双柑、斗酒，人问何之，曰：'往听鹂声。'"后遂用为春日雅游的典故。

[译文] 南朝宋戴颙春天带着柑子和美酒出游去听黄鹂动人的叫声，雅称为"春游"；李白夜晚独自饮酒，作《月下独酌》："花下一壶酒，独酌无相亲。举杯邀明月，对影成三人。"

五月孤军渡泸水，蜀丞相何等忠勤；
上元三鼓夺昆仑，狄将军更多妙算。

[注释] 泸水：指金沙江在四川宜宾以上，云南、四川交界处的一段。

[译文] 蜀国丞相诸葛亮，不顾炎热的天气，五月率孤军渡过泸水攻打孟获，这是何等的忠诚勤勉；宋朝大将狄青，正月十五夜三更天突袭巧夺昆仑关，表现了他的神机妙算。

二月扑蝶之会，洵可乐焉；元正磔鸡之朝，必有取尔。

[注释] 二月扑蝶之会：旧时以农历二月十五日为花朝，届期士女相聚，扑蝶为戏，故又称扑蝶会。　磔（zhé）鸡之朝：旧俗于正月一日杀鸡挂于门以除不祥。

[译文] 从前长安二月有扑蝶的盛会，十分快乐；魏晋时的正月初一，人们杀鸡悬挂于门，为的是祛除不祥，求得岁月充满生机。

吴质浮瓜避暑，陂塘九夏为秋；葛仙吐火驱寒，户牖三冬亦暖。

[注释] 吴质浮瓜避暑：邹圣脉注："吴质夏月与宾朋避暑，魏文帝《与朝歌令吴质书》：'浮甘瓜于清泉，沉朱李于寒水。'"谓以寒泉洗瓜果解渴。后因以"浮瓜沉李"代指消夏乐事。　陂（bēi）塘：池塘。　户牖：门窗。

[译文] 魏国的吴质，把瓜浸泡在泉水中以避暑热，有秋天凉爽的感觉；晋朝的葛洪有仙术，严冬请客，口中吐火驱寒，满屋都觉温暖如春。

豪吟释子，夜敲咏月之钟；胜赏君王，春击催花之鼓。

[注释] 夜敲咏月之钟：邹圣脉注："僧如满咏月诗：'团团离海角，渐渐出天衢。此夜一轮满，清光何处无。'乃喜极撞钟。"　春击催花之鼓：见唐南卓《羯鼓录》。

[译文] 唐僧人如满，夜晚吟月诗兴未尽，敲响了寺院的钟声；唐明皇上苑赏花，命高力士击鼓催花开。

清秋汾水，歌传汉武之辞；上巳兰亭，事记右军之迹。

[注释] 上巳兰亭：兰亭，亭名。在浙江省绍兴市西南之兰渚山下。东晋永和九年王羲之与谢安等同游于此，羲之作《兰亭集序》。　右军：王羲之曾任右军将军，故称羲之为右军。

[译文] 汉武帝秋游山西汾水，伴着秋风吟诵："秋风起兮白云飞，草木黄落兮雁南归。"一时广为流传。晋永和九年三月初三上巳日，王羲之与朋友欢宴于会稽兰亭，写下了著名的《兰亭集序》，成为传世之作。

人日卧含章檐下，寿阳试学梅妆；
中秋过牛渚矶头，谢尚细吹竹笛。

[注释] 含章：即含章殿，南朝宋宫殿名。 梅妆：古时女子妆式，描梅花状于额上为饰。相传始于南朝宋寿阳公主。 牛渚（zhǔ）矶：在今安徽省马鞍山市西南长江边，为牛渚山北部突出于长江中的部分。

[译文] 南朝宋武帝之女寿阳公主，在人日那天，卧在含章殿屋檐下，梅花掉落在她的额头上，十分美丽，宫中纷纷效仿，称为梅花妆；晋朝人谢尚中秋夜过长江牛渚矶，遇见袁宏在船上歌咏，谢尚就吹笛相和，并登船与袁宏畅谈通宵。

寇公春色诗，真可喜也；欧子秋声赋，何其凄然。
[注释] 春色诗：宋寇准曾作《江南春》。 秋声赋：宋欧阳修曾作《秋声赋》。

[译文] 宋寇准的春色诗，读了让人喜悦；宋欧阳修的《秋声赋》，读了令人感到凄惨不已。

朝 廷

三皇为皇，五帝为帝。

[注释] 三皇：传说中的上古三帝王，说法不一。多认为是伏羲、神农、燧人。 五帝：传说中的上古五位帝王，说法不一。多认为是黄帝、颛顼

(zhuān xū)、帝喾（kù)、唐尧、虞舜。

[译文]伏羲、神农、燧人，为上古三皇；黄帝、颛顼、帝喾、唐尧、虞舜，为上古五帝。

以德行仁者王，以力假仁者霸。
[注释]力：甲兵之力也。
[译文]以道德施行仁政治天下者，叫"王道"；以暴力假借仁义统天下者，叫"霸道"。

天子天下之主，诸侯一国之君。
[注释]诸侯：古代帝王所分封的各国君主。在其统辖区域内，世代掌握军政大权，但要服从王命，定期向帝王朝贡述职，并有出军赋和服役的义务。
[译文]天子是一统天下的君主，诸侯是天子分封的诸侯国的国君。

官天下，乃以位让贤；家天下，是以位传子。
[注释]官天下：即天下为公。 家天下：谓帝王把国家作为自己一家的私产，世代相传。
[译文]官天下，是指五帝时出于公心，以天下为公，将帝位让给贤人；家天下，是指自夏以降的帝王出于私心，以天下为私，将帝位传给儿子。

陛下尊称天子，殿下尊重宗藩。
[注释]殿下：因卑达尊之称。汉蔡邕《独断》卷上："陛下者，陛，阶也……群臣与天子言，不敢指斥，故呼在陛下者而告之，因卑达尊之意也。"
[译文]陛下是对天子的尊称，殿下是对皇族的尊称。

皇帝即位曰龙飞，人臣觐君曰虎拜。

[注释] 龙飞：《易·乾》孔颖达疏："若圣人有龙德，飞腾而居天位。"遂以"龙飞"为帝王的兴起或即位。　虎拜：召穆公名虎，周宣王时人。因平定淮夷之乱有功，王赐给他山川土田，召穆公稽首拜谢。后因称大臣朝拜天子为虎拜。

[译文] 皇帝继承帝位叫"龙飞"，大臣朝见皇帝叫"虎拜"。

皇帝之言，谓之纶音；皇后之命，乃称懿旨。

[注释] 纶音：帝王的诏令。　懿旨：古用以称皇后、皇太后或皇妃、公主等的命令。也可用为对贵显人家长辈妇人命令的敬称。

[译文] 皇帝说的话，叫"纶音"；皇后的命令，叫"懿旨"。

椒房是皇后所居，枫宸乃人君所莅。

[注释] 椒房：即椒房殿。后宫以椒涂壁取温暖，辟恶气。　枫宸：宫殿。宸，北辰所居，指帝王的殿庭。汉代宫庭多植枫树，故有此称。

[译文] "椒房"是皇后居住的地方，"枫宸"是皇帝莅临的宫殿。

天子尊崇，故称元首；臣邻辅翼，故曰股肱。

[注释] 股肱（gōng）：大腿和胳膊。比喻左右辅佐之臣。

[译文] 天子备受人们的尊崇，就像一个人的头脑一样，所以叫"元首"；大臣们是辅佐皇帝的，如同人的四肢护着身体一样，所以叫"股肱"。

龙之种，麟之角，俱誉宗藩；君之储，国之贰，皆称太子。

[注释] 宗藩：指受天子分封的宗室诸侯。因其拱卫王室，犹如藩篱，故称。

[译文] 龙种、麟角，都是赞誉皇族的用词；君储、国贰，都是

称呼太子的用词。

帝子爱立青宫，帝印乃是玉玺。

[注释] 青宫：汉东方朔《神异经》："东方外有东明山，有宫焉，左右有阙，而立其高百尺，画以五色青石为墙，高三仞，门有银榜，以青石碧镂题曰：天地长男之宫。"故太子所居宫曰青宫。　玉玺：专指皇帝的玉印。始于秦。

[译文] 太子居住的地方叫"青宫"，皇帝的印章叫"玉玺"。

宗室之派，演于天潢；帝胄之谱，名为玉牒。

[注释] 玉牒（dié）：记载帝王谱系、历数及政令沿革之书。

[译文] 皇帝宗族的支派，如同天池之水分成各支流一样；皇族的家谱，叫做"玉牒"。

前星耀彩，共祝太子以千秋；嵩岳效灵，三呼天子以万岁。

[注释] 前星耀彩：邹圣脉注："心三星，天王正位也。中星，天子位；前星，太子位；后星，庶子位。唐明皇为太子时，八月五日生辰宴，百官于花萼楼，张悦等表请是日为千秋灵节。"　嵩岳效灵：《汉书·武帝纪》："翌日亲登嵩高，御史乘属在庙旁吏卒咸闻呼万岁者三。"据载，此事发生在元丰元年春。后世祝颂帝王高呼万岁，称为"嵩呼"。

[译文] 天上有前、中、后三星，前星代表太子位。唐明皇作太子时，生日宴请百官，前星发出耀眼的光彩，大臣们共祝太子千秋；汉武帝登临中岳嵩山，他和身边的大臣们听到空中三呼"万岁"，以为嵩山之神显灵，于是在山下建邑以祭祀。

神器、大宝，皆言帝位；妃嫔、媵嫱，总是宫娥。

[注释] 神器：代表国家政权的实物，如玉玺、宝鼎之类。　大宝：借指帝位、政权。　媵嫱（yìng qiáng）：宫廷侍御。

[译文] 神器、大宝，都是皇位的代称；妃、嫔、媵、嫱，是皇帝妃子和侍女的名称。

姜后脱簪而待罪，世称哲后；马后练服以鸣俭，共仰贤妃。

[注释] 姜后脱簪而待罪：事详汉刘向《列女传》。 马后练服以鸣俭：事详《后汉书·明德马皇后纪》。因以"练服鸣俭"用为颂扬帝后廉俭的典故。

[译文] 皇后姜氏认为周宣王早睡晚起耽误朝政，是自己的过错，就摘下头上的簪子以表应受处罚，世人称她是明哲的皇后；东汉光武帝的皇后马氏衣着节俭，人们敬仰她是贤德的皇后。

唐放勋德配昊天，遂动华封之三祝；
汉太子恩覃少海，乃兴乐府之四歌。

[注释] 放勋：帝尧名。 三祝，指多福、多寿、多男子。为祝颂之辞。 少海：指渤海。 乐府之四歌：见晋豹《古今注·音乐》。

[译文] 唐尧帝的功德可与天相比，所以华封人都祝愿他多福多寿多子孙；汉明帝为太子时，对人广施恩德，所以乐府的艺人们为他作歌四章到处颂扬。

【增】
德奉三无，功安九有。

[注释] 三无：邹圣脉注："三无谓天无私覆，地无私载，日月无私照。" 九有：九州。

[译文] 品德尊奉天无私覆、地无私载、日月无私照的人，功绩才能安定九州。

陈桥驿军兵欲变，独日重轮；春陵城圣哲诞生，一禾九穗。

[注释] 独日重轮：日月周围光线经云层冰晶的折射而形成的光圈。古代以为祥瑞之象。 一禾九穗：古代有嘉禾一茎六穗、一茎九穗的记载。被认为是祥瑞之兆。

[译文] 宋太祖赵匡胤在陈桥驿黄袍加身，准备兵变当皇帝时，太阳的外围出现了光圈；东汉光武帝在舂陵城出生时，一棵禾苗长了九个穗子，他的父亲刘钦为他起名刘秀。

祥钟汉代，禁中卧柳生枝；瑞蔼宋廷，榻下灵芝生叶。

[注释] 卧柳生枝：见《后汉书·五行志》。 灵芝生叶：《锦绣万花谷》引《邵氏见闻录》云："产芝四十二叶，仁宗诞降，郭后榻下生灵芝四十二叶，后仁宗绥国四十二年，其瑞应云。"此事预示仁宗在位四十二年。

[译文] 西汉昭帝时，上林苑有棵倒下的柳树突然立起，并生出新叶，叶上有文字，告示汉宣帝将继位；宋仁宗母亲的床下生出灵芝，上有四十二个叶子，后来仁宗在位正好四十二年。

设鼓悬钟，千古仰夏王之乐善；
释旄结袜，万年钦西伯之尊贤。

[注释] 设鼓悬钟：见周鬻（yù）熊《鬻子》。 释旄（máo）结袜：放下旗帜，系上袜带。指周文王尊重人才，自穿衣袜之典。

[译文] 夏禹治天下时，官外设鼓悬钟，广听民意，得到敬仰；周文王伐崇途中，放下旗帜，系上袜带，不让别人动手，得到了人们万年的钦佩。

信天命攸归，驰王骤帝；知人心爱戴，冠道履仁。

[注释] 驰王骤帝：《后汉书·曹褒传》章怀注："《孝经钩命决》曰：'三皇步，五帝骤，三王驰。'" 冠道履仁：即躬行仁道之意。

[译文] 三王执政勤思不已，五帝执政时事顺遂，这是天命所归的表现；君王要得到百姓的爱戴，应当以道德为冠冕，以仁义为鞋

子，躬行仁道。

帝尧用心，哀孺子又哀妇人；武王伐暴，廉货财还廉女色。

[注释]"帝尧用心"二句：《庄子》："昔者，舜问于尧曰：'天王之用心何如？'尧曰：'吾不敖无告，不废穷民，苦死者，嘉孺子，而哀妇人。此吾所以用心已。'" "武王伐暴"二句：《说苑》："于牧之野大败殷人，上堂见玉，曰：'谁之玉也。'曰：'诸侯之玉。'即取而归之于诸侯，天下闻之，曰：'武王廉于财矣。'入室见女曰：'谁之女也。'曰：'诸侯之女也。'即取而归之于诸侯，天下闻之，曰：'武王廉于色也。'"

[译文]尧帝施政很用心，既怜悯儿童，又怜悯妇女；周武王讨伐暴虐的商纣王，既不贪财，也不贪色。

六宫无丽服，玄宗罢织锦之坊；
万姓有余粮，周祖建绘农之阁。

[注释]玄宗罢织锦之坊：《新唐书·玄宗皇帝纪》："（玄宗）二年七月乙未，焚锦绣珠玉于前殿。戊戌，禁采珠玉及为刻镂器玩、珠绳帖绦服者，废织锦坊。" 周祖建绘农之阁：《宋史·陶谷传》："（周）世宗留心稼穑，命工刻木为耕夫、织妇、蚕女之状，置于禁中，思广劝课之道，谷为赞辞以进。"

[译文]皇宫里没有华丽的衣服，是因为唐玄宗把织锦的作坊撤了；百姓家里有余粮，是因为后周世宗在宫中画有各种农作物图，重视农业生产。

宋仁味淡而撤蟹，晋武尚朴而焚裘。

[注释]宋仁味淡而撤蟹：见宋邵博《邵氏闻见后录》。 晋武尚朴而焚裘：《晋书·武帝纪》："十一月辛巳，太医司马程据献雉头裘，帝以奇技异服典礼所禁，焚之于殿前。"

[译文]宋仁宗因为新蟹太贵，不忍心吃而下令撤去；晋武帝崇尚节俭，在殿前焚烧了大臣献上的皮衣，以示警戒。

汉文除肉刑，仁昭法外；周武分宝玉，恩溢伦中。

[注释] 汉文除肉刑：肉刑，残害肉体的刑罚，古指墨、劓、刖、宫、大辟等。 周武分宝玉：《尚书·旅獒》："分宝玉于伯叔之国，时庸展亲。"

[译文] 汉文帝废除肉刑，仁义显扬到法律之外；周武王将宝玉分给各封国，他的恩惠满溢于王族之中。

更知唐主颂成功，舞扬七德；且仰汉高颁令典，约法三章。

[注释] 七德：唐舞名。 约法三章：《史记·高祖本纪》："与父老约，法三章耳：杀人者死，伤人及盗抵罪。"

[译文] 既要知道唐太宗为了颂扬自己的成功，令人改写成《七德》之舞；更要敬仰汉高祖占领秦都后颁发令典，与百姓约法三章之举。

文 臣

帝王有出震向离之象，大臣有补天浴日之功。

[注释] 出震向离：八卦中"震"应东方，"离"应南方。《易·说卦》："帝出乎震，齐乎巽，相见乎离。" 补天浴日：古代神话传说中，女娲炼石补天与羲和浴日甘渊的并称。详见《列子·汤问》、《山海经·大荒南经》。

[译文] 帝王应该有像太阳从东边升起，在南边普照万物的卦象；大臣们则应当有像女娲补天、羲和浴日一样力挽危局的功劳。

三公上应三台，郎官上应列宿。

[注释] 三公上应三台：三台，详见《岁时》。三公，古代中央三种最高官衔的合称。 郎官上应列宿：列宿，众星宿。郎官，谓侍郎、郎中等职。秦代置郎中令，为皇帝左右亲近的高级官员。

[译文] 三公对应天上的三台星，郎官们对应着天上的星宿。

宰相位居台铉，吏部职掌铨衡。

[注释] 台铉：台，三台星之中台星。铉，举鼎的器具。铜制，钩状，以之提鼎的两耳。比喻三公之类的重臣。

[译文] 宰相的位置，就如三台星中的中台星、大鼎两边的鼎耳那样重要；吏部的职责是掌管天下官吏的选拔和考察。

吏部天官大冢宰，户部地官大司徒，礼部春官大宗伯，兵部夏官大司马，刑部秋官大司寇，工部冬官大司空。

[注释] 吏部、户部、礼部、兵部、刑部、工部：旧官制之六部。 天官、地官、春官、夏官、秋官、冬官：《周礼》分设之六官。 大冢宰、大司徒、大宗伯、大司马、大司寇、大司空：分别为《周礼》六官之最高长官。

[译文] 《周礼》天官相当于吏部，它的最高长官叫大冢宰；《周礼》地官相当于户部，它的最高长官叫大司徒；《周礼》春官相当于礼部，它的最高长官叫大宗伯；《周礼》夏官相当于兵部，它的最高长官叫大司马；《周礼》秋官相当于刑部，它的最高长官叫大司寇；《周礼》冬官相当于工部，它的最高长官叫大司空。

司宪中丞，都御史之号；内翰学士，翰林院之称。

[注释] 司宪、中丞：邹圣脉注："称巡抚都御史，曰大中丞、曰大司宪、曰开府、曰副相。" 内翰、学士：邹圣脉注："称翰林曰大内翰、曰大学士、又曰太史、曰词臣、曰国史、曰中秘、曰翰撰。"

[译文] "司宪"、"中丞"，是都御史的别号；"内翰"、"学士"，是翰林院翰林的别称。

天使誉行人，司成称祭酒。

[注释] 行人：使者的通称。 祭酒：汉魏以后官名。汉代有博士祭酒，为博士之首。西晋改设国子祭酒，隋唐以后称国子监祭酒，为国子监的主管官。清末始废。

[译文] "天使"是对传达皇帝诏令的官员的美称；"司成"是对掌管国子监官员的尊称。

称都堂曰大抚台，称巡按曰大柱史。

[注释] 都堂：明代派遣到外省的总督、巡抚都带有都察院御史衔，故称都堂。 抚台：明清巡抚的别称。 巡按：明代有巡按御史，为监察御史赴各地巡视者。其职权颇重，负责考核吏治，审理大案，知府以下均奉其命。简称"巡按"。 柱史：为御史的代称。

[译文] 都堂又称"大抚台"，巡按又称"大柱史"。

方伯、藩侯，左右布政之号；宪台、廉宪，提刑按察之称。

[注释] 方伯：殷、周时代一方诸侯之长。后泛称地方长官。汉以来之刺史，唐之采访使、观察使，明、清之布政使均称"方伯"。 藩侯：邹圣脉注："藩侯者，即古屏藩之诸侯，一方之牧伯也。" 宪台：后汉改称汉御史府为宪台。后为同类机构的通称，亦以称御史等职官。 廉宪：宋、元时代的职官名。宋代全称廉访使者，元代全称肃政廉访使。主管监察事务。

[译文] "方伯"和"藩侯"，是左右布政使的称号；"宪台"和"廉宪"，是提刑按察使的称号。

宗师称为大文衡，副使称为大宪副。

[注释] 文衡：旧谓判定文章高下以取士的权力。评文如以秤衡物，故云。

[译文] 宗师又称作"大文衡"，副使称作"大宪副"。

郡侯邦伯，知府名尊；郡丞贰侯，同知美誉。

[注释] 郡侯、邦伯：郡侯，一郡之长。邦伯，州牧。古用以称一方诸侯之长。后因称刺史、知州等一州的长官。 郡丞、贰侯：郡守的副手。 同知：副职之称。清代府州及盐运使置同知，府同知即以同知为官称，州同知称州同，盐同知称盐同。

[译文] 郡侯、邦伯，是对知府的尊称；郡丞、贰侯，是对同知的美称。

郡宰别驾，乃称通判；司理荐史，赞美推官。

[注释] 通判：宋初始于诸州府设置，即共同处理政务之意。地位略次于州府长官，但握有连署州府公事和监察官吏的实权。 推官：掌狱讼之事。

[译文] "郡宰"和"别驾"，是通判的别称；"司理"、"荐史"，是对推官的美称。

刺史州牧，乃知州之两号，廌史台谏，即知县之尊称。

[注释] 刺史：原为朝廷所派督察地方之官，后沿为地方官职名称。 州牧：一州之长。

[译文] "刺史"和"州牧"，是知州的两个称号；"廌史"和"台谏"，是对知县的尊称。

乡宦曰乡绅，农官称田畯。

[注释] 田畯（jùn）：古代的地方小吏，掌管税赋、徭役及农事等。

[译文] 居住在乡间的退职官员叫"乡绅"，管理农事的官员叫"田畯"。

钧座台座，皆称仕宦；帐下麾下，并美武官。

[注释] 钧座：对长官的尊称。钧，国政。 台座：旧时称呼对方的敬辞。台，三台星也。 麾（huī）下：将旗之下。即将帅的部下。

[译文] "钧台"和"台座"，都是称呼做官的人；"帐下"和

"麾下",是对武官的美称。

秩官既分九品,命妇亦有七阶。

[注释] 秩官:常设之官。秩,序也。 九品:古代官吏的等级。始于魏晋。从一品到九品,共分九等。 命妇:封建时代受封号的妇人。在宫廷中则妃嫔等称为内命妇,在宫廷外则臣下之母妻称为外命妇。 七阶:阶,级也。指命妇分为七个等级。

[译文] 古代官员的官阶俸禄,分为九品;皇帝诰封的妇人,也有七级。

一品曰夫人,二品亦夫人,三品曰淑人,四品曰恭人,五品曰宜人,六品曰安人,七品曰孺人。

[注释] "一品曰夫人"七句:属于明清命妇之制,前代有所不同。

[译文] 明清命妇之制,一品、二品称"夫人",三品称"淑人",四品称"恭人",五品称"宜人",六品称"安人",七品称"孺人"。

妇人受封,曰金花诰;状元报捷,曰紫泥封。

[注释] 金花诰:古代以金花绫罗纸书制的赐爵封赠的诰书。 紫泥封:指皇帝诏书。古人以泥封书信,泥上盖印。皇帝诏书则用紫泥。

[译文] 皇帝诰封妇人的诏书,是写在金花绫罗纸上的,所以叫"金花诰";为新科状元报捷的文书,是用紫泥封口的,所以叫"紫泥封"。

唐玄宗以金瓯覆宰相之名,宋真宗以美珠钳谏臣之口。

[注释] 金瓯(ōu):酒杯的美称。 钳(qián):夹住。

[译文] 唐玄宗任命宰相时,先把宰相的名字用金瓯覆盖,然后

让太子来猜；宋真宗为了制止大臣王旦谏阻泰山封禅，特赐他一坛珍珠，以堵住他的口。

金马玉堂，羡翰林之声阶；朱幡皂盖，仰郡守之威仪。

[注释] 金马玉堂：金马门与玉堂署。汉时学士待诏之处，后因以称翰林院或翰林学士。 朱幡（fān）皂盖：朱幡，红色的旗幡。尊显者所用。皂盖，古代官员所用的黑色蓬伞。

[译文] 西汉长安皇宫有金马门和玉堂殿，后世以"金马玉堂"作为羡慕翰林院翰林声望和身价的赞词；汉代郡守出巡时，前有朱幡、皂盖引路，后世常用"朱幡皂盖"形容地方官出行仪仗的威严。

台辅曰紫阁明公，知府曰黄堂太守。

[注释] 紫阁：唐代曾改中书省为紫微省，中书令为紫微令。因称宰相府第为紫阁。 黄堂：太守的正厅。明清知府的别称。

[译文] 因宰相府第称谓紫阁，所以台辅又叫"紫阁明公"；黄堂是知府的办事厅堂，所以知府又叫"黄堂太守"。

府尹之禄二千石，太守之马五花骢。

[注释] 骢（cōng）：青白色相杂的马。

[译文] 府尹的年俸有二千石，太守的乘车有五匹马。

代天巡狩，赞称巡按； 指日高升，预贺官僚。

[注释] 代天巡狩：代天子巡行按察。 指日高升：谓很快就可升官。

[译文] 代表天子巡视，这是对巡按的赞誉言语；指日高升，这是预先祝贺官吏提升的言语。

初到任曰下车,告致仕曰解组。

[注释] 下车:指初即位或到任。 解组:指解下印绶。谓辞免官职。

[译文] 官吏初到任上,叫"下车";官吏辞去官职告老还乡,叫"解组"。

藩垣屏翰,方伯古犹诸侯之国;
墨绶铜章,令尹即古子男之邦。

[注释] 藩垣:藩篱和垣墙。泛指屏障。 屏翰:喻国家重臣。 墨绶:黑色丝带。绶带的颜色常用以标志不同的身份与等级。 铜章:古代铜制的官印。唐以来称郡县长官或指相应的官职。

[译文] "藩垣屏翰",是指方伯所管理的地区,犹如古代的大诸侯国,是护卫京城的屏障;"墨绶铜章",是指令尹所管理的地区,就如古代爵位中子、男等小诸侯国。

太监掌阍门之禁令,故曰阉宦;
朝臣皆搢笏于绅间,故曰搢绅。

[注释] 笏(hù):古代臣朝见君时所执的狭长板子,用玉、象牙、竹木制成。 搢(jìn)绅:插笏于绅(围于腰际的大带)。借指仕宦。

[译文] 太监掌管着宫门的开闭,所以叫"阉宦";朝廷的大臣们都把笏板插在腰带上,所以叫"搢绅"。

萧曹相汉高,曾为刀笔吏;汲黯相汉武,真是社稷臣。

[注释] 刀笔吏:指掌文案的官吏。《汉书·萧何传》:"赞曰:萧何、曹参皆起秦刀笔吏,当时录录未有奇节。"

[译文] 汉高祖的丞相萧何和曹参,都曾做过秦朝主办文案的刀笔吏;汉武帝的丞相汲黯敢于谏言,安定社稷有功,被武帝称作社稷臣。

召伯布文王之政，尝舍甘棠之下，后人思其遗爱，不忍伐其树；孔明有王佐之才，尝隐草庐之中，先主慕其令名，乃三顾其庐。

[注释] 甘棠：木名。即棠梨。《诗·召南·甘棠序》："《甘棠》，美召伯也。召伯之教，明于南国。"后以"甘棠"、"召公棠"称颂循吏的美政和遗爱。

[译文] 周朝的召公施行文王的政令，他曾在一棵甘棠树下办公休息，死后人们为了思念他的好处，不忍心把这棵树砍去；诸葛亮有辅佐天子的才略，曾隐居南阳卧龙岗的草庐中，刘备敬仰他的大名，三次亲自到草庐请他出山。

鱼头参政，鲁宗道秉性骨鲠；伴食宰相，卢怀慎居位无能。

[注释] 鱼头参政：宋鲁宗道任参知政事，刚正嫉恶，遇事敢言，因其姓鲁（鱼字头），且秉性耿直，故被称为"鱼头参政"。 伴食宰相：《旧唐书·卢怀慎传》："怀慎与紫微令姚崇对掌枢密，怀慎自以为吏道不及崇，每事皆推让之。时人谓之'伴食宰相'。"后因以指身居相位而庸懦不能任事者。

[译文] 宋朝参政鲁宗道秉性耿直，遇事敢言，人称"鱼头参政"；唐朝宰相卢怀慎遇事推诿，不敢做主，人称"伴食宰相"。

王德用，人称黑王相公；赵清献，世号铁面御史。

[注释] 黑王相公：《宋史·王德用传》："德用习知军中情伪，善以恩抚下，故多得士心。虽屡临边境，未尝亲矢石、督攻战，而名闻四夷，虽间阎妇女小儿，皆呼德用曰'黑王相公'。" 铁面御史：《宋史·赵抃传》："（抃）为殿中侍御史，弹劾不避权幸，声称凛然，京师目为铁面御史。"

[译文] 宋朝大将王德用英勇善战，对军中事务了如指掌，经常施恩于部下，未曾亲自督战上阵，就已名扬四方，因其脸黑，被称为"黑王相公"；宋朝殿中侍御史赵抃铁面无私，弹劾不避权贵，被称为"铁面御史"。

汉刘宽责民，蒲鞭示辱；项仲山洁己，饮马投钱。

[注释] 蒲鞭示辱：常用以表示刑罚宽仁，颂扬官吏施以德政教化，不尚刑罚的典故。 饮马投钱：《初学记》引赵岐《三辅决录》："安陵清者有项仲山，饮马渭水，每投三钱。"后用为清介、不妄取的典故。

[译文] 东汉南阳太守刘宽，为人温厚宽恕，遇有吏民有过错，只用蒲草做成的鞭子抽打几下，以示羞辱而已；安陵人项仲山为示清廉，每次在渭水边饮马，都要向水中投三文钱。

李善感直言不讳，竞称鸣凤朝阳；
汉张纲弹劾无私，直斥豺狼当道。

[注释] 鸣凤朝阳：比喻贤臣遇明君。 豺狼当道：比喻暴虐奸邪的人掌握国政。张纲直斥奸臣事，详见《后汉书·张皓传附子纲传》。

[译文] 唐代监察御史李善感敢于直言谏上，深得民心，人们称赞他是"鸣凤朝阳"；东汉御史张纲，无私无畏，敢于上疏弹劾大将军梁冀父子不法，直斥奸臣是"豺狼当道"。

民爱邓侯之政，挽之不留；人嫌谢令之贪，推之不去。

[注释] 邓侯、谢令：邓侯，指晋朝邓攸，为吴郡太守，为官廉政清明。谢令，邓攸之前任，为官贪婪。《晋书·邓攸传》："吴人歌之曰：'邓侯拖不留，谢令推不去。'"

[译文] 东晋吴郡太守邓攸为官清廉，离任时百姓再三挽留不让他走；他的前任谢令在任上贪赃枉法，百姓赶都赶不走。

廉范守蜀郡，民歌五袴；张堪守渔阳，麦穗两岐。

[注释] 五袴（kù）：事详《后汉书·廉范传》。 两岐：事详《后汉书·张堪传》。

[译文] 东汉蜀郡太守廉范，废除过去禁民夜作的陋规，鼓励生

产，百姓生活好了，过去没衣服的，如今裤子也多了，就作歌唱道："廉叔度，来何暮；不禁火，民安堵；昔无襦，今五袴。"东汉张堪作渔阳太守时，劝民勤耕，麦穗竟会分叉。百姓作歌："桑无附枝，麦穗两岐。张君为政，乐不可支。"

鲁恭为中牟令，桑下有驯雉之异；
郭汲为并州守，儿童有竹马之迎。

[注释] 驯雉之异：用以称颂官吏善政。事详《后汉书·鲁恭传》。 竹马之迎：亦为称颂地方官吏之典。事详《后汉书·郭汲传》。竹马，儿童游戏骑竹竿以为马。

[译文] 东汉鲁恭为中牟令时，民风淳正，桑树下有驯服的野鸡在那里栖息而没人去捕捉它；郭汲为并州太守时，施行仁政，深受百姓爱戴，后来旧地重来，有数百名儿童骑着竹马在道上迎候他。

鲜于子骏，宁非一路福星；司马温公，真是万家生佛。

[注释] 一路福星：比喻能造福于一方的清正官吏。 万家生佛：喻有恩德的官吏。宋戴翼《贺陈待制启》："福星一路之歌谣，生佛万家之香火。"上句云鲜于侁（字子骏），下句云司马光（死后，追赠温国公）。

[译文] 宋代鲜于子骏为京东转运使，司马光让他去齐鲁赈济，人们称他是"一路福星"；司马光做宰相时，广布恩泽，德惠于人，百姓称之为"万家生佛"。

鸾凤不栖枳棘，羡仇香之为主薄；
河阳遍种桃花，乃潘岳之为县官。

[注释] 仇香：东汉仇览的别名。因其曾任主簿，故后人常用以代称主簿。事详《后汉书·仇览传》。 潘岳：晋人。《白氏六帖·县令》："潘岳为河阳令，树桃李花，人号曰'河阳一县花'。"

[译文] 鸾凤不在酸枳荆棘中栖身,这是赞扬东汉人仇香任亭长时,在处理一件母告子不孝的诉状中,劝子孝母有成,而升为主薄的誉词;河阳县到处种植桃树,以致满县皆桃花,这是西晋潘岳当县令时的功绩。

刘昆宰江陵,求神反风灭火;龚遂守渤海,令民卖刀买牛。
[注释] 反风灭火:汉刘昆为江陵令,县多火灾,昆向火叩头,多能降雨止风。事详《后汉书·儒林传上·刘昆》。 卖刀买牛:谓卖掉武器,从事农业生产。事详《汉书·循吏传·龚遂》。
[译文] 汉朝刘昆任江陵县令时,遇有火灾,便下跪向火叩头,风转方向,把火扑灭;龚遂作渤海太守时,下令不抓捕强盗,劝说他们卖掉兵器买牛从农,改过自新。

此皆德政可歌,是以令名攸著。
[注释] 攸(yōu):长久;长远。
[译文] 这些人施行的德政,都可歌颂,所以他们的美名,也从此久传不衰。

【增】
太守称为紫马,邑宰地号雷封。
[注释] 紫马:《翰苑新书·太守》:"南宋谢灵运出守,永嘉人曰:'骑紫马者,太守也。'" 雷封:古代的"县大率方百里"(《汉书·百官公卿表上》),而"雷霆百里,县令象之,分土百里"(《白孔六帖·县令》),故称。
[译文] 晋朝谢灵运任永嘉太守时,常骑紫马出行,所以人称太守为"紫马";古代一个县管辖的地盘方圆约百里,下雨天的雷声也传百里左右,所以县官的辖地也叫"雷封"。

槐位棘垣，三公及孤卿异秩；棱官紧职，拾遗与御史别称。

[注释] 槐位棘垣：周代朝廷种三槐、九棘，公卿大夫分坐其下，以定三公九卿之位。

[译文] 槐位是三公朝见天子的地方，棘垣是九卿朝见天子的地方；棱官和紧职，是拾遗和御史的别称。

给事谓之夕郎，黄门批敕；翰林名为仙掖，紫禁宣麻。

[注释] 夕郎：黄门侍郎的别称。汉时，黄门郎可加官给事中，因亦称给事中为夕郎。　仙掖：唐时门下、中书两省在宫中左右掖，因以"仙掖"借称门下、中书两省。

[译文] 汉朝的给事中常在晚上进入黄门批答敕书，所以又叫"夕郎"；唐朝的翰林则在紫禁城里用白麻纸书写皇帝诏书，所以又叫"仙掖"。

饱卿睡卿，名号自别；铨部祠部，政事攸分。

[注释] 饱卿：光禄卿的别称。以其主膳事，故称。　睡卿：古代官名鸿胪卿的别称。　铨部：主管选拔官吏的部门。　祠部：三国魏尚书有祠部曹，掌礼制，历代因之。

[译文] "饱卿"即光禄卿，"睡卿"即鸿胪卿，它们的名号是不同的；"铨部"即吏部，"祠部"即礼部，它们各自的职责也不一样。

俗美化醇，尹翁归去思蜀郡；名高望重，汲长孺卧治淮阳。

[注释] 尹翁归去思蜀郡：尹翁归，字子兄，河东平阳（今山西临汾）人也，徙杜陵。初为平阳狱吏，后拜东海太守，入朝选为右扶风。至于"去思蜀郡"，意者未详。译文强解之。　汲长孺卧治淮阳：汲黯字长孺，濮阳人。西汉初年的名臣。淮阳郡是通往楚地的要道，征召汲黯为淮阳太守。汲黯以病、体力难支推辞。皇上说："淮阳地方官民关系紧张，只好借助你的威望，

请你躺在家中去治理吧。"

[译文] 民俗美好,教化醇厚,百姓安居乐业,这是蜀郡太守尹翁归去职后对该郡的思念;名高望重,这是人们对淮阳太守汲黯治理淮阳的赞词。

张魏公作冲天羽翼,李长吉为瑞世琼瑶。

[注释] 冲天羽翼:详见《翰苑新书》引《朱晦庵集》。 瑞世琼瑶:邹圣脉注:"李贺,字长吉,为承旨。韩昌黎美之曰:'瑞世之琼瑶也。'"

[译文] 宋朝张浚任礼部侍郎时,皇帝称赞他是"冲天羽翼";唐朝李贺为承旨官,韩愈称赞他的文才是"瑞世琼瑶"。

士仰直声,汉世喜多二鲍;民歌善政,江东闻有三岑。

[注释] 二鲍:指后汉鲍永、鲍恢。事详《后汉书·鲍永传》。 三岑(cén):唐岑羲与弟仲翔、仲休的合称。事详《新唐书·岑羲传》。

[译文] 士人敬仰有正直名声的官员,汉朝的御史鲍永、鲍恢叔侄俩世称"二鲍";百姓歌颂施行德政的官员,江东三个县令:金坛令岑羲、长洲令岑仲翔、溧水令岑仲休三兄弟,世号"三岑"。

棠棣理政多能,刘氏弟兄守南郡;
乔梓治县有谱,傅家父子宰山阴。

[注释] 棠棣(dì):当作"常棣"。木名。喻指兄弟。 乔梓:喻指父子。

[译文] 南朝梁时,理政多年、百姓受惠最多的是先后任南郡太守的刘之遴、刘之亨兄弟;南朝齐时,治县有方、政绩卓著的是相继任山阴县令的傅僧祐、傅琰父子。

政简刑清,姜谟号太平官府;身修行洁,裴侠称独立使君。

[注释] 姜谟（mó）号太平官府：典出《旧唐书·姜谟传》。 裴侠称独立使君：典出《周书·裴侠传》。

[译文] 唐姜谟官秦州，政简刑清，人称他是"太平官府"；五代周裴侠官河北太守，清廉奉公，当时号称"独立使君"。

袁尚书学问深宏，不愧魏朝杜预；
寇丞相事功彪炳，真为宋代谢安。

[注释] 袁尚书：《魏书·袁翻传》："翻，字景翔，陈郡项人也。肃宗、灵太后曾宴于华林园，举觞谓群臣曰：'袁尚书，朕之杜预。'侍座者莫不美仰。" 杜预：晋人，著有《春秋左传集解》。 寇丞相：寇准，字平仲，华州下邽（今陕西渭南）人。邹圣脉注："寇公澶渊之役，契丹不得志而归，时人以其功比晋之谢安。"

[译文] 北魏尚书袁翻学问精深博达，肃宗称他不愧是自己的杜预；宋朝丞相寇准功绩彪炳千秋，真乃是宋代的谢安。

熙宁三舍人，乃一朝硕彦；庆历四谏士，实千古良臣。

[注释] 熙宁三舍人：事详《宋史·李大临传》。 庆历四谏士：宋魏泰《东轩笔录》卷十三："庆历中，余靖、欧阳修、蔡襄、王素为谏官，时谓四谏。"

[译文] 宋朝熙宁年间，知制诰宋敏求、苏颂、李大临因反对李定为御史而落职，世称"熙宁三舍人"，乃是一朝贤士；庆历年间，余靖、欧阳修、蔡襄、王素共为谏官，忠于职守，时号"庆历四谏士"，实为千古良臣。

宰相必用读书人，舍窦可象谁当鼎轴；
状元曾是渴睡汉，惟吕文穆乃占魁名。

[注释] 窦可象：指窦仪，字可象。详见《宋史·太祖本纪》。 吕文穆：指吕蒙正，谥号文穆。详见宋欧阳修《六一诗话》。

[译文] 宰相必须用读书人，除了窦仪谁能当呢？这是宋太祖夸奖窦仪的话；吕蒙正曾被人讥笑是瞌睡汉，偏偏他中了状元，令讥者大惭。

谁云公种生公，或谓相门有相。

[注释] 公种生公、相门有相：意谓龙生龙，凤生凤。

[译文] 谁说公侯家一定生公侯，或者说相门家一定出宰相呢？

武 职

韩柳欧苏，固文人之最著；起翦颇牧，乃武将之多奇。

[注释] 起翦（jiǎn）颇牧：起翦，战国时秦国著名将领白起和王翦的并称。颇牧，战国时赵国名将廉颇与李牧的并称。

[译文] 唐代文学家韩愈、柳宗元，宋代文学家欧阳修、苏轼，是文人中最著名的；战国时秦国的白起、王翦，赵国的廉颇、李牧，是武将中最有奇才的。

范仲淹，胸中具数万甲兵；楚项羽，江东有八千子弟。

[注释] 胸中具数万甲兵：《宋名臣言行录》卷七引《名臣传》："公（范仲淹）领延安，阅兵选将，日夕训练；又请戒诸路养兵蓄锐，毋得轻动。夏人闻之，相戒曰：'无以延州为意，今小范老子腹中自有数万甲兵，不比大范老子（范雍，范仲淹父亲）可欺也。'" 江东有八千子弟：秦朝末年，项梁、项羽叔侄在会稽起兵反秦，得江东子弟八千人，是为其基本骨干队伍。

[译文] 宋朝范仲淹能文能武，镇守延州时，西夏人称他为胸有雄兵数万而不敢侵犯；楚霸王项羽起兵时，带领江东八千子弟渡江而战。

孙膑、吴起,将略堪夸;穰苴、尉缭,兵机莫测。

[注释] 穰苴(ráng jū):姓田,名穰苴。春秋时期齐国人,是齐景公时掌管军事的大司马,所以后人称他为司马穰苴。著有《司马法》。 尉缭:魏国大梁人。姓失传,名缭。入秦游说,被任为国尉,因称尉缭。著名的军事理论家,著有《尉缭子》。

[译文] 春秋战国时齐国孙膑、魏国吴起,他们的谋略值得夸赞;齐国司马穰苴、魏国尉缭,他们的计谋让人难以猜测。

姜太公有《六韬》,黄石公有《三略》。

[注释] 六韬(tāo):兵书名。分文韬、武韬、龙韬、虎韬、豹韬、犬韬六卷。 黄石公:《史记·留侯世家》称其人避秦世之乱,隐居东海下邳。时张良因谋刺秦始皇不果,亡匿下邳,在下邳桥遇黄石公。黄石公三试张良,授于《太公兵法》。后世流传有《黄石公素书》和《黄石公三略》二书,盖为后人托名所作。《三略》分上略、中略、下略三个部分。

[译文] 周文王时姜太公著有《六韬》,秦汉时黄石公著有《三略》。

韩信将兵,多多益善;毛遂讥众,碌碌无奇。

[注释] 韩信将兵,多多益善:典出《史记·淮阴侯列传》。 毛遂讥众,碌碌无奇:典出《史记·平原君虞卿列传》。

[译文] 韩信与汉高祖刘邦论兵,韩信说:"陛下可带兵十万,臣则多多益善。"战国时赵国人毛遂自荐随平原君求救于楚,同行二十人。结果只有他一人说服楚王出兵。毛遂指着这十九人说:"公等碌碌,因人成事。"讥讽他们没有才谋,碌碌无为,空忙一场。

大将曰干城,武士曰武弁。

[注释] 干城:比喻捍卫或捍卫者。 武弁(biàn):弁,古代贵族的一

种帽子，通常穿礼服时用之。赤黑色布做的叫爵弁，是文冠；白鹿皮做的叫皮弁，是武冠。武士服皮弁，因称武士为武弁。

[译文] 大将担负保卫国家的重任，所以叫"干城"；武士头戴武冠，所以叫"武弁"。

都督称为大镇国，总兵称为大总戎。
[注释] 总兵：官名。明代遣将出征，别设总兵、副总兵以统领军务。其后总兵镇守一方，渐成常驻武官。
[译文] 都督又可称作"大镇国"，总兵又可称作"大总戎"。

都阃即是都司，参戎即是参将。
[注释] 都阃（kǔn）：指统兵在外的将帅。　参戎：明清武官参将。
[译文] "都阃"就是都司，"参戎"就是参将。

千户有户侯之仰，百户有百宰之称。
[注释] 千户、百户：邹圣脉注："称千户曰大户侯，曰千夫长。称百户曰大百宰，曰百夫长。"
[译文] 千户有"户侯"的尊称，百户有"百宰"的别称。

以车为户曰辕门，显揭战功曰露布。
[注释] 辕门：古代帝王田猎止宿处，仰起两车，车辕相向，以表示门，称辕门。　露布：告捷文书。《隋书·礼仪志》："后魏每攻战克捷，欲天下知闻，乃书帛，建于竿上，名为露布，其后相因施行。"
[译文] 过去天子外出在外住宿时，用车子作屏障，车辕相向摆布以作门，所以叫"辕门"；北魏时每次打胜仗，都要把战功写在战旗上，称作"露布"。

下杀上，谓之弑；上伐下，谓之征。

[注释] 弑（shì）：卑幼杀死尊长。　征：正也。伐下所以正其罪也。

[译文] 臣子刺杀国君叫"弑"，国君讨伐臣子叫"征"。

交锋谓对垒，求和曰求成。

[注释] 对垒：两军相持。

[译文] 两军交锋叫"对垒"，请求停战叫"求成"。

战胜而回，谓之凯旋；战败而走，谓之奔北。

[注释] 奔北：败逃。北通"背"。《书·甘誓》孔颖达疏："奔北，谓背阵走也。"

[译文] 得胜回营叫"凯旋"，战败逃走叫"奔北"。

为君泄恨，曰敌忾；为国救难，曰勤王。

[注释] 敌忾（kài）：抵抗所愤恨的敌人。　勤王：多指君主的统治受到威胁时，臣子起兵救援王朝。

[译文] 为君王发泄愤恨叫"敌忾"，救国于危难之中叫"勤王"。

胆破心寒，比敌人慑服之状；风声鹤唳，惊士卒败北之魂。

[注释] 胆破心寒：邹圣脉注："宋韩琦与范仲淹力欲收复西夏，边上谣曰：'军中有一韩，西贼闻之心胆寒；军中有一范，西贼闻之惊破胆。'"　风声鹤唳：谓前秦苻坚兵败于晋事，详见《晋书·谢玄传》。

[译文] 胆破心寒，用来形容敌人惊恐万分的样子；风声鹤唳，用来描述因兵败而受到惊吓的士卒。

汉冯异当论功，独立大树下，不夸己绩；
汉文帝尝劳军，亲幸细柳营，按辔徐行。

[注释] 冯异：《东观汉记·冯异传》："异为人谦退，每止顿，诸将共论

卷一　63

功伐，异常屏止树下，军中号'大树将军'。" 　细柳营：汉文帝时，周亚夫为将军，屯军细柳。事具《史记·绛侯世家》。细柳，在今陕西省咸阳市西南。

[译文] 东汉光武帝的偏将军冯异，每当诸将并坐论功时，他却独自站在大树下，不讲自己的功绩；汉文帝到周亚夫的细柳营劳军，按照军规，牵着马的缰绳，缓慢走进去。

苻坚自夸将广，投鞭可以断流；
毛遂自荐才奇，处囊便当脱颖。

[注释] 投鞭可以断流：详《晋书·苻坚载纪》。　处囊：《史记·平原君虞卿列传》："平原君曰：'夫贤士之处世也，譬若锥之处囊中，其末立见。'毛遂曰：'臣乃今日请处囊中耳。'"后常以"处囊"比喻一个人的才智得到机会便显露出来。

[译文] 前秦大将苻坚举兵南侵，石越劝他前有长江，不可妄动。苻坚不听，夸口说："我有百万雄兵，把鞭子投入长江，也能阻断其流。"结果大败。战国时赵国有难，毛遂自荐随平原君到楚国求救，说："臣像锥子放在布袋中，它的尖儿马上就会露出来。"后来他果然完成了使命。

羞与哙等伍，韩信降作淮阴；无面见江东，项羽羞归故里。

[注释] 无面见江东：语出《史记·项羽本纪》。

[译文] 汉韩信从楚王被降为淮阴侯后，对与以前的部下樊哙平起平坐感到羞耻；楚霸王项羽兵败乌江，自叹无颜再见江东父老，不愿回家乡，拔剑自刎。

韩信受胯下之辱，张良有进履之谦。

[注释] 韩信受胯下之辱：典出《史记·淮阴侯列传》。　张良有进履之谦：参本章"黄石公有《三略》"注。

[译文] 韩信在少年时，曾受过钻别人裤裆的耻辱；张良在下邳桥上，曾为一老人穿上他故意甩掉的鞋。

卫青为牧猪之奴，樊哙为屠狗之辈。

[注释] 卫青为牧猪之奴：《史记·卫将军骠骑列传》："青为侯家人，少时归其父，父使牧羊。"据本传，牧猪恐当作牧羊。

[译文] 汉大将卫青少时孤贫，曾做过放猪羊的奴隶；樊哙当年曾干过宰狗的行当。

求士莫求全，毋以二卵弃干城之将；
用人如用木，毋以寸朽弃连抱之材。

[注释] "求士莫求全"四句：典出《孔丛子》。

[译文] 求才不要求全，不要因为他吃了人家两个鸡蛋而不能当护卫国家的大将；用人就像使用木材，不要因为有一点腐烂的地方就将整根粗大的木料丢弃不用。

总之君子之身，可大可小；丈夫之志，能屈能伸。

[注释] 可大可小、能屈能伸：指人在不得志时能忍耐，在得志时能施展其抱负。亦常以此语解嘲。

[译文] 总之，有德有才的君子，应可大可小；胸怀志向的大丈夫，应能屈能伸。

自古英雄，难以枚举；欲详将略，须读《武经》。

[注释] 武经：兵书。宋时武试，选定《孙子》、《吴子》、《六韬》、《司马法》、《三略》、《尉缭子》、《李卫公问对》等七种兵书，供应武举者研习，名《武经七书》，简称《武经》。

[译文] 自古以来的英雄，难以一一枚举；要想详知将领的作战

谋略，必须熟读《武经七书》。

【增】

《书》曰桓桓武士，《诗》云矫矫虎臣。

[注释] 桓桓：威武貌。　矫矫：勇武貌。

[译文] 《尚书》上说"桓桓武士"，这是称颂武士的威武；《诗经》上说"矫矫虎臣"，这是夸耀武士的勇猛。

黄骢少年，登先陷阵；白马长史，殿后摧锋。

[注释] 黄骢少年：详《周书·裴果传》。　白马长史：详《后汉书·公孙瓒传》。

[译文] 北周的裴果常骑着黄骢马冲锋陷阵，人称"黄骢少年"；东汉公孙瓒任辽东属国长史，常带善于射箭的将士乘白马破敌，人称"白马长史"。

天子遣赵将军，真得御边之策；
路人问霍去病，速收绝漠之勋。

[注释] 天子遣赵将军：事详《汉书·赵充国传》。　路人问霍去病：见《南史·曹景宗传》。

[译文] 汉宣帝派赵充国任将军去边疆，得到了赵充国提出的御边良策；梁朝曹景宗破北魏回师，梁武帝设宴慰劳，曹作诗说："去时儿女悲，归来笳鼓竞。借问行路人，何如霍去病。"自比汉将霍去病。

北敌势方强，娄师德八遇八克；
南蛮心未服，诸葛亮七纵七擒。

[注释] 八遇八克：《新唐书·娄师德传》："吐蕃盗边，师德房战白水

涧,八遇八克。" 七纵七擒:详《三国志·蜀志·诸葛亮传》。

[译文] 唐朝时,吐蕃借自己势力强盛,入侵边疆,娄师德奉诏征讨,八战八胜;三国时南蛮首领孟获不服蜀汉统治,诸葛亮将他七次抓获,又七次放掉,终于使他诚服归顺。

卫将军一举而朔庭空,仗剑洗刘家日月;
薛总管三箭而天山定,弯弓造李氏乾坤。

[注释] "卫将军"二句:卫将军,指汉武帝将军卫青。朔庭,犹北庭。指北方异族政权。刘家日月,指西汉王朝。 "薛总管"二句:薛总管,指唐薛仁贵。《新唐书·薛仁贵传》:"仁贵发三矢,辄杀三人,于是虏气慑,皆降。军中歌曰:'将军三箭定天山,壮士长歌入汉关。'"

[译文] 汉武帝令大将军卫青征讨匈奴,匈奴遁逃一空,他倚仗宝剑捍卫了刘氏王朝的天下;唐初大将薛仁贵,三箭射杀三个乱贼头领,平定了天山,用弓箭筑造了李氏王朝的江山。

韩信用木罂渡军,机谋叵测;田单以火牛出阵,势焰莫当。

[注释] 木罂(yīng):木罂缶的简称。用木柳夹缚罂缶而成的浮渡工具。 火牛:双角缚兵刃,尾部束苇灌脂,楚之使冲杀敌军的牛。

[译文] 汉韩信攻打魏军时,用木罂渡河,出其不意击败了魏军,这种计谋是常人难以预测的;齐国大将田单遭燕国围困,摆出了火牛阵突围,其势难以阻挡。

太史慈乃猿臂英雄,班定远实虎头豪杰。

[注释] 太史慈:《三国志·吴志·太史慈传》:"慈长七尺七寸,美须髯,猿臂善射,弦不虚发。" 班定远:班超,东汉著名的军事家和外交家。《东观汉记·班超传》:"相者曰:'生燕颔虎头,飞而食肉,此万里侯相也。'"

[译文] 三国吴将太史慈善射,他的手臂长如猿猴之臂,人称"猿臂英雄";东汉名将班超长得虎头燕颔,战功显赫,人称"虎头豪杰"。

力能万众，敬德避矟而复夺矟；
胆略过人，张辽出阵而复入阵。

[注释] 敬德避矟（shuò）而复夺矟：《旧唐书·尉迟敬德传》："敬德善解避矟，每单骑入贼阵，贼矟攒刺，终不能伤，又能夺取贼矟，还以刺之。"矟，长矛。 张辽出阵而复入阵：《三国志·魏志·张辽传》："辽左右麾围，直前急击，围开，辽将麾下数十人得出，余众号呼曰：'将军弃我乎。'辽复还突围，拔出余众。"

[译文] 唐初大将尉迟恭力大过人，在与敌交锋中，既能避开对方的长矛，又能把长矛夺过来；三国魏将张辽胆略过人，守合肥时被孙权所围，他率众突围而出，又杀回去救出还未突围的部下。

狄天使可例云长，高敖曹堪比项籍。

[注释] 狄天使：宋将狄青，善骑射。 云长：三国关羽。 高敖曹：北齐名将高昂。 项籍：指项羽。

[译文] 宋朝大将狄青，人呼"狄天使"，在出征西夏时屡立战功，宋仁宗把他比作三国蜀大将关羽；北齐高敖曹善于弓马，武功高强，人们将他比作楚霸王项羽。

紫髯会稽，振耀吴军武烈；黄须骁骑，奋扬曹氏威声。

[注释] 紫髯会稽：指吴主孙权。 黄须骁骑：指曹操儿子曹彰，少善射御，为骁骑将军。

[译文] 孙权长有一副紫髯，曾作过会稽太守，人称孙会稽。他的勇猛刚烈，振奋吴军军威；曹操的儿子曹彰长着一副黄髯，被封为骁骑将军，征乌桓有功，壮大曹氏声威。

鸦军雷军雁子军，鬼神褫魄；飞将锐将熊虎将，草木知名。

[注释] 鸦军：指后晋李克用的军队。 雷军：指唐凤翔节度使郑畋

(tián)的军队。　雁子军：指五代梁朱瑾的军队。　飞将：指唐单雄信。　锐将：指唐将马璘。　熊虎将：指关羽和张飞。

[译文] 后晋李克用的鸦军,唐朝郑畋的雷军,后梁朱瑾的雁子军,就是神鬼见了也会丢魂落魄;唐朝单雄信号称"飞将",马璘被称为"锐将",三国关羽、张飞被称为"熊虎将",就是草木也知道他们的威名。

祈父王之爪牙,《诗》旨真可味也;
将军国之心膂,人言其不谬乎!

[注释] 圻父：《诗·小雅》的篇名。今本作《祈父》。《诗·小雅·祈父》:"祈父,予王之爪牙。"毛传:"祈父,司马也,职掌封圻之兵甲。"　心膂(lǚ)：心与脊骨。

[译文]《诗经》中把圻父称作是国君的爪牙,说得深透,耐人回味;人们把将军比作国家的心脏和脊梁,这话说得一点也不错啊!

卷 二

祖孙父子

何谓五伦？君臣、父子、兄弟、夫妇、朋友；

何谓九族？高、曾、祖、考、己身、子、孙、曾、玄。

[注释] 五伦：封建礼教所规定的五种尊卑长幼的等级关系。 九族：以自己为本位，上推至四世之高祖，下推至四世之玄孙为九族。

[译文] 什么叫五伦？就是君臣、父子、兄弟、夫妻、朋友之间的关系；什么叫九族？就是高祖、曾祖、祖父、父亲、自己、儿子、孙子、曾孙、玄孙九辈人。

始祖曰鼻祖，远孙曰耳孙。

[注释] 鼻祖：有世系可考的最初的祖先。 耳孙：《汉书·惠帝纪》颜师古注："耳孙，诸说不同。耳音仍。据《尔雅》：'曾孙之子为玄孙，玄孙之子为来孙，来孙之子为昆孙，昆孙之子为仍孙。'"后多以"耳孙"泛指远代子孙。

[译文] 本族最初的祖辈叫始祖，也叫鼻祖；孙子的孙子叫远

孙，也叫耳孙。

父子创造，曰肯构肯堂；父子俱贤，曰是父是子。

[注释] 肯构肯堂：本意指营缮房屋。可喻为子承父业。《尚书·大诰》："若考作室，既厎法，厥子乃弗肯堂，矧肯构？"意思是说，父亲想建造房子，已经确定了方法，而他的儿子却连地基都不愿打，哪里还愿意去盖房子呢？是父是子：《法言·孝至篇》："石奋、石建，父子之美也。无是父，无是子；无是子，无是父。"奋三子，皆驯行孝谨，官至两千石。

[译文] 子继父业，叫"肯构肯堂"；父子都是贤才，叫"是父是子"。

祖称王父，父曰严君。

[注释] 王父：《尚书·牧誓》孔颖达疏："《释亲》云'父之考为王父'，则王父是祖也。"

[译文] 祖父又叫王父，父亲又叫严君。

父母俱存，谓之椿萱并茂；子孙发达，谓之兰桂腾芳。

[注释] 椿萱：《庄子·逍遥游》谓大椿长寿，后世因以椿称父。《诗·卫风·伯兮》："焉得谖草，言树之背。"谖草，萱草。后世因以萱称母。椿、萱连用，代称父母。

[译文] 父母亲都健在，犹如椿树和萱草都很茂盛；子孙都有出息，就如兰花桂树不断发出芳香。

桥木高而仰，似父之道；梓木低而俯，如子之卑。

[注释] 桥、梓：《文选·任昉〈王文宪集序〉》李善注引《尚书大传》："商子曰：'南山之阳有木名桥，南山之阴有木名梓，二子合往观焉！'于是二子如其言而往观之，见桥木高而仰，梓木晋而俯。反以告商子。商子曰：'桥者，父道也；梓者，子道也。'"后因称父子为桥梓。

[译文] 乔木高大而向上直立，就像当父亲威严的样子；梓木低矮而向下弯曲，就像当儿子的卑谦。

不痴不聋，不作阿家阿翁；得亲顺亲，方可为人为子。

[注释] 不痴不聋：语本《太平御览》卷四九六引《慎子》逸文："谚云：不聪不明，不能为王；不瞽不聋，不能为公。"本指公卿的度量，后常与"不成姑公"等连用，谓不故作痴呆，不装聋作哑，就不能当好阿婆阿公。

[译文] 不会装傻装聋，谦让对方，就不会做婆婆、公公；能得到父母的亲情，顺从父母的心意，才可做人、做子。

盖父愆，名为干蛊；育义子，乃曰螟蛉。

[注释] 干蛊（gǔ）：《易·蛊》："干父之蛊，有子，孝无咎。"王弼注："以柔巽之质，干父之事，能承先轨，堪其任者也。"意谓继承父亲的事业。

螟蛉（míng líng）：螺蠃常捕螟蛉喂它的幼虫，古人误认为螺蠃养螟蛉为己子。后因以为养子的代称。

[译文] 掩盖父辈的过错，叫干蛊；收养别人的孩子，叫螟蛉。

生子当如孙仲谋，曹操羡孙权之语；
生子须如李亚子，朱温叹存勖之词。

[注释] 生子当如孙仲谋：语出《三国志·吴志·吴主传》。 生子须如李亚子：语出《旧五代史·唐书》。

[译文] "生子当如孙仲谋"，这是三国曹操羡慕东吴孙权军务整肃治军有方的话；"生子须如李亚子"，这是后梁高祖朱温赞叹李存勖英勇善战的话。

菽水承欢，贫士养亲之乐；义方是训，父亲教子之严。

[注释] 菽水：豆与水。指所食唯豆和水，形容生活清苦。 义方：行事应该遵守的规范和道理。

[译文] 能吃到豆，喝到水，让父母欢快，这是贫穷人家儿子抚养双亲的乐趣；把做人的正道作为家训，不使儿子走入邪路，这是父亲教子的严格要求。

绍箕裘，子承父业；恢先绪，子振家声。

[注释] 箕裘：邹圣脉注："良冶之子，必学为裘。良弓之子，必学为箕。"良冶、良弓，指善于冶金、造弓的人。意谓子弟由于耳濡目染，往往继承父兄之业。　先绪：祖先的功业。

[译文] "绍箕裘"，是说儿子能够继承父辈的事业；"恢先绪"，是说子孙能够重振家族的声望。

具庆下，父母俱存；重庆下，祖父俱在。

[注释] 具庆下：旧时填写履历，父母俱存者，书"具庆下"；母亡父在，书"严侍下"；父亡母在，书"慈侍下"。　重庆下：祖父母与父母俱存。

[译文] 具庆下，是指父母都健在；重庆下，是指祖父母、父母都健在。

燕翼诒谋，乃称裕后之祖；克绳祖武，是称象贤之孙。

[注释] 燕翼：《诗·大雅·文王有声》："武王岂不仕，诒厥孙谋，以燕翼子。"后以"燕翼"谓善为子孙后代谋划。　祖武：谓先人的遗迹、事业。《诗·大雅·下武》："昭兹来许，绳其祖武。"

[译文] "燕翼诒谋"，比喻像燕子用羽毛照顾乳燕一样给后代创造了谋生富裕之道；"克绳祖武"，这是赞扬子孙贤能，能继承祖上的事业并发扬光大。

称人有令子，曰麟趾呈祥；称宦有贤郎，曰凤毛济美。

[注释] 麟趾：《诗·周南·麟之趾》："麟之趾，振振公子。"因以麟趾比喻有德才的贤人；或喻子孙昌盛。　凤毛济美：比喻后继者能与前人的业绩

齐美。旧时多用以称颂贤良父兄有优秀子弟。

[译文] 称赞人家有佳儿，叫麟趾呈祥；称赞官宦人家有贤儿，叫凤毛济美。

弑父自立，隋杨广之天性何存？
杀子媚君，齐易牙之人心奚在？
[注释] "弑父自立"二句：事详《隋书·后妃传》。 "杀子媚君"二句：事详《史记·齐太公世家》。

[译文] 杀死父亲自立为皇帝，隋炀帝杨广哪里还有什么天性？春秋时人易牙杀死自己的儿子献给齐桓公吃，易牙的人心又何在呢？

分甘以娱目，王羲之弄孙自乐；
问安惟点颔，郭子仪厥孙最多。
[注释] "分甘以娱目"二句：王羲之曾写信给友人，说自己牵子孙玩，"有一味之甘，割而分之，以娱目前"。 "问安惟点颔"二句：唐郭子仪七子八婿，孙子数十，问安时辨认不清。

[译文] 晋朝王羲之常抱着孙子，一起分吃美食，自寻乐趣；唐朝郭子仪有孙子数十人，每来问安，辨认不清，只好点头示意。

和丸教子，仲郢母之贤；戏彩娱亲，老莱子之孝。
[注释] 和丸：亦称和熊。事详《新唐书·柳仲郢传》。 戏彩：《艺文类聚》卷二十引汉刘向《列女传》："老莱子孝养二亲，行年七十，婴儿自娱，着五色采衣。尝取浆上堂，跌仆，因卧地为小儿啼。"

[译文] 唐朝柳仲郢的母亲贤惠，经常用熊胆合成的药丸让仲郢吃，以教育他能吃苦耐劳、勤奋读书；春秋时楚国的老莱子是个孝子，已七十多岁了，还经常穿着五彩斑斓的衣服，学小孩的游戏动

作，以讨得双亲的欢心。

毛义捧檄，为亲之存；伯俞泣杖，因母之老。

[注释] 捧檄：东汉人毛义有孝名。张奉去拜访他，刚好让毛义出任守令的府檄至，毛义捧檄，很高兴的样子，张奉因此看不起他。后来毛义母死，毛义弃官，张奉方知他做官仅是为了让母亲高兴罢了。事具《后汉书·刘平等传序》。 泣杖：相传汉韩伯俞因过受母笞打时，感到母亲年老力衰，笞打无力，因而哭泣。事具汉刘向《说苑·建本》。

[译文] 汉朝毛义，捧着任命的公文，面露喜色，他是为了让还健在的母亲高兴才出来做官的；韩伯俞受了母亲的罚杖，忽然哭泣，他是因为母亲打得没有过去疼，痛惜母亲已衰老无力而哭泣。

慈母望子，倚门倚闾；游子思亲，陟岵陟屺。

[注释] 倚门倚闾（lǘ）：倚门，靠着门。倚闾，即倚庐。详见《战国策·齐策六》。 陟岵（hù）：《诗·魏风·陟岵》："陟彼岵兮，瞻望父兮。"后因以"陟岵"为思念父亲之典。 陟屺：《诗·魏风·陟岵》："陟彼屺兮，瞻望母兮。"后因以"陟屺"为思念母亲之典。

[译文] 战国时齐国大夫王孙贾的母亲曾对儿子说："你早出晚归，我靠着家门而望，你晚上出去迟迟不归，我靠着巷门而望。"后以"倚门倚闾"比喻长辈对子女的盼望和爱护；儿子在外思念双亲，或登上青山瞻望父亲，或登上荒山瞻望母亲。

爱无差等，曰兄子如邻子；分有相同，曰吾翁即若翁。

[注释] 兄子如邻子：语出《孟子·滕文公上》："夫夷子信以为人之亲其兄之子，为若亲其邻之赤子乎？" 吾翁即若翁：语出《史记·项羽本纪》："汉王曰：'吾与项羽俱北面受命怀王，曰约为兄弟，吾翁即若翁，必欲烹而翁，则幸分我一杯羹。'"

[译文] 爱是不分等级的，孟子曾说过，不论是兄长的儿子，还

是邻家的儿子,如果有危险,都应当去救助;同辈的名分是相同的,刘邦曾对项羽说过,我们曾相约为兄弟,我的父亲就是你的父亲。

长男为主器,令子可克家。

[注释] 主器:《易·序卦》:"主器者莫若长子。"古代国君的长子主宗庙祭器,因以称太子为"主器"。后对人长子也称"主器"。 克家:《易·蒙》:"纳妇吉,子克家。"本谓能承担家事,也可指能继承家业。

[译文] 古代国君的长子主管宗庙祭器,所以称长子为主器;家有能干的好儿子可以替父治家。

子光前曰充闾,子过父曰跨灶。

[注释] 充闾:光大门庭。《晋书·贾充传》:"贾充,字公闾。(父逵)晚始生充,言后当有充闾之庆,故以为名字焉。" 跨灶:指良马奔跑时后蹄印跃过前蹄印。可借喻儿子胜过父亲。

[译文] 儿子能光大门庭,叫充闾;儿子超过父亲,叫跨灶。

宁馨英畏,皆是羡人之儿;国器掌珠,悉是称人之子。

[注释] 宁馨:晋宋时的俗语,"如此"、"这样"之意。

[译文] 如此的英俊可畏,都是羡慕别人孩子的话;国家栋梁、掌上明珠,都是称赞别人孩子的话。

可爱者,子孙之多,若螽斯之蛰蛰;
堪羡者,后人之盛,如瓜瓞之绵绵。

[注释] 螽(zhōng)斯:虫名。《诗·周南·螽斯序》:"螽斯,后妃子孙众多也。"后用为多子之典实。 蛰(zhé)蛰:众多貌。 瓜瓞(dié):瓞,小瓜。《诗·大雅·绵》:"绵绵瓜瓞,民之初生。"喻子孙蕃衍,相继不绝。 绵绵:连续貌。

[译文] 最让人喜爱的,是子孙众多如螽斯一样繁殖成群;最让人羡慕的,是后代兴盛如同瓜瓞滋生绵绵。

【增】

经遗世训,韦玄成乐有贤父兄;

书擅时名,王羲之却是佳子弟。

[注释] 韦玄成:西汉人。玄成以明经历位至丞相。故谚曰:"遗子黄金满籯,不如教子一经。"事具《汉书·韦贤传》。

[译文] 熟读经书当了宰相,汉朝韦玄成全靠家有父兄的精心传授;东晋王羲之的书法最有名,他的伯父王敦夸他是王家的佳子弟。

敬则应得鸣鼓角,母觇子荣;宗武更勿带罗囊,父规儿怠。

[注释] 敬则:南朝齐王敬则,临淮射阳人也。母为女巫,常谓人云:"敬则生时胞衣紫色,应得鸣鼓角。"后果验。事见《南史·王敬则传》。 宗武:杜甫之子。杜甫规劝儿子不要玩物丧志,赋诗《又示宗武》:"试吟青玉案,莫羡紫罗囊。"

[译文] 南朝齐王敬则幼时,他的母亲常对人说她的儿子应得到鸣鼓角的荣誉,后来敬则果然封侯,出门鸣鼓吹号;唐朝杜甫规劝儿子宗武不可佩戴华丽的香囊而玩物丧志,懈怠读书学习。

宋之问能分父绝,作述重光;狄兼谟绰有祖风,后先辉映。

[注释] 宋之问:字延清,初唐时期的著名诗人。 狄兼谟:唐时名臣狄仁杰曾孙,刚直不阿。文宗顾谓之曰:"卿梁公之后,自有家法,岂复为常常之心哉。"事具《旧唐书·狄兼谟传》。

[译文] 唐朝宋之问的父亲有文辞、书法、武功等三绝,宋之问成名后,人称其得了其父"文辞"一绝;狄仁杰的孙子狄兼谟刚正

有祖风,祖孙俱光辉映照。

焚裘伏剑,罗母与陵母俱贤;跃鲤杀鸡,姜生与茅生并孝。

[注释] 焚裘:指晋罗企生母焚羔裘事。事见《晋书·罗企生传》。 伏剑:以剑自刎。指汉王陵母不受威胁伏剑自杀的事。事见《汉书·王陵传》。 跃鲤:传说汉代孝子姜诗母嗜鱼脍,诗夫妇常力作供脍,舍侧忽有涌泉,味如江水,每旦辄出双鲤鱼。事见《后汉书·列女传·姜诗妻》。 杀鸡:是说茅容杀鸡供母亲享用,自以草蔬与客同饭的事。事见《后汉书·郭太传》。

[译文] 晋朝罗企生的母亲听到桓玄攻破荆州,儿子企生已殉难的消息,就烧掉了桓玄以前送给她的皮衣;汉朝王陵的母亲不从项羽逼她招儿子投降的威胁,伏剑自杀。这两位母亲都是贤母。东汉姜诗的母亲想吃鱼,姜诗就经常去打鱼,有一天在屋旁忽然涌出江水跃出鲤鱼来;茅容杀鸡供母亲食用,自己却以蔬菜陪客人吃饭。姜诗和茅容都是孝子。

灵运子孙多是凤,岂是阿私?僧虔后嗣半为龙,原非自侈。

[注释] "灵运子孙多是凤":是说晋朝谢灵运子孙出了很多人才,语出苏轼《次前韵答马忠玉》:"灵运子孙俱得凤,慈明兄弟孰非龙。" "僧虔后嗣半为龙":是说南朝人王僧虔后代多杰出人物,语出《南史·王僧虔传》:"于时王家门中,优者龙凤,劣犹虎豹。"

[译文] "灵运子孙多是凤",宋朝苏轼这句诗并不是奉承谢家,因为谢家子孙确实出了不少人才;南齐王僧虔称他家后代优者半为龙,这句话也不是自夸,因为王家后代真有几个英雄。

马援得璘能耀武,毕竟孙贤;祁奚举午不避亲,实因子肖。

[注释] "马援得璘能耀武":是说东汉大将马援的后代唐朝马璘读《马援传》至"大丈夫当死于边野,以马革裹尸而归",慨然叹曰:"岂使吾祖勋

业坠于地乎。"事见《旧唐书·马璘传》。 "祁奚举午不避亲":是说春秋时晋国祁奚告老,向晋侯举荐自己儿子的故事。事详见《左传·襄公三年》。

[译文] 东汉大将马援的后代马璘曾读马援的传记,奋发耀武而成为名将,这是一个贤子孙;晋国祁奚告老,晋侯问他谁能接任,祁奚举荐了他的儿子祁午而不避亲,这是因为他知道儿子确实有才能。

触詟犹怜少子,请效命于君前;
萧傲喜见曾孙,效传呼于阶下。

[注释] 触詟(zhé):战国时赵国左师,爱怜小儿子,向赵太后请求给他儿子"得补黑衣之数,以卫王宫"。事见《战国策》卷二十一。 萧傲:唐僖宗时宰相。萧愿之曾祖。萧愿于后唐明宗朝为太子少保。《旧五代史·萧愿传》:"愿为儿童戏,效传呼之声。傲谓客曰:'余岂敢以得位而喜,所幸奕世寿考,吾今又有曾孙在目前矣。'"

[译文] 战国时赵国左师触詟爱怜他的小儿子,在太后面前乞求给他个官职;唐朝宰相萧傲喜欢曾孙,曾孙常在庭阶下仿效他的声音呼叫为乐。

王霸见己子不及贵客,曾露愧容;
张凭闻祖父说有佳儿,知为戏语。

[注释] "王霸"二句:事详见《后汉书·列女传·王霸妻传》。 "张凭"二句:事详见《晋书·张凭传》。

[译文] 东汉王霸性情清高,他的儿子的是个农夫。有一次王霸的朋友令狐子伯让做官的儿子来看望他,王霸见朋友的儿子当了官,自己的儿子却是个农夫,感到十分惭愧。晋朝张苍梧是张凭的祖父,他对张凭的父亲说:"我不如你呀,你有个好儿子。"张凭的年龄还小,对祖父说:"爷爷怎么可以拿我戏笑父亲呢?"

李峤贻讥,甘罗堪羡。

[注释] 李峤贻讥:是说唐朝李峤因儿子的表现而招致讥责的故事。详见《松窗杂录》。 甘罗堪美:是说吕不韦因甘罗有才能而羡慕他是名家子孙的事情。事见《史记·樗里子甘茂列传》:"文信侯言于始皇:'昔甘茂之孙甘罗,年少耳,然名家之子孙,诸侯皆闻之。'"

[译文] 唐朝大臣李峤的儿子被皇帝召见,因背书不合皇帝的意,皇帝讥讽他说"李峤无儿";秦朝甘罗十二岁做上卿,吕不韦对秦始皇说,甘罗是名家的子孙,让人羡慕。

公才公望,喜说云仍;率祖率亲,宁云委蜕。

[注释] 公才公望:谓相当于三公辅相的才识和名望。语出《梁书·王暕传》。

[译文] 南朝齐王俭做宰相时,宾客盈门,见其孙王暕气度不凡,夸道:"公才公望,复在此矣。"意思是王俭身上的才识和声望又在孙子身上看见了;亲情由祖上向下推为率祖,由父辈向上追溯为率亲。庄子说:"子孙非吾有,天地之委蜕也。"意思是子孙不是哪个人所有,而是天地所造化。

杜氏之宝田斯在,薛家之磐石犹存。

[注释] 杜氏宝田:宋杜孟尝训子孙曰:"忠孝吾家之宝,经史吾家之田。"

[译文] 宋朝杜孟外出游学,因蔡京专权,决定回家,说"忠孝吾家之宝,经史吾家之田",人称他是"宝田杜氏";唐朝薛道衡任侍郎时曾在一块磐石上起草过文书,后来他的子孙做了中书舍人后,每见这块磐石就思念祖父,人说薛家"磐石犹存"。

词辨既见渊源,强项亦征风烈。

[注释] 词辨：能言善辩。唐时员半千善于词辨，其孙员俶九岁即精于此。事见《新唐书·李泌传》。　强项：指性格刚直不阿。东汉的杨奇与他的祖父杨震一样，性格刚烈。事见《后汉书·杨震传》。

[译文] 唐朝员半千博学多才，他的孙子员俶九岁就善于辩说佛学和孔孟之道，唐玄宗说，半千的孙子就应当是这样的；东汉杨震刚直不阿，他的孙子杨奇也很刚强，灵帝说，杨奇强项，真有他祖父的风烈。

兄　弟

天下无不是底父母，世间最难得者兄弟。

[注释]"天下"句：宋罗仲素《豫章文集》卷十四："昔罗先生语此云：'只为天下无不是底父母。'"　"世间"句：语出《北齐书·苏琼传》。

[译文] 天下没有不对的父母，世间最难得的是兄弟。

须联同气之欢，毋伤一本之谊。

[注释] 同气：有血统关系的亲属，指兄弟姊妹。　一本：同一根本。

[译文] 兄弟姐妹同属父母所生，应该保留同胞的感情，不要伤了手足的情谊。

玉昆金友，羡兄弟之俱贤；伯埙仲篪，谓声气之相应。

[注释] 玉昆金友：典出《南史·王铨传》。　埙（xūn）、篪（chí）：皆古代乐器，二者合奏时声音相应和。因常以埙篪比喻兄弟亲密和睦。《诗·小雅·何人斯》："伯氏吹埙，仲氏吹篪。"

[译文] 南朝宋王铨、王锡两兄弟都是贤德，人称"玉昆金友"；伯氏和仲氏是兄弟，《诗经》上说伯氏吹埙，仲氏吹篪，意思是说兄弟间声气相通，和睦相处。

兄弟既翕,谓之花萼相辉;兄弟联芳,谓之棠棣竞秀。

[注释] 棠棣:《诗·小雅·常棣》篇,是一首申述兄弟应该互相友爱的诗。"常棣"也作"棠棣"。后常用以指兄弟。

[译文] 唐玄宗常和兄弟大被共寝,并将寝楼题为花萼相辉楼,后以"花萼相辉"比喻兄弟之间和睦相处;兄弟在一起考试中举,流芳百世,"棠棣竞秀",意思是像棠棣花一样竞相开放。

患难相顾,似鹡鸰之在原;手足分离,如雁行之折翼。

[注释] 鹡鸰(jí líng):《诗·小雅·常棣》:"脊令在原,兄弟急难。"脊令即鹡鸰,一种嘴细,尾、翅都很长的小鸟,只要一只离群,其余的就都鸣叫起来,寻找同类。后即以"鹡鸰在原"比喻兄弟友爱之情。

[译文] 兄弟在人生途中遇到难处,彼此应相互照顾,就像鹡鸰鸟那样相互扶持,就像《诗经》上说的"脊令在原";手足分离,就像大雁在飞行中折断了翅膀。

元方、秀方俱盛德,祖太丘称为难兄难弟;
宋郊、宋祁俱中元,当时人号为大宋小宋。

[注释] 难兄难弟:指东汉陈纪、陈湛兄弟。详见《世说新语·德行》。

大宋小宋:大宋,指宋郊;小宋,指宋祁。宋陈录《善诱文·活蚁魁天下》:"比唱第,小宋果中魁选。章献太后临朝,谓弟不可以先兄,乃以大宋郊为第一,小宋祁为第十。"

[译文] 东汉陈纪和陈湛两兄弟都很有孝德,有一天他们俩的儿子争论谁的父亲好,就去问祖父太丘令陈寔,陈寔说:"元方难做兄,季方难做弟。"意思是两人都好,分不出上下;宋朝宋郊、宋祁是兄弟,宋祁先中了状元,章宪太后说,弟弟怎么可先于兄长呢?于是赐宋郊状元,宋祁改为第十名。兄弟俩同时中了进士,时人号称大宋小宋。

荀氏兄弟得八龙之佳誉，河东伯仲有三凤之美名。

[注释] 八龙：称东汉荀淑八子。详《后汉书·荀淑传》。 三凤：唐薛元敬有文学，少与堂兄薛收及族兄德音齐名，时人谓之"河东三凤"。见《旧唐书·薛元敬传》。

[译文] 东汉荀淑有八个儿子，都很有才能，人称"荀氏八龙"；唐朝薛元敬与堂兄薛收、族兄德音三人都有文才，人称"河东三凤"。

东征破斧，周公大义灭亲；遇贼争死，赵孝以身代弟。

[注释] 东征破斧：是说武王克商，使弟管叔、蔡叔监纣子武庚之国。二叔与武庚叛，故周公东征，得二叔而诛之。语出《诗经·豳风·破斧》："既破我斧，又缺我斨（qiāng 斧的一种）。周公东征，四国是皇。" 遇贼争死：是说东汉赵孝愿替弟赵礼送死的故事。事详《后汉书·赵孝传》。

[译文] 周武王克商后，派弟弟管叔鲜、蔡叔度监视纣王的儿子武庚的属国。后来管、蔡同武庚一起叛乱，周公东征三年，连斧柄都用坏了，才平了这次叛乱。汉朝赵礼被贼抓住，将遭杀害，他的兄长闻讯赶来求贼代弟而死。贼寇被他的义气所感动，就把兄弟俩都放了。

煮豆燃萁，谓其相害；斗粟尺布，讥其不容。

[注释] 煮豆燃萁：事详南朝宋刘义庆《世说新语·文学》。 斗粟尺布：事详《史记·淮南衡山列传》。

[译文] 三国魏曹丕为迫害其弟曹植，令其在七步之内作诗一首，曹植略一思考，作诗对说："煮豆燃豆萁，豆在釜中泣。本是同根生，相煎何太急？"后以煮豆燃萁比喻兄弟之间相互残害。汉文帝弟淮南王刘长谋反，事败被废，徙居蜀郡严道县，途中不食而死。民间为此作歌谓："一尺布，尚可缝；一斗粟，尚可舂。兄弟

二人不能相容。"后以"斗粟尺布"形容兄弟之间不能相容。

兄弟阋墙,即兄弟之斗狠;天生羽翼,谓兄弟之相亲。

[注释] 兄弟阋(xì)墙:谓兄弟相争于内。 天生羽翼:就像天然生长的羽毛和翅膀一样。据《旧唐书·让皇帝宪传》,唐玄宗尝于宪书云:"昔魏文帝诗:'西山一何高,高出殊无极。上有两仙童,不饮亦不食。赐我一丸药,光耀有五色。服药四五日,身轻生羽翼。'朕每思服药而求羽翼,何如骨肉兄弟天生之羽翼乎?"

[译文]《诗经》上说"兄弟阋于墙",是指兄弟不和,在墙内狠斗;天生羽翼,是唐玄宗写给诸兄弟信中的一句话,说服用仙丹生出羽翼,哪如我们兄弟是天生的羽翼呢?意思是希望兄弟间相亲和睦,就像天生的羽翼。

姜家大被以同眠,宋君灼艾以分痛。

[注释] 大被以同眠:东汉姜肱性友爱,与弟仲海、季江俱以孝著称。弟兄三人为慰母心,常同被而眠。见《后汉书·姜肱传》。后世遂以"大被"比喻弟兄友爱。 灼艾以分痛:《宋史·太祖纪三》:"太宗尝病亟,帝往视之,亲为灼艾。太宗觉痛,帝亦取艾自灸。"灼艾,燃烧艾绒熏灸人体一定的穴位。

[译文] 东汉姜肱兄弟几个相亲相爱,虽都娶了妻子,仍不忍分开,经常盖一条大被共眠;宋太祖看见兄弟赵光义有病灼艾,十分疼痛,他也灼艾,以分担兄弟的痛苦。

田氏分财,忽瘁庭前之荆树;夷齐守义,共采首阳之蕨薇。

[注释] 瘁(cuì):憔悴;枯槁。 首阳:山名。相传为伯夷、叔齐采薇隐居处。

[译文] 隋朝田真、田广、田庆,兄弟重义,争分堂前一株紫荆树,议分三片。荆树突然枯死了。三人感悟不再分家,荆树就复活了。伯夷和叔齐是商末孤竹君的儿子,其父将死,遗命立叔齐。父

卒，齐让国。夷曰：父命为尊。齐曰：天伦为重。遂各逃去。后来武王灭商，天下宗周，夷齐耻之，不食周粟，隐于首阳山，采薇而食，最后都饿死了。

虽曰安宁之日，不如友生；其实凡今之人，莫如兄弟。

[注释] 友生：朋友。《诗·小雅·常棣》："丧乱既平，既安且宁。虽有兄弟，不如友生。" 兄弟：《诗·小雅·常棣》："凡今之人，莫如兄弟。"

[译文] 《诗经》上说，虽然日子平静安宁了，兄弟的情分不如朋友；《诗经》上又说，其实如今世上的人，朋友都不如兄弟相亲。

【增】

诗歌绰绰，圣训怡怡。

[注释] 绰绰：宽容貌。 怡怡：特指兄弟和睦的样子。

[译文] 《诗经》上说："此令兄弟，绰绰有裕。"是形容兄弟间的友情深厚。《论语》上说："兄弟怡怡。"是形容兄弟间的关系和洽。

羯末封胡，俱称彦秀；醍醐酪乳，并属珍奇。

[注释] 羯末封胡：语出《晋书·列女传·王凝之妻谢氏》。羯，指谢玄；末，指谢川；封，指谢韶；胡，指谢朗。后用为称美兄弟子侄之辞。 醍醐酪乳：指唐朝穆氏兄弟穆赞、穆质、穆员、穆赏。语出《旧唐书·穆宁传》："质兄弟俱有令誉而和粹，世以'滋味'目之：赞俗而有格为酪，质美而多入为酥，员为醍醐，赏为乳腐。"

[译文] 《晋书》上称羯、末、封、胡四兄弟为谢氏特别俊秀者；《唐书》上说"赞俗而有格为酪，质美而多入为酥，员为醍醐，赏为乳腐"，四兄弟关系和睦，资质灵秀。

陆机陆云名共喧于洛邑，季心季布气并盖于关中。

[注释] 季心季布：季布，任侠有名，为项羽帐下五大将之一。季心，季布弟，亦以任侠闻名关中。

[译文] 晋朝陆机、陆云兄弟俩，以他们的才气在洛阳名噪一时；汉朝季心、季布兄弟俩，一个勇猛，一个重承诺，气概闻名关中。

刘孝标之绶方青，马季常之眉本白。

[注释] 绶：丝带。古代用以系佩玉、官印等。绶带的颜色常用以标志不同的身份与等级。青绶借指高级官吏。

[译文] 南朝梁刘孝标同兄弟话别时，曾作《家园别阳羡始兴诗》说："四鸟怨离群，三荆悦同处。如今腰艾绶，东南各殊举。"虽然腰间挂着青色的绶带，但兄弟又要各奔东西了。三国蜀人马良兄弟五人都有才气，而且在各自的字号中都有"常"字，惟马良眉间生有白毛，当时谚称："马氏五常，白眉最良。"

文采则眉山轼、辙，才名则秦氏昈、通。

[注释] 昈、通：指唐朝秦昈、秦景通兄弟。《旧唐书·秦景通传》："秦景通，常州晋陵人也。与弟昈尤精《汉书》，当时习《汉书》者皆宗师之，常称景通为大秦君，昈为小秦君。"

[译文] 要论文才，则数宋朝四川眉山的苏轼、苏辙兄弟俩；要论才名，则数唐朝秦景通、秦昈兄弟俩。

欲成弟名，虽择肥美而何咎；中分财产，宁取荒顿以为安。

[注释] "欲成弟名"二句：是说东汉许武不怕被讥骂而成就弟弟贤良谦让的故事。事见《后汉书·许荆传》。 "中分财产"二句：是说东汉薛包与兄弟分家时，宁要荒地的故事。事见《后汉书·刘平赵孝等传序》。

[译文] 东汉许武为了兄弟能成名，分家时不怕别人讥骂自己贪

婪，独得肥田广宅，使两个弟弟落了个贤良克让的美名。后来兄弟成名了，许武把所增值的家业全部都让给了他们，乡邻这才知道他当初的苦衷。东汉薛包同兄弟分家产，他宁愿要荒田老奴，虽然吃点亏，但却感到心安。

一家之桐木称荣，千里之龙驹谁匹。

[注释]"一家"句：事见《渔隐丛话》引《复斋漫录》。 "千里"句：事见《北史·卢昌衡传》。

[译文]北宋韩绛、韩缜兄弟俩都是宰相，他家有棵梧桐树，人称"桐木韩家"，家荣连桐树也跟着沾光；北朝卢思道，小名释奴，他弟弟卢昌衡，小名龙子，两人都有才名，人称"卢家千里，释奴、龙子"，谁又能和他们相匹配呢？

上留田，不及廉让江；闭户挞，亦当唾面受。

[注释]上留田：见晋崔豹《古今注·音乐》。 廉让江：《交州记》载，李祖仁兄弟十人，在日常生活和事亲上皆以慈孝廉让闻名，连那里的一条江也改名为廉让江了。 闭户挞：事见《后汉书·缪肜传》。 唾面受：亦作唾面自干。《新唐书·娄师德传》："弟曰：'人有唾面，洁之乃已。'师德曰：'未也。洁之，是违其怒，正使自干耳。'"

[译文]《古乐府》中有一首《上留田》的诗，是说上留田这个地方有对兄弟不和的事。廉让江是一条江河名，因那里有个李家十兄弟都很慈孝谦让而得名，"上留田"怎如"廉让江"呢？东汉缪肜的兄弟娶妻后闹分家，缪肜闭门自责，认为自己没管好家。兄弟知道后，叩头认错，不再提分家的事了。唐朝娄师德教弟弟有人将唾沫吐在你的脸上也不要去擦，让它自己干掉，忍辱求全，这样就不会激怒别人。"闭户挞"亦当"唾面受"啊。

推田相让，知延寿之化行；洒泪息争，感苏琼之言厚。

[注释]"推田相让"二句：是说汉韩延寿因兄弟争田而自责，进而平息争讼的事情。事见《汉书·韩延寿传》。 "洒泪息争"二句：是说北朝苏琼通过教化百姓，洒泪平息争斗的事情。事见《北史·苏琼传》。

[译文]汉朝韩延寿任左冯翊时，在高陵遇到两兄弟为争田打官司的事，他责备自己对百姓教化不到而闭门思过。后来两兄弟被他感动，不再争田反而让田。北朝苏琼在清河任太守时，遇见兄弟俩为争田打官司的事，他说："天下最难得的是兄弟情，你们的心情会怎样呢？"兄弟俩听了泪下不已。

三孔既推鼎立，五张亦号明经。

[注释]明经：谓通晓经术。

[译文]宋朝孔文仲、武仲、平仲三兄弟都以文才闻名，人称"三孔如鼎立"；唐朝张知謇、知玄、知晦、知泰、知默五兄弟都通晓经义，以明经中式，号称"明经高第"。

爱敬宜法温公，恭让当师延寿。

[注释]爱敬宜法温公：是说宋司马光敬爱兄长的事情。司马光，谥号温公。事见宋范祖禹《范太史集》卷三十六。 恭让当师延寿：是说兄弟间相互谦让的事情。北朝杨椿，字延寿。事见《北史·杨播传附津弟眅传》。

[译文]宋朝司马光侍奉兄长如慈父，时常问寒问暖。这种敬爱兄长的做法，值得效仿。北朝杨椿每天都要等齐兄弟们后才吃饭，这种谦让兄弟的行为，值得学习。

夫 妇

孤阴则不生，独阳则不长，故天地配以阴阳；

男以女为室,女以男为家,故人生偶以夫妇。

[注释] 室:此谓妻子。 家:此谓丈夫。《左传·桓公十八年》:"申繻曰:'女有家,男有室。'"杨伯峻注:"家、室犹夫妻也。"

[译文] 单独的阴气,不能生成万物。单独的阳气,也不能长成万物。所以天地间必须阴阳相配,万物才能生长。男人要娶女人为室,女人嫁男人为家。所以人生中男女必须配为夫妇以成家室。

阴阳和,而后雨泽降;夫妇和,而后家道成。

[注释] 阴阳:天地间化生万物的二气。

[译文] 阴阳调和,雨露才会下降;夫妇和睦,家道才会生成。

夫谓妻曰拙荆,又曰内子;妻称夫曰藁砧,又曰良人。

[注释] 拙荆:东汉隐士梁鸿的妻子孟光生活俭朴,以荆枝作钗,粗布为裙。见《太平御览》卷七一八引《列女传》。后因以"拙荆"谦称自己的妻子。 内子:古时卿大夫的嫡妻称为"内子"。亦泛称妻子。 藁砧(gǎo zhēn):古代处死刑,罪人席藁伏于砧上,用铁斩之。铁、夫谐音,后因以"藁砧"为妇女称丈夫的隐语。 良人:古时女子对丈夫的称呼。

[译文] 丈夫称妻子叫拙荆,又叫内子;妻子称丈夫为藁砧,又叫良人。

贺人娶妻,曰荣谐伉俪;留物与妻,曰归遗细君。

[注释] 伉俪:谓结成夫妇。 细君:古称诸侯之妻。后为妻的通称。《汉书·东方朔传》:"归遗细君,又何仁也!"颜师古注:"细君,朔妻之名。一说:细,小也。朔辄自比于诸侯,谓其妻曰小君。"

[译文] 祝贺别人娶妻叫荣谐伉俪。汉武帝赐大臣食肉,东方朔割了一块肉准备回家给妻子吃。武帝责备他,他说:"割肉回家送给细君,多仁义啊!"后来"细君"就成了妻子的通称,丈夫留物给妻子,称作归遗细君。

受室即是娶妻，纳宠谓人娶妾。

[注释] 妾：旧时男子在妻以外娶的女子。

[译文] 受室就是娶妻，纳宠是说男人娶妾。

正妻谓之嫡，众妾谓之庶。

[注释] 正妻：旧指嫡妻，对妾而言。

[译文] 正妻称嫡，众妾称庶。

称人妻，曰尊夫人；称人妾，曰如夫人。

[注释] 尊夫人：敬称他人之妻。 如夫人：原意同于夫人，后即以称妾。

[译文] 称呼别人的妻子叫尊夫人，称呼别人的妾叫如夫人。

结发系是初婚，续弦乃是再娶。

[注释] 结发：古礼，成婚之夕，男左女右共髻束发，故称。 续弦：古以琴瑟喻夫妇，故谓丧妻曰断弦，再娶曰续弦。

[译文] 结发是初次婚娶，续弦是妻子死后再次婚娶。

妇人重婚，曰再醮；男子无偶，曰鳏居。

[注释] 再醮（jiào）：古代行婚礼时，父母给子女酌酒的仪式称"醮"。因称男子再娶或女子再嫁为"再醮"。元、明以后专指妇女再嫁。 鳏（guān）居：谓独身无妻室。

[译文] 妇人再次出嫁叫再醮，男人无配偶叫鳏居。

如鼓瑟琴，夫妇好合之谓；琴瑟不调，夫妻反目之词。

[注释] 如鼓瑟琴：语出《诗·小雅·常棣》："妻子好合，如鼓瑟琴。"

[译文] 如鼓瑟琴，这是《诗经》里比喻夫妻恩爱的诗句；琴瑟

不调，是比喻夫妻不和、反目成仇的话语。

牝鸡司晨，比妇人之主事；河东狮吼，讥男子之畏妻。

[注释] 牝（pìn）鸡司晨：母鸡报晓。语出《尚书·牧誓》："牝鸡无晨，牝鸡之晨，惟家之索。"孔安国传："喻妇人知外事。雌代雄鸣则家尽，妇夺夫政则国亡。" 河东狮吼：见宋洪迈《容斋三笔·陈季常》。

[译文] 母鸡报晓，比喻妇人掌权家事；河东狮吼，嘲笑男人惧怕妻子。

杀妻求将，吴起何其忍心；蒸梨出妻，曾子善全孝道。

[注释] 杀妻求将：详见《史记·孙子吴起列传》。 蒸梨出妻：蒸梨，即蒸藜，煮野菜。古传孔子的弟子曾参因其妻蒸藜不熟而休之。事见《孔子家语·七十二弟子解》。后人用以指代妇人的过失或作出妻的典故时多误"藜"为"梨"。

[译文] 春秋时鲁国吴起，在齐国伐鲁时，因为妻子是齐国人，为避嫌以求得鲁君的重用，就把妻子杀了，其心何等残忍！孔子的门徒曾参侍奉后母很有孝心，有一次他妻子没有把给婆婆吃的藜蒸熟，曾参就把妻子赶走了，这是何等孝道！

张敞为妻画眉，媚态可哂；董氏对夫封发，贞节堪夸。

[注释] 张敞为妻画眉：详见《汉书·张敞传》。 董氏对夫封发：典出《新唐书·列女传·贾直言妻董传》。

[译文] 汉朝张敞常为妻子画眉，这种献媚妻子的行为让人嘲笑。唐朝贾直言被贬岭南，他的妻子在临别时，将自己的长发用绳、帛封绑起来，说非君之手不解。一直等了二十年，封绑依旧。这种贞洁情操值得夸奖。

冀郤缺夫妻，相敬如宾；陈仲子夫妇，灌园食力。

[注释] 相敬如宾：相处如待宾客，形容夫妻互相尊敬。《左传·僖公三十三年》："臼季使过冀，见冀（郤）缺耨，其妻馌之，敬，相待如宾。"臼季，晋国大夫。冀，地名。耨，耕地。馌，送饭。　灌园食力：战国时齐人陈仲子不愿居官，为人浇园，自食其力。事具《史记·鲁仲连邹阳列传》。

[译文] 春秋晋国冀邑郤缺在田里耕作，他的妻子送饭到田头，两人相敬如宾；齐国人陈仲子为了回绝楚国之聘，夫妻一起逃往别处，替人浇园，终身自食其力。

不弃糟糠，宋弘回光武之语；举案齐眉，梁鸿配孟光之贤。

[注释] 不弃糟糠：谓贫困时与之共食糟糠的妻子不可遗弃。《后汉书·宋弘传》："贫贱之知不可忘，糟糠之妻不下堂。"　举案齐眉：《后汉书·逸民传·梁鸿》："每归，妻为具食，不敢于鸿前仰视，举案齐眉。"案，有脚的托盘。

[译文] 东汉光武帝刘秀想把新寡的姐姐湖阳公主嫁给宋弘，宋弘不忍心抛弃结发妻子，回绝说："贫贱之交不可忘，糟糠之妻不下堂。"后人称结发妻子为糟糠。东汉梁鸿的妻子孟光每次给丈夫送饭时，总是把盛饭的盘子高举到齐眉的地方，表示对丈夫的恭敬。

苏蕙织回文，乐昌分破镜，是夫妇之生离；
张瞻炊臼梦，庄子鼓盆歌，是夫妇之死别。

[注释] 回文：某些诗词字句，回环往复读之，均能成诵。它的起源说，一为源于前秦窦滔妻苏蕙的《璇玑图》诗。　破镜：《太平御览》卷七一七引汉东方朔《神异经》："昔有夫妇将别，破镜，人执半以为信。"后遂以喻夫妇分离。　炊臼：见唐段成式《酉阳杂俎·梦》。　鼓盆：敲瓦罐子。《庄子·至乐》："庄子妻死，惠子吊之，庄子则方箕踞鼓盆而歌。"成玄英疏："庄子知生死之不二，是以妻亡不哭，鼓盆而歌。"后用以指丧妻。

[译文] 前秦苏蕙因丈夫窦滔被放逐离家戍边，就织锦作回文诗

赠他，文词凄婉。陈朝的乐昌公主，因陈国将要灭亡，就敲破镜子，与丈夫各执一半，作为日后相见时的凭证。这些都是夫妇离别的例子。张瞻在外经商将归，梦见妻子在石臼里做饭。有人告诉他在石臼里做饭，乃是家中无釜（釜、妇同音）。张瞻回到家，果然妻子已死。庄子的妻子死了，有人来吊念，见他坐在地上敲盆唱歌怀念亡妻。这些都是夫妻死别的例子。

鲍宣之妻提瓮出汲，雅得顺从之道；
齐御之妻窥御激夫，可谓内助之贤。

[注释] 提瓮出汲：《后汉书·列女传·鲍宣妻》："勃海鲍宣妻者，桓氏之女也，字少君。宣尝就少君父学，父奇其清苦，故以女妻之，装送资贿甚盛，宣不悦……妻乃悉归侍御服饰，更着短布裳，与宣共挽鹿车归乡里。拜姑礼毕，提瓮出汲，修行妇道，乡邦称之。"后遂用为修行妇道、甘于贫苦的典故。　窥御激夫：事详《史记·管晏列传》。

[译文] 汉朝鲍宣的妻子出身富家，但婚后马上换上了粗布衣服，自己提着瓦瓮去打水，这是懂得顺应夫家清贫的道理；春秋齐国宰相晏子车夫的妻子，看见丈夫为晏子赶车扬扬得意的样子，就对他说："晏子当了相国还很谦逊，你替人家赶车，却趾高气扬，我都为你害羞。"劝丈夫以后要谦恭。晏子知道后，将车夫提为大夫。这样的妻子真称得上是大丈夫的贤内助。

可怪者，买臣之妻因贫求去，不思覆水难收；
可丑者，相如之妻贪夜私奔，但识丝桐有意。

[注释] "买臣之妻"二句：事见《汉书·朱买臣传》。　"相如之妻"二句：事见《史记·司马相如列传》。　丝桐：指琴。古人削桐为琴，练丝为弦，故称。

[译文] 最可怪的事是汉朝朱买臣的妻子，当初因嫌买臣家贫，

离开朱家而去。后来朱买臣当了大官,她又来要求复婚,她就没想到泼出去的水是收不回来的道理。最可丑的事是汉朝司马相如的妻子卓文君,当初夜里同相如私奔。这是因为她懂琴艺,听了相如弹奏凤求凰曲子后,才心甘情愿投奔相如的。

要知身修而后家齐,夫义自然妇顺。
[注释] 身修、家齐:语出《礼记·大学》:"欲齐其家者,先修其身。"
[译文] 要知道修身才能齐家;丈夫重礼义,妻子自然顺从。

【增】

《诗》称偕老,《易》著家人。
[注释] 家人:《易》卦名。六十四卦之一,内容是论治家之道。
[译文] 《诗经》上说"君子偕老",是指夫妻白头到老的意思;《易经》中有"家人"卦,是专门说家庭伦理道德的。

或穿墉以窥宾,或断机而勖学。
[注释] 穿墉:见《世说新语·贤媛》。 断机:典出《后汉书·列女传·乐羊子妻》:"东汉乐羊子远出求学,以久行怀思,一年即归,妻引刀趋机曰:'夫子积学,当日知其所亡,以就懿德。若中道而归,何异断斯织乎?'" 勖(xù):勉励。
[译文] 晋朝山涛与嵇康、阮籍交往密切,山涛的妻子韩氏在墙上穿了一个小洞,窥看他们相处的情况。乐羊子外出求学归来,他妻子问他是什么原因回来了,乐羊子答:没其他原因,只是想念妻子。妻子剪断织机上的布,劝丈夫回去勤奋读书。

贾大夫之射雉,未足欢娱;百里奚之烹雌,何嫌寂寞。
[注释] 射雉:射猎野鸡,古代的一种田猎活动。此处指春秋时贾大夫以

射雉博取其妻言笑的故事。事见《左传·昭公二十八年》。 烹雌：百里奚的妻子在临别前为其煮食母鸡的典故。事具《风俗通》。

[译文] 春秋时有个贾大夫，为了博得妻子一笑，带她到如皋猎射野鸡，妻子这才开了笑口。其实这种做法并不足以让妻子真正欢乐。百里奚做了秦相，一日让洗衣女为他弹琴唱歌，洗衣女唱到："百里奚，五羊皮。临别时，烹雌鸡。今富贵，忘我为。"百里奚一问，才知洗衣女原来就是自己的妻子。回想当年为他杀鸡送别，哪里嫌过自己将独自在家寂寞。

仍求故剑，宣帝不忘许后于多年；
忽著新衣，桓冲顿化成心于一旦。

[注释] 故剑：汉宣帝即位前，曾娶许广汉之女君平，及即位，封为婕妤。时公卿议立霍光之女为皇后，宣帝乃"诏求微时故剑"。群臣知其意，乃议立许氏为皇后。见《汉书·外戚传上·孝宣许皇后》。 新衣：是说桓冲妻劝说他穿新衣的事情。《晋书·桓冲传》："桓冲性俭素。尝浴后，其妻易以新衣。冲大怒，促令持去。其妻复送来，从容谓之曰：'衣不经新，何缘得故？'冲笑而服之。"

[译文] 汉宣帝未当皇帝前，曾聘许广汉女为妻。即位后，派人四处寻求旧时的宝剑。大臣们知道他的用意，就立许女为皇后，这是宣帝未忘许女多年的情义。桓冲不喜欢穿新衣，一次浴后，妻子故意给他拿来新衣，桓冲大怒。妻子劝他说：不穿新衣，又哪里来旧衣呢？桓冲听了转怒为喜，马上将新衣穿上。

吴隐之得淑女，奚惜负薪；司马懿有贤妻，勿辞执爨。

[注释] 负薪：背负柴草。谓从事樵采之事。事见《晋书·吴隐之传》。
执爨（cuàn）：司炊事。事见《晋书·宣穆张皇后传》。

[译文] 晋朝吴隐之做太守时，妻子很贤惠，常常自己去打柴背柴，冬天无棉衣，常常披着棉絮洗衣服，不辞劳苦，如一般百姓；

晋朝司马懿托病辞官回家后，他妻子为了怕婢女泄露家事，便杀掉婢女，亲自烧火做饭。

募死士以拒敌，谁同杨氏之坚持；
提数骑以拔围，孰比邵姬之勇往。

[注释]"募死士"二句：事见《新唐书·列女传·杨烈妇传》。"提数骑"二句：事见《晋书·刘遐传》：遐妻骁果有父风。遐尝为石季龙所围，妻单将数骑，拔遐出于万众之中。"

[译文]唐朝李侃任项城令时，被敌围困，李侃想逃跑，其妻杨氏为他出主意，招募不怕死的士兵抗敌坚守，敌退后李侃升迁太平令。当时有谁会像杨氏一样坚持到底呢？晋朝刘遐被石季伦围困，他的妻子邵续女带领数骑从万人中将他救出，谁又能比得上邵氏的勇猛善战呢？

李益设防妻之计，常撒冷灰；志坚摘送妇之词，任撩新发。

[注释]"李益"二句：事详《旧唐书·李益传》。"志坚"二句：见唐范摅《云溪友议》。

[译文]唐朝李益嫉妒心重，为了防备妻子，常用灰撒在门外地上，以便观察妻子的行踪；唐朝杨志坚家贫，其妻要求离去，志坚写诗送她说："荆钗任意撩新鬓，鸾镜从他别画眉。此去便同行路客，相逢即是下山时。"妻子拿了诗到刺史那里请求改嫁，刺史打了她三十杖后才答应了她的请求。

苟《内则》之无忝，自中馈之称能。

[注释]无忝：不玷辱；不羞愧。　中馈：指家中供膳诸事。

[译文]女子对内如能遵守《礼记·内则》篇所规定的礼教，自然会成为治家的能者。

叔侄

曰诸父,曰亚父,皆叔爷之辈;
曰犹子,曰比儿,俱侄儿之称。

[注释] 诸父:古代天子对同姓诸侯、诸侯对同姓大夫,皆尊称为"父",多数就称为"诸父"。也可指伯父和叔父。 亚父:谓仅次于父。表示尊敬的称呼。 犹子:兄弟之子。 比儿:像儿子一样。

[译文] 诸父和亚夫,都是对叔父之辈的称呼;犹子和比儿,都是对侄儿的称呼。

阿大中郎,道韫雅称叔父;吾家龙文,杨昱比美侄儿。

[注释] 阿大中郎:指晋谢安之兄、弟。详见《兄弟》。 吾家龙文:对自己后代之优秀者的爱称。龙文,骏马名。《北齐书·杨愔传》:"此儿驹齿未落,已是吾家龙文。十岁后,当求之千里外。"

[译文] 阿大、中郎,是东晋谢道韫对叔父谢尚和谢据的雅称;吾家龙文,是北齐杨昱对侄儿杨愔的美称。

乌衣诸郎君,江东称王谢之子弟;
吾家千里驹,苻坚羡苻朗为侄儿。

[注释] 乌衣:乌衣巷,在今南京市秦淮河南。三国吴时在此置乌衣营,以士兵著乌衣而得名。东晋时王、谢等望族居此,因著闻。 吾家千里驹:《晋书·苻朗载记》:"(朗)性宏达,神气爽迈,幼怀远操,不屑时荣。坚尝目之曰:'吾家千里驹也。'"

[译文] 乌衣诸郎君,是东晋江东人对同住南京乌衣巷的王导、谢安两大家族子弟的统称;吾家千里驹,是前秦苻坚称赞侄儿苻朗的话。

竹林叔侄之称，兰玉子侄之誉。

[注释] 竹林：魏晋之间，陈留阮籍、谯郡嵇康、河内山涛、河南向秀、籍兄子咸、琅邪王戎、沛人刘伶，常宴集于竹林之下，时人号为"竹林七贤"。

[译文] 三国魏阮籍、阮咸都是"竹林七贤"中的人物，又是叔侄关系，后人就借用"竹林"比喻叔侄关系；东晋谢玄曾说过，子弟好比是芝兰玉树，谁都想让它长在自家的庭院里，后世便以"兰玉"比喻优秀的子弟。

存侄弃儿，悲伯道之无后；视叔犹父，羡公绰之居官。

[注释] 存侄弃儿：事见《晋书·邓攸传》。 视叔犹父：柳公绰事叔如父，公绰卒，其子仲郢事叔公权亦如己父。

[译文] 晋朝人邓攸（字伯道）在战乱中，因儿、侄不能两全，就丢掉儿子，保留了侄儿。后来妻子不再生育，邓家竟断了后代，令人可悲。唐朝柳仲郢虽然做了大官，对叔父柳公权仍像侍奉自己父亲一样。这种叔侄关系让人羡慕。

卢迈无儿，以侄而主身之后；张范遇贼，以子而代侄之生。

[注释] "卢迈无儿"二句：唐朝卢迈以兄弟子为己子。事见《新唐书·卢迈传》。 "张范遇贼"二句：指魏张范舍弃自己儿子而救侄子的事。事见《三国志·魏书·张范传》。

[译文] 唐朝人卢迈无子，别人劝他纳妾生子续后，他说：兄弟之子和我自己的儿子一样，可以让侄儿料理我的身后事。三国魏张范的儿子张陵和侄子张戬都被盗贼抓去，他去哀求放还二人。盗贼还他儿子，张范说："我的侄子还小，就让我儿子代他死吧！"盗贼被他的义气感动，将二子都放了。

【增】

谢密能成佳器,刘孺可号明珠。

[注释] 谢密:字弘微。《宋书·谢弘微传》:"此儿深中凤敏,方成佳器。" 刘孺:《梁书·刘孺传》:"孺幼聪敏,七岁能属文……叔父瑱为义兴郡,携以之官,常置坐侧,谓宾客曰:'此儿吾家之明珠也。'"

[译文] 南朝宋人谢密幼时神态端庄,他叔父夸他长大后一定能成佳器;南朝梁人刘孺七岁能写文章,他叔父常对宾客说:"他是我家的明珠。"

或献泛湖之图,或称招隐之寺。

[注释] "或献"句:指宋陈世修劝叔父陈执中而献五湖图。事见《倦游录·独献范蠡图》。 "或称"句:指唐朝李约劝叔父李锜归隐。事见《因话录》。

[译文] 宋朝陈执中过生日,亲戚们多献上寿星图等,唯独侄儿陈世修献上《范蠡泛五湖图》,陈执中知道侄儿的用意,当天便辞去了官职;唐朝李约向叔父李锜盛赞招隐寺的景致,劝他不要贪恋权势,李锜不为所动,在一次叛乱中被杀。

陆家精饭,有损素风;杨氏铜盘,独喻诸子。

[注释] 素风:指清白的操守。晋陆纳为官廉洁,其侄陆俶因为谢安盛陈精美食物而挨其打。事见《晋书·陆纳传》。 铜盘:亦作铜盘重肉,指贵重的食器,丰盛的饭菜。引申指特殊恩宠。北齐杨昕特意为侄儿杨愔准备好的食物。事见《北齐书·杨愔传》。

[译文] 东晋谢安看望陆纳,陆纳的侄儿陆俶做了一桌精美的饭菜招待谢安。事后陆纳大怒,打了陆俶四十板,说陆俶此举败坏了陆家素来的俭朴家风。其实这顿饭是陆俶专门为叔父的朋友安排的,一顿饭又何至于会败坏家风呢?北齐杨愔年少时,不与兄弟辈抢食吃,他叔父杨昕很赞赏,特地为他另建了一室独居,并用铜盘

盛美食给他一个人吃。

谢安石东山之费，阮仲容北道之贫。

[注释] 东山：据《晋书·谢安传》载，谢安早年曾辞官隐居会稽之东山，经朝廷屡次征聘，方从东山复出。又，临安、金陵亦有东山，也曾是谢安的游憩之地。后因以"东山"为典，指隐居或游憩之地。 北道：据《世说新语》应为南道。《世说新语·任诞》："阮仲容（阮咸）、步兵（阮籍）居道南，诸阮居道北。北阮皆富，南阮贫。"

[译文] 东晋谢安在东山建造一所豪华别墅，经常带子侄们来游玩，一顿饭花百金也不以为然；魏晋时阮咸的叔父们多居道南，阮咸居道北，南阮富，北阮贫。

可为都督，王浑预评浚子之词；
必破吾门，宗炳先料比儿之语。

[注释] "可为都督"二句：晋王浑说王浚虽出身低贱，但可以为都督三公。事见东晋虞预《晋书》。 "必破吾门"二句：事见《宋书·宗悫传》："悫(què)年少时，炳问其志，悫曰：'愿乘长风破万里浪。'炳曰：'汝不富贵，即破我家矣。'"

[译文] 晋朝王浚少年时，亲戚们都很轻视小看他，但王浑预言他以后会成为都督三公，后来王浚果然做了都督。南朝宋人宗炳问侄儿宗悫的志向是什么，宗悫答："愿乘长风破万里浪。"宗炳听了说："你要不富贵，必会败坏我家门。"后来宗悫果然当了左将军。

愚者宜归葱肆，贤者得返金刀。

[注释] "愚者"句：是说南朝吕僧珍劝说侄儿认清自己，做适合自己的职业。事见《南史·吕僧珍传》。 "贤者"句：是说慕容超受托归还叔父金刀事。事见《晋书·慕容超载记》。

[译文] 愚者认清自己，做适合自己的职业；贤能者一定会有出息。

师 生

马融设绛帐,前授生徒,后列女乐;
孔子居杏坛,贤人七十,弟子三千。

[注释] 绛帐:《后汉书·马融传》:"融常坐高堂,施绛纱帐,前授生徒,后列女乐,弟子以次相传,鲜有入其室者。"后因以"绛帐"为师门、讲席之敬称。 杏坛:相传为孔子聚徒授业讲学处。事具《庄子·渔父》。

[译文] 汉朝大儒马融,博学多才,跟他学习的弟子有三千人。马融在家里设有紫色的帷帐,帷帐前坐的是学生,后面却是弹唱的女伶。孔子坐在杏坛上讲学,他的学生有三千,精通六艺的贤才有七十二人。

称教馆曰设帐,又曰振铎;谦教馆曰糊口,又曰舌耕。

[注释] 设帐:设馆授徒。 振铎:谓从事教职。 糊口:吃粥。喻勉强维持生活。 舌耕:旧时称以授徒讲学谋生。

[译文] 教馆叫设帐,又叫振铎;教馆的人谦称自己是糊口,又说是舌耕。汉朝贾逵教授《左氏春秋》名闻当世,来学的人所交的粟米盈仓,人说贾逵的粟米不是力耕来的,而是舌耕所得。

师曰西宾,师席曰函丈;学曰家塾,学俸曰束脩。

[注释] 西宾:旧时宾位在西,故称。常用为对家塾教师或幕友的敬称。 函丈:原谓讲学者与听讲者坐席之间相距一丈。后用以指讲学的坐席。 家塾:聘请教师来家教授自己子弟的私塾。有的兼收亲友子弟。 束脩:古代入学敬师的礼物。也指学生致送教师的酬金。

[译文] 师傅叫西宾,师傅的讲席叫函丈;在家设学堂授徒叫家塾,师傅所得的报酬叫束脩。

桃李在公门，称人弟子之多；苜蓿长阑干，奉师饮食之薄。

[注释] 桃李在公门：桃李，比喻栽培的后辈和所教的门生。此指唐狄仁杰任宰相，有政绩，并非常重视举荐贤才。事见《资治通鉴·唐纪·则天后久视元年》。　苜蓿长阑干：是形容苜蓿菜在盘中纵横交错的样子。后因以形容小官吏或塾师生活清苦。此指唐代薛令之为东宫侍读时，因生活待遇差，而作诗排遣。事见《唐摭言·闽中进士》。

[译文] 唐朝宰相狄仁杰曾向朝廷举荐数十人，都成了名臣，有人称"天下桃李，悉在公门"。后来用"桃李在公门"形容师傅的弟子很多。唐朝薛令之做东宫侍读时有诗说："盘中无所有，苜蓿长阑干。"抱怨宫中供奉师傅的饮食太菲薄粗劣。

冰生于水而寒于水，比学生过于先生；
青出于蓝而胜于蓝，谓弟子优于师傅。

[注释] "冰生于水"句、"青出于蓝"句：语出《荀子·劝学》："青，取之于蓝而青于蓝；冰，水为之而寒于水。"

[译文] 冰是由水凝结而成的，但比水更寒冷，这是比喻学生超过先生；青蓝色是由蓼蓝提炼出来的，但颜色比蓼蓝更深，这是比喻弟子胜过师傅。

未得及门，曰宫墙外望；称得秘授，曰衣钵真传。

[注释] 及门：进入师门。　衣钵：佛家以衣钵为师徒传授之法器，因引申指师传的思想、学问、技能等。

[译文] 未能登门拜师求教，如同在宫墙外窥望一样；得到师傅的秘密传授，如同得到僧侣的衣钵真传一样。

杨震是关西夫子，贺循乃当世儒宗。

[注释] 关西夫子：指汉杨震。详见《后汉书》。后因以借指大儒。　当

世儒宗：指晋贺循。详见《晋书》。儒宗，儒者的宗师。汉以后亦泛指为读书人所宗仰的学者。

[译文] 汉朝大学者杨震精通儒学，从学弟子有千人。因他是华阴人，在函谷关以西，所以人们称他是"关西夫子"。晋元帝登位时，宗庙制度等都是由贺循制定的，朝廷有难事，也都请教他，所以人们称他是"当世儒宗"。

负笈千里，苏章从师之殷；立雪程门，游杨敬师之至。

[注释] 负笈：背着书箱。喻游学外地。 立雪：北宋儒生杨时、游酢（zuò）往见其师程颐，值颐瞑目久坐，二人侍立不去，颐既觉，门外雪已盈尺。事见《宋史·道学传二·杨时》。

[译文] 汉朝苏章背着书箱不远千里寻师，可见他求师的心情有多么殷切。宋朝游酢和杨时为了求教程颐，在屋外大雪中等候程颐从睡眠中醒来，此时雪已下有一尺厚了。他们的尊师精神可说是到了极点。

弟子称师之善教，曰如坐春风之中；
学业感师之造成，曰仰沾时雨之化。

[注释] 如坐春风：宋朱熹《伊洛渊源录》卷四："朱公掞见明道于汝州，逾月而归。语人曰：'光庭在春风中坐了一月。'"

[译文] 宋朝朱光庭在汝州听程颢讲学，回家后对人说："我如同在春风中坐了一个月。"后以"如坐春风"称赞师傅善于教诲。弟子因师傅传授而学业有成，便说是仰沾时雨之化。

【增】
民生在三，师术有四。

[注释] 在三：《国语·晋语一》："'民生于三，事之如一'。父生之，师

教之,君食之。"后以"在三"为礼敬君、父、师的典故。　师术:为师之道。《荀子·致仕》:"师术有四,而博习不与焉。尊严而惮,可以为师;耆艾而信,可以为师;诵说而不陵不犯,可以为师;知微而论,可以为师。"

[译文]《国语》上说,人生有三件事:父生、师教、君食;荀子说,师傅的教术有四项:尊严令人寒惮、年长而诚信、言行一致、解说细微。

执经问义,事若严君;鼓箧担囊,不辞曲士。

[注释] 执经:手持经书。谓从师受业。　鼓箧(qiè):谓击鼓开箧,古时入学的一种仪式。　曲士:乡曲之士。比喻孤陋寡闻的人。

[译文] 学生拿着经书求教老师,对待老师应像对待自己的父亲一样;学生挑着行囊来求学,即便是来自穷乡僻壤也不能拒之门外。

史居左,经居右,士得真修;
道已南,《易》已东,人沾教泽。

[注释] 史居左,经居右:是说宋张载讲学时,把经史分开,左史右经。　道已南,《易》已东:道已南,程颢对自己的学生杨时学成归去的评价。事见《宋史·杨时传》:"杨时字中立,南剑将乐人。其归也,颢目送之曰:'吾道南矣。'"《易》已东,是田何对学生丁宽学成归去的评价。事见《汉书·丁宽传》:"丁宽字子襄,梁人也。宽东归,何谓门人曰:'《易》以东矣。'"

[译文] 宋代学者张载授徒,学史的坐左边,学经的坐右边,他们都能学到真正的学问。宋朝杨时从学程颢南归,程颢对众人说:"我的学问要传到南方去了。"西汉丁宽从田何学《易经》东归,田何对门人说:"易学已转向东方了。"学问的传播,可以使更多的人受到教益。

赐宴月池之上,翼赞堪夸;诵书幄帐之中,烽烟奚避。

[注释] 翼赞：辅佐。

[译文] 唐太宗一天在月池赐宴，曾当过太宗师傅的张后胤夸耀自己说："孔子虽有弟子三千，没有一个登上王位。而我翼赞一人，乃王天下了。我的功劳，超过孔子。"东汉张奂出使休屠国，遇到叛乱，烽烟四起。张奂仍镇定自若，坐在帷帐里同弟子读书，毫无躲避之意。

忠臣录，孝子录，纲常互振；经义斋，治事斋，体用兼全。

[注释] 纲常："三纲五常"的简称。封建时代以君为臣纲、父为子纲、夫为妻纲为三纲，仁、义、礼、智、信为五常。 体用：中国古代哲学亦以"体用"指事物的本体、本质和现象。

[译文] 宋朝曾巩把《忠臣录》、《孝子录》作为课程，这是教育弟子要把忠孝和纲常互相结合，都记在心中；宋朝胡瑗设经义斋、治事斋，使弟子既知文学，又能从政，学问与实际相结合。

东家之外更无丘，道德由文章炫出；
北斗以南惟有杰，事功从学术做来。

[注释] "东家"句：东汉孙嵩对郑玄的评价。《通志·独行传》。 "北斗"句：是对唐狄仁杰评价。《新唐书·狄仁杰传》："狄公之贤，北斗以南，一人而已。"

[译文] 东汉邴原向孙嵩求教，孙嵩说："除了你家东边的邻居郑玄外，再没有像孔子一样的人了。"郑玄的道德是从文章中体现出来的。唐朝狄仁杰曾经以明经训世，人称在北斗星之南，他算是第一人了。后来狄仁杰做了宰相，他的成功是从他的学识中得来的。

边孝先便便大腹，曾见嘲于弟子；

韩退之表表高标，宜共仰于吾儒。

[注释] 大腹便便：形容肚子肥大凸出。《后汉书·边韶传》："韶字孝先……曾昼日假卧，弟子私嘲之曰：'边孝先，腹便便。懒读书，但欲眠。'"
表表高标：表表，卓异；特出。高标，比喻高深的造诣。事见《宋史·韩愈传》。

[译文] 东汉边韶肚大，白天好打瞌睡，有学生编歌嘲笑他大腹便便。边韶回答说："我的肚子里装满了经书。"唐朝韩愈不读非圣贤之书，人们景仰他如同泰斗、北斗一样。

应生独举官衔，岂事先生之礼；
李固不矜父爵，乃称弟子之良。

[注释] "应生"句：汉应劭求学事。见《后汉书》本传。"李固"句：汉李固求学事。见《后汉书》本传。

[译文] 汉朝应劭求师郑玄，称自己曾任泰山太守，郑玄说："求师之礼，不称官衔。"应劭面露愧色；汉朝李固是李劭的儿子，外出求学，更名改姓，不在同学面前夸耀自己父亲的官爵，这才是良善的弟子。

朋友宾主

取善辅仁，皆资朋友；往来交际，迭为主宾。

[注释] 辅仁：谓培养仁德。《论语·颜渊》："曾子曰：'君子以文会友，以友辅仁。'" 迭：更迭；轮流。

[译文] 吸取他人的善行来辅佐自己的仁德，都要依靠朋友；人们在交际往来中，应该经常轮换做宾客与主人。

尔我同心，曰金兰；朋友相资，曰丽泽。

[注释] 金兰：指契合的友情。　丽泽：原谓两个沼泽相连。后喻为朋友互相切磋。

[译文] 二人一条心，叫金兰；学友之间相互切磋，叫丽泽。

东家曰东主，师傅曰西宾。

[注释] 西宾：详见《师生》。

[译文] 东家叫东主，师傅叫西宾。

父所交游，尊为父执；己所共事，谓之同袍。

[注释] 父执：父亲的朋友。　同袍：泛指朋友、同年、同僚等。

[译文] 同父亲交往的人，应尊称为父执；和自己共事的人，称作同袍。

心志相孚曰莫逆，老幼相交曰忘年。

[注释] 相孚：犹相符。　莫逆：谓彼此志同道合，交谊深厚。　忘年：不拘年龄、行辈，以德才相敬慕。

[译文] 心思和志向相合，称为莫逆之交；年龄相悬的人交朋友，称为忘年之交。

刎颈交，相如与廉颇；总角好，孙策与周瑜。

[注释] 刎颈交：谓友谊深挚，可以共生死的朋友。　总角：古时儿童束发为两结，向上分开，形状如角，故称总角。借指童年。

[译文] 刎颈之交，就像战国时赵国蔺相如与廉颇的交情一样；总角之好，就像三国吴孙策和周瑜的交情一样。

胶漆相投，雷义之与陈重；鸡黍之约，元伯之于巨卿。

[注释] 胶漆：胶与漆。比喻情谊极深，亲密无间。 鸡黍：饷客的酒食、饭菜。

[译文] 友谊如胶似漆一样牢固，就像汉朝陈重和雷义的交情一样；汉朝张邵和范式是同学，范式相约两年后去拜访张邵的母亲，至时，张邵的母亲准备了酒饭，范式果然如期到来。

与善人交，如入芝兰之室，久而不闻其香；
与恶人交，如入鲍鱼之肆，久而不闻其臭。

[注释] 芝兰之室：芝、兰，皆香草。比喻善人聚集之地。 鲍鱼之肆：鲍鱼，盐渍鱼。其气腥臭。因以喻恶人之所或小人聚集之地。

[译文] 同善良的人交往，如同进入芝兰之室，时间久了，长期沐浴在香气中，已闻不出香味了；同丑恶的人交往，如同进入鲍鱼市场，时间久了，满身沾满臭味，已闻不出臭味了。

肝胆相照，斯为心腹之友；意气不孚，谓之口头之交。

[注释] 意气：此谓志向与气概。 不孚：不相符。

[译文] 肝胆相照，这是心腹之友；意气不符，只能算是口头的交情。

彼此不合，谓之参商；尔我相仇，如同冰炭。

[注释] 参商：详见《天文》。 冰炭：喻性质相反，不能相容。

[译文] 彼此不合，称作参商，因为参星和商星不会同时在天空中出现，两星永不相遇；二人相互仇恨，就如冰和炭一样，难以相容。

民之失德，干糇以愆；他山之石，可以攻玉。

[注释] 糇（hóu）：干粮。 愆（qiān）：罪过，过失。《诗·小雅·伐

木》："民之失德，干糇以愆。"　攻玉：《诗·小雅·鹤鸣》："它山之石，可以攻玉。"

[译文] 人们如果失去了美德，朋友之间会因一点干粮这样的小事而酿成过失；别处山上的石头，可以用来琢玉。

落月屋梁，相思颜色；暮云春树，想望丰仪。
[注释] 丰仪：此谓华美的仪表。
[译文] 唐朝李白曾被流放到夜郡，杜甫夜梦李白，曾写有"落月满屋梁，犹疑见颜色"，思念李白的容貌；又作诗说"渭北春天树，江东日暮云"，想念李白的神采。

王阳在位，贡禹弹冠以待荐；杜伯非罪，左儒宁死不徇君。
[注释] 弹冠：即弹冠相庆。冠，帽子。　徇：徇私之意。
[译文] 汉朝王阳和贡禹是朋友，王阳做了益州刺史，贡禹弹去帽子上的灰尘，等待王阳举荐自己。周宣王欲杀无罪的大臣杜伯，左儒在宣王前为他争辩说："臣愿指出君王的过错，以证明杜伯无罪。"结果左儒也因此被宣王杀了。

分首判袂，叙别之辞；拥彗扫门，迎迓之敬。
[注释] 判袂（mèi）：分袂；离别。袂，衣袖。　拥彗：即执帚。帚用以扫除清道，古人迎候宾客，常拥彗以示敬意。　迎迓（yà）：犹迎接。
[译文] 分首、判袂，都是朋友离别的词语；拿着扫帚打扫门庭，是表示对来访客人的敬意。

陆凯折梅逢驿使，聊寄江南一枝春；
王维折柳赠行人，遂唱阳关三叠曲。
[注释] "陆凯"句：表现了陆凯对好友范晔的思念。见《太平御览》引

《荆州记》。　阳关三叠：古曲名。又称《渭城曲》。

[译文] 晋朝陆凯与范晔是好友，托驿站信使送范晔一枝梅花，并赠诗说："折梅逢驿使，寄与龙头人。江南无所听，聊赠一枝春。"唐朝王维送友人去安西郡护府，折了一枝柳送给他，并作诗说："渭城朝雨浥轻尘，客舍青青柳色新。劝君更尽一杯酒，西出阳关无故人。"这就是著名的《阳关三叠》。

频来无忌，乃云入幕之宾；不请自来，谓之不速之客。

[注释] 入幕之宾：入幕，进入帷幕。指入为幕僚。

[译文] 常来常往，无所忌讳的客人，称为入幕之宾；不请自来的客人，叫不速之客。

醴酒不设，楚王戊待士之意怠；
投辖于井，汉陈遵留客之心诚。

[注释] 醴酒不设：不再特别准备甜酒。比喻对人的礼敬渐渐减弱。　投辖于井：典出《汉书·陈遵传》。辖，车轴两端的销钉。以投辖谓殷勤留客。

[译文] 西汉楚元王与穆生善交，穆生不喝酒，楚元王每次设宴，都要备醴酒招待。楚元王的儿子戊继位，设宴忘了备醴酒，穆生说："我该走了，不设醴酒，楚王对我有了怠慢的意思了。"西汉陈遵待客很诚心，每次宾客盈门，他都要关上大门，并把宾客车轴上的销钉投入井中，留客豪饮。

蔡邕倒屣以迎宾，周公握发而待士。

[注释] 倒屣（xǐ）以迎宾：急于出迎，把鞋倒穿。后因以形容热情迎客。　握发而待士：是说周公礼待贤士之心。事见《史记·鲁周公世家》。

[译文] 汉朝蔡邕在家招待宾客，听说王粲来了，急得倒穿着鞋子去迎接。宾客见王粲年少身矮，都很惊讶，蔡邕说："此人有异

才,我不如他。"周公曾有三次正在洗发时,忽报有客来访,他都等不及洗完,握着头发去迎接,可见他礼待贤士的诚意。

陈蕃器重徐稚,下榻相延;孔子道遇程生,倾盖而语。

[注释] 下榻:陈蕃为豫章太守,在郡不接宾客,唯徐稚来特设一榻,去则悬之。见《后汉书·陈蕃传》。 倾盖:车上的伞盖靠在一起。

[译文] 东汉陈蕃为豫章太守时,闭门谢客,独器重隐士徐稚,专门设一张床招待徐稚用。徐稚走了,就把床吊起挂在墙上。孔子在去剡国的路上,遇见程生,两人的车盖连在一起,交谈终日。

**伯牙绝弦失子期,更无知音之辈;
管宁割席拒华歆,谓非同志之人。**

[注释] 伯牙绝弦:事详《吕氏春秋·本味》。伯为其姓,牙为其名。 管宁割席:事详《世说新语·德行》。后以割席谓朋友绝交。

[译文] 春秋周人伯牙善弹琴,钟子期善听琴音,两人结为好友。后来子期死了,伯牙认为世上再无知音了,就把琴弦弄断,不再弹琴了。汉朝管宁和华歆是朋友,有一次两人同坐在一张席上读书,有官车经过,华歆放下书起来观望,管宁说:"我们不是志同道合的人。"就割断坐席,与华歆绝交。

**分金多与,鲍叔独知管仲之贫;
绨袍垂爱,须贾深怜范叔之窘。**

[注释] 分金多与:事见《列子》卷六。 绨(tí)袍垂爱:事见《史记·范雎蔡泽列传》。绨,厚实平滑而有光泽的丝织物。

[译文] 鲍叔牙和管仲是患难之友,当年两人合伙做生意,每到分钱的时候,鲍叔总要多给管仲一些,因为他知道管仲贫穷。秦国丞相范雎原在魏国须贾的手下,曾被须贾诬陷差点丧命。后来须贾

出使秦国,范雎故意穿着破衣去见他,须贾看他窘困的样子,送他一件绨袍。范雎领须贾到丞相府,须贾才知道范雎原来就是秦相,连忙下跪请罪。范雎说:"我本当杀你,只因你送我一件绨袍,还有点旧情,就免你一死吧。"

要知主宾联以情,须尽东南之美;
朋友合以义,当展切偲之诚。

[注释] 东南之美:谓东南人物中之佼佼者。唐王勃《滕王阁序》:"台隍枕夷夏之交,宾主尽东南之美。" 切偲(cāi):相互敬重,切磋勉励貌。《论语·子路》:"朋友切切偲偲,兄弟怡怡。"

[译文] 要知道宾主往来感情融洽,就要尽量显示东南名流的美德,这是王勃在《滕王阁序》中说的;朋友之间交往要义气相合,应展示切偲的诚意,这是孔子说的。

【增】

仲尼老子,可谓通家;管子鲍叔,可称知己。

[注释] 通家:犹世交。

[译文] 汉朝孔融对李膺说:"先祖孔子与老子有师生之份,所以我们孔家同你们李家可算是累世通家了。"齐国鲍叔牙与管仲是朋友,管仲曾说:"生我者父母,知我者鲍子。"他们可称得上是一对知己。

伯桃并粮于共事,甘殒流离;子舆裹饭于同侪,不忘贫贱。

[注释] 伯桃并粮:战国时燕人左伯桃,与羊角哀为友。闻楚王招贤,同赴楚,道中遇雨雪,粮少衣薄,势难俱生。伯桃留衣粮与哀,自入空树中死。哀独行仕楚,显名当世,遂启树发伯桃之尸厚葬之,亦自尽。见《后汉书·申屠刚传》李贤注引《烈士传》。 子舆裹饭:语出《庄子·大宗师》:"子舆

与子桑友，而霖雨十日。子舆曰：'子桑殆病矣！'裹饭而往食之。"

[译文] 春秋时羊角哀和佐伯桃在投奔楚国的路上，遇到大风雪，缺粮少衣。佐伯桃将自己的衣粮都给了羊角哀，自己甘愿冻死在空柳树中。周朝子舆与子桑是好友，一次大雨下了十天，子舆知道子桑缺粮，就亲自裹了饭送去，这是不忘朋友的贫贱之交。

钤锤道义，向嵇偶锻于柳中；游戏文章，元白衔杯于花下。

[注释] 钤（qián）锤：钳刀与铁锤。　衔杯：口含酒杯。多指饮酒。

[译文] 晋朝向秀和嵇康很友善，他们曾在嵇康家边上的柳树下锻炼打铁，磨炼情性；唐朝白居易和元稹常在花前小酌，把作诗当游戏消遣。

程普见容于周瑜，若饮醇醪自醉；
周举得亲于黄宪，不披绵纩犹温。

[注释] 见容：被宽容、接受。　醇醪（láo）：味厚的美酒。　绵纩（kuàng）：丝绵。借指絮丝绵的衣服。

[译文] 三国吴程普仗着年长，曾欺侮过周瑜，而周瑜并不与他计较。后来程普很敬服周瑜，对人说，同周瑜交往如饮醇酒，不知不觉自己就醉了。汉朝周举同黄宪很要好，常说："一见黄宪，让人冬天不穿棉衣也觉温暖。"

贵贱不忘，素犬丹鸡定约；死生与共，乌牛白马盟心。

[注释] 素犬：白犬。　丹鸡：古俗盟誓和祭祀所用的赤毛雄鸡。　乌牛：黑色的牛。

[译文] 越国人朋友间定交，要筑坛杀红鸡白狗，歃血立下贵贱不忘的誓约；东汉刘备、关羽和张飞桃园结义，杀白马祭天，杀黑牛祭地，立下了死生与共的盟誓。

面前便失人，刘巴不与张飞语；

事后方思友，周颛还廑王导悲。

[注释]"面前"句：见《三国志·蜀志·刘巴传》裴松之注引《零陵先贤传》。"事后"句：见《晋书·周颛传》。伯仁，周颛之字。廑（jǐn），接受。

[译文]三国蜀人刘巴认为张飞只是个当兵的，不愿同他说话，当面失去了结识好人的机会。晋朝王导遭难，周颛曾上表救过他。后来周颛被害后，王导才知道此事，心中十分思念良友。

吕安动遐思，千里命寻嵇之驾；

子猷怀雅兴，三更泛访戴之舟。

[注释]千里命寻嵇之驾：于千里之外命人驾车。谓远地来访。 访戴：《世说新语·任诞》："王子猷（王徽之）居山阴，夜大雪，忽忆戴安道（戴逵）。时戴在剡，即便夜乘小船就之。经宿方至，造门不前而返。人问其故，王曰：'吾本乘兴而行，兴尽而返，何必见戴。'"

[译文]晋朝吕安和嵇康是好友，每动思念之情，虽有千里之遥，也要驾车去寻访；晋朝王徽之夜里忽然想念戴逵，不顾下雪，半夜乘小船去看望他。

尹敏班彪岂云面友，山涛阮籍是谓神交。

[注释]面友：犹面朋。非真诚相交的友朋。事见《后汉书·尹敏传》。神交：指彼此慕名而未谋面的交谊。事见《太平御览》引《袁宏山涛别传》。

[译文]汉朝尹敏和班彪两人见面，一谈就是一天，废寝忘食，这怎么能说只是一面之交的朋友呢？魏晋山涛和阮籍都很有才，两人虽未见过面，但已相互引为知己，这可算是神交了。

孔融座中常满，必然有礼招徕；

毛仲堂上全无，定是乏才感召。

[注释] 招徕：招引，延揽。

[译文] 东汉孔融家常常宾客满门，这是由于他礼待贤士而招来的客人；唐朝毛仲家里没有宾客，这是因为他缺乏才能，没有感召力的缘故。

式饮式食，敢曰无鱼；必敬必恭，何尝叱狗。

[注释] 无鱼：《战国策·齐策四》："齐人有冯谖者，贫乏不能自存，使人属孟尝君，愿寄食门下，左右以君贱之也，食以草具。居有顷，倚柱弹其剑，歌曰：'长铗归来乎！食无鱼。'" 叱狗：喝叱怒骂看门狗。语出《礼记·曲礼上》："尊客之前不叱狗。"

[译文] 战国时孟尝君有门客数千，吃食分三等：上客吃肉，中客吃鱼，下客吃蔬菜。有个门客冯谖因吃不到肉鱼，就弹剑唱道："食无鱼。"如果让门客都能吃好喝好，有谁还敢说没鱼吃呢？待客人毕恭毕敬，怎么会在客人面前叱骂自家的看门狗呢？

韩魏公堂前有士，风流态度，得赠女奴；
李文定门下何人，新巧诗联，乃逢天子。

[注释] 韩魏公：宋朝宰相韩琦。事见《古今事文类聚》前集卷二十四引《青琐集》。 李文定：宋朝宰相李沆。事亦见《古今事文类聚》前集卷二十四。

[译文] 宋朝宰相韩琦（封魏国公）家里有个门客很风流，有一夜，他越墙出去宿娼，韩琦知道后，就送他一个女婢，让他保持节操。宋朝宰相李沆（谥文定）的门客王奇汉为李沆作了一首诗贴在墙上，李沆死后，被前来吊唁的宋真宗看见了，特许王奇汉参加廷试。要不是遇见皇帝，王奇汉哪有这样的机会？

熊非清渭逢何暮,无任凄怆;客有可人期不来,岂胜慨叹。

[注释] 熊非:《史记·齐太公世家》:"非虎非罴（pí,熊的一种）,所获霸王之辅。"文王卜此吉兆,后遇吕尚于渭之阳。因以"熊非"谓隐士出山佐世之典。

[译文] 宋朝石延年（字曼卿）有诗说:"熊非清渭逢何暮。"意思是说姜子牙要不是在渭水遇到周文王,将一生怀才不遇,可惜当时已经是暮年了。诗句充满了无限凄凉之意。宋朝陈师道有诗说:"客有可人期不来。"意思是宾客中虽有看中的人,但就是等不来。诗中留下了许多感慨叹息。

婚 姻

良缘由夙缔,佳偶自天成。

[注释] 夙:早;早年。 缔:结合。

[译文] 美满的婚缘是前世就缔结的,好的配偶是上天生成的。

蹇修与柯人,皆是媒妁之号;冰人与掌判,悉是传言之人。

[注释] 蹇（jiǎn）修:传说中伏羲氏之臣。古贤者。一说其以钟磬声乐为媒使。 柯人:语出《诗·豳风·伐柯》:"伐柯如何,匪斧不克。娶妻如何?匪媒不得。"后也称媒人为柯人。 冰人:《晋书·艺术传·索紞》:"孝廉令狐策梦立冰上,与冰下人语。紞曰:'冰上为阳,冰下为阴,阴阳事也。士如归妻,迨冰未泮,婚姻事也。君在冰上与冰下人语,为阳语阴,媒介事也。君当为人作媒,冰泮而婚成。'"后因称媒人为冰人。 掌判:媒人。

[译文] 蹇修和柯人,都是对媒人的称呼;冰人和掌判,都是对男女间传话牵线人的称呼。

礼须六礼之周,好合二姓之好。

[注释] 六礼：古代在确立婚姻过程中的六种礼仪，即纳采（男方向女方送求婚礼物）、问名（男家具书托媒请问女子的名字和出生的年月日。女家复书具告）、纳吉（纳币之前，男方卜得吉兆，备礼通知女方，决定缔结婚姻）、纳征（即纳币。纳吉之后，择日具书，送聘礼至女家，女家受物复书，婚姻乃定。亦称文定，俗称过定）、请期（男家行聘之后，卜得吉日，使媒人赴女家告成婚日期）、亲迎（夫婿亲至女家迎新娘入室，行交拜之礼）。 二姓：指缔结婚姻的男女二家。

[译文] 婚嫁须有六项礼仪程序：纳采、问名、纳吉、纳征、请期、亲迎，这六个程序都完成了，才算是周全，以求两家的好合。

女嫁曰于归，男婚曰完娶。

[注释] 于归：出嫁。《诗·周南·桃夭》："之子于归，宜其室家。"

[译文] 女子嫁男犹如归家，所以称于归；男子结婚叫完娶。

婚姻论财，夷虏之道；同姓不婚，周礼则然。

[注释] 夷虏：常泛称华夏族以外的各族。

[译文] 婚姻争议财利，这是夷邦的做法；同姓之间不结婚，早在周朝就已有定规。

女家受聘礼，谓之许缨；新妇谒祖先，谓之庙见。

[注释] 缨：彩带，古时女子许嫁时所佩。 庙见：古婚礼。妇入夫家，若公婆已故，则于三月后至家庙参拜公婆神位，谓之庙见。

[译文] 女家接受男方的聘礼，叫许缨；新婚妻子去男方家庙参拜，叫庙见。

文定纳采，皆为行聘之名；女嫁男婚，谓了子平之愿。

[注释] 文定：指订婚。 子平：东汉高士向长，字子平。其隐居不仕，子女婚嫁既毕，遂漫游五岳名山，后不知所终。见《后汉书·逸民传·向长》。

[译文] 文定和纳采，都是行聘的名目。汉朝向长办完儿女婚嫁的事，说："我的心愿了却了。"后称男婚女嫁为"了子平之愿"。

聘仪曰雁币，卜妻曰凤占。

[注释] 雁币：雁与币帛。古时用为聘问或婚嫁时之聘仪。古婚礼分纳采、问名、纳吉、纳征、请期、亲迎六礼。纳征用币，其余用雁。 凤占：占卜佳偶。

[译文] 古代聘礼中要有雁和币帛，所以聘仪也叫雁币。春秋齐国大夫懿仲想把女儿嫁给陈敬仲，占卜的卦辞是"凤凰于飞，其鸣锵锵"，所以娶妻算卦叫"凤占"。

成婚之日曰星期，传命之人曰月老。

[注释] 星期：特指婚期。 月老：神话传说中掌管婚姻之神。

[译文] 成婚这一天叫星期，在男女间传话牵线的人叫月老。

下采即是纳币，合卺系是交杯。

[注释] 合卺（jǐn）：古代婚礼中的一种仪式。剖一瓠为两瓢，新婚夫妇各执一瓢，斟酒以饮。卺，即所用酒器，以瓢为之。 交杯：旧俗举行婚礼时，把两个酒杯用红丝线系在一起，令新婚夫妇交换着喝这两个酒杯里的酒。

[译文] 下采就是纳币，合卺就是喝交杯酒。

执巾栉，奉箕帚，皆女家自谦之词；
娴姆训，习《内则》，皆男家称女之说。

[注释] 执巾栉（zhì）：执，用手拿着。巾栉，巾和梳篦，泛指盥洗用具。 奉箕帚：以箕帚扫除，操持家内杂务。 姆训：女师的训诫。 《内则》：《礼记》篇名，文中多载妇道。

[译文] 执巾栉、奉箕帚，这都是女家自谦的话；娴姆训、习《内则》，都是男家称赞女方的话。

绿窗是贫女之室，红楼是富女之居。

[注释]绿窗、红楼：唐白居易《秦中吟》："绿窗贫家女，衣上无珍珠。红楼富家女，金缕绣罗襦。"

[译文]贫家女的居室称为绿窗，富家女的居室谓之红楼。

桃夭谓婚姻之及时，摽梅谓婚期之已过。

[注释]桃夭：《诗·周南》有《桃夭》篇，赞美男女婚姻以时，室家之好。 摽梅：《诗·召南》有《摽有梅》篇，谓梅子已经成熟落下。

[译文]桃夭表示男女结婚很及时，摽梅表示错过了结婚年龄。

御沟题叶，于祐始得宫娥；绣幕牵丝，元振幸获美女。

[注释]题叶：唐僖宗时儒士于祐与宫人韩氏红叶唱酬，后遂结为夫妇。事见宋刘斧《青琐高议》卷五载张实《流红记》。 牵丝：唐宰相张嘉贞欲纳郭元振为婿，因命五女各持一红丝线于幔后，露线头于外，使郭牵其一。事见五代王仁裕《开元天宝遗事·牵红丝娶妇》。

[译文]唐朝有个宫女韩翠萍将诗题在红叶上，放入御沟里漂出宫外，被士人于祐捡到，于是于祐也在上面写了一首诗，让红叶漂回宫中，恰巧又被韩翠萍得到。后来皇帝放宫女出嫁，二人结为夫妻。唐朝荆州都督郭元振被宰相张嘉贞看上，欲招为婿，让五个女儿各执一丝，立在绣幕后，元振牵出谁，谁即为妻。结果牵出的是长得最美的三女，两人遂结为百年之好。

汉武对景帝论妇，欲将金屋贮娇；
韦固与月老论婚，始知赤绳系足。

[注释]金屋贮娇：汉武帝要用金屋接纳阿娇作妇事。 赤绳系足：相传月下老人主司人间婚姻，其囊中有赤绳，于冥冥之中系住男女之足，双方即注定为夫妇。

[译文] 汉武帝刘彻幼时,景帝曾问他是否想娶妻。景帝的姐姐指着自己的女儿阿娇问:"阿娇好吗?"刘彻回答:"如果我得到阿娇,当以金屋藏起来。"唐朝韦固月下遇到一位老人,老人说:"我有红绳,只要系住男女二人之足,两人即使是仇家或在两地,都跑不掉了。"

朱陈一村而结好,秦晋两国以成婚。

[注释] 朱陈:唐白居易《朱陈村》诗:"徐州古丰县,有村曰朱陈……一村唯两姓,世世为婚姻。"后用为两姓联姻的代称。 秦晋:春秋时秦晋两国世为婚姻。

[译文] 唐朝徐州古丰县有个朱陈村,村中只有朱陈两姓,两族世代通婚;春秋时秦国和晋国,世代互相婚嫁,所以联姻又叫结为秦晋之好。

蓝田种玉,雍伯之缘;宝窗选婿,林甫之女。

[注释] 蓝田种玉:事见晋干宝《搜神记》卷十一。另,雍伯应作伯雍。

[译文] 《搜神记》中说,杨雍伯因为在蓝田种玉,因此得以用玉璧娶得妻子;唐朝李林甫将女儿藏在堂壁,让她们透过纱窗选婿。

驾鹊桥以渡河,牛女相会;射雀屏而中目,唐高得妻。

[注释] 雀屏:《旧唐书·后妃传上·高祖太穆皇后窦氏》:"(窦毅)谓长公主曰:'此女才貌如此,不可妄以许人,当为求贤夫。'乃于门屏画二孔雀,诸公子有求婚者,辄与两箭射之,潜约中目者许之。前后数十辈莫能中。高祖后至,两发各中一目。毅大悦,遂归于我帝。"后因以"雀屏"择婿许婚的典故。

[译文] 牛郎和织女,每年七月初七,有喜鹊架桥,让他们渡过天河相会。隋朝窦毅有女在屏风上画一只孔雀,说有人用两箭能射

中孔雀两只眼睛者,即选为夫婿。结果被李渊射中,娶为妻子。李渊即后来的唐高祖。

至若礼重亲迎,所以正人伦之始;
《诗》首好逑,所以崇王化之原。

[注释] 人伦:封建礼教所规定的人与人之间的关系。 王化:天子的教化。

[译文] 至于古代人特别看重迎亲,这是因为夫妇关系是人伦的基础;《诗经》把吟咏"窈窕淑女,君子好逑"的《关雎》放在第一篇,这是因为婚姻是王道教化的本原。

【增】
鱼水合欢,情何款密;丝萝有托,意甚绸缪。

[注释] 丝萝:菟丝、女萝均为蔓生,缠绕于草木,不易分开,故诗文中常用以比喻结为婚姻。 绸缪:形容缠绵的男女恋情。

[译文] 鱼水合欢,这是何等亲密的情致;丝萝缠绕,表示男女情意绵绵,难以分舍。

牵乌羊以为礼,自是古风;选碧鹳以成婚,正为佳匹。

[注释] 乌羊:黑色的羊。因非上品,古人常以为礼物之微薄者。 碧鹳:即碧鹳雀。唐人裴宽的绰号。事见《新唐书·裴宽传》。

[译文] 宋朝王敬弘以女嫁孔淳之的儿子,淳之牵着黑羊,提一壶水酒为聘礼。有人说他礼薄,他说"轻礼重人",这是自古以来的风尚。唐朝韦诜选中裴宽为婿,成婚那天,裴宽穿着碧绿的衣服,脸瘦而长,族人戏称他为碧鹳雀,韦诜却认为这正是女儿最佳的婚配。

因亲作配，温峤曾下镜台；从简去华，仲淹欲焚罗帐。

[注释] 镜台：即玉镜台，指晋温峤之玉镜台。温峤北征刘聪，获玉镜台一枚。从姑有女，嘱代觅婿，温有自婚意，因下玉镜台为定。事见《世说新语·假谲》。　罗帐：指用稀疏而轻软的丝织品做成的床帐，较为珍贵。事见《宋名臣言行录》前集卷七。

[译文] 晋朝温峤的姑母托他给自己的女儿觅婿，温峤送玉镜台以自荐。宋朝范仲淹的儿子娶妻回家，他听说儿子以绫罗为帷幔，便说："我家素以清俭为家风，你怎么能破我家风呢！真要有罗帐，我就在庭前将它焚烧。"

刘景择婿杜广，厩卒何惭；挚恂定配马融，门徒有幸。

[注释] 厩（jiù）：马房。泛指牲口棚。

[译文] 唐朝刘景当刺史时，发现马夫杜广很有才华，就将女儿许配给他，并不因为杜广是马夫而感到羞惭；东汉挚恂有个门徒马融，挚恂很欣赏他的才学，就招他为婿，马融真可谓三生有幸。

义重恩深，楚女因婚报德；情孚意契，汉君指腹连姻。

[注释] 指腹：即指腹为亲，旧时包办婚姻的一种。双方尚在胎中，由父母预定，如为一男一女，即成立婚约。

[译文] 春秋楚国大夫钟建曾帮楚昭王的妹妹季芈逃难，季芈感到钟建对她义重恩深，就嫁给了他；东汉将军贾复与光武帝刘秀情投意合，贾复在一次战斗中受伤，光武帝说："贾复是我的一员爱将，听说他的妻子已有孕，将来生女我子娶她，生子我女嫁他，不要让他妻子担忧。"

贫乏奁仪，隐之之婢卖犬；婿皆贤士，元叔之女乘龙。

[注释] 奁：指陪嫁的衣物等。

[译文] 晋朝吴隐之为官清廉，女儿出嫁连一点嫁妆都没有，只好让婢女卖狗筹钱；东汉太尉桓焉（字元叔）的女婿黄尚和李膺都是贤士，他的两个女儿可算是"乘龙"了。

俊逸裴航，蓝桥捣残玉杵；风流萧史，秦楼吹彻琼箫。

[注释] 蓝桥：在陕西省蓝田县东南蓝溪之上。　秦楼：秦穆公为其女弄玉所建之楼。亦名凤楼。

[译文] 唐朝裴航长得很英俊，一次在蓝桥上遇见一老妇，就向她求浆喝。老妇用玉杵捣琼浆，叫女儿云英盛一杯给裴航。后来裴航娶了云英，两人成仙而去。春秋秦国萧史善吹箫，秦穆公将女儿弄玉许配给他。二人在秦楼上吹箫引来凤凰，乘凤仙去。

女 子

男子秉乾之刚，女子配坤之顺。

[注释] 乾之刚：语出《易·杂卦》："《乾》刚《坤》柔。"《易·系辞上》："乾道成男。"　坤之顺：《易·坤》："坤道其顺乎，承天而时行。"《易·系辞上》："坤道成女。"

[译文] 男子属乾卦，有阳刚之气；女子属坤卦，有柔顺之仪。

贤后称女中尧舜，烈女称女中丈夫。

[注释] 女中尧舜：女性中的贤明人物。多用以美称执政的女主。

[译文] 贤明的皇后，被称为女中尧舜；刚烈的女子，可称得上女中丈夫。

曰闺秀，曰淑媛，皆称贤女；曰阃范，曰懿德，并美佳人。

[注释] 闺秀：大户人家的有才德的女儿，多指未婚者。 淑媛：美好的女子。 阃（kǔn）范：指妇女的道德规范。指对闺房妇女的约束。 懿德：特指妇女的美德。

[译文] 闺秀、淑媛，都是对贤惠女子的称呼；阃范、懿德，都是赞美品行端庄女人的用词。

妇主中馈，烹治饮食之名；女子归宁，回家省亲之谓。

[注释] 中馈：指家中供膳诸事。 归宁：已嫁女子回娘家看望父母。

[译文] 妇主中馈，是指妇人在家主持烹调饮食之类的事情；女子归宁，是指已婚女子回家探视双亲。

何谓三从？从父，从夫，从子；
何谓四德？妇德，妇言，妇工，妇容。

[注释] 三从、四德：封建礼教约束妇女的种种品德。

[译文] 什么叫三从？孔子说：女子在家服从父亲，出嫁服从丈夫，丈夫死后服从儿子。什么叫四德？《礼记》上说：女子在出嫁前要教会她四德，即品德要贤淑，言语要恭敬，女工要精细，容貌要端庄。

周家母仪，太王有周姜，王季有太妊，文王有太姒；
三代亡国，夏桀以妹喜，商纣以妲己，周幽以褒姒。

[注释] 母仪：人母的仪范。多用于皇后。

[译文] 周朝有几个后妃，可以做天下妇人的表率：周太王的妃子周姜，太王儿子季历的妃子太妊，文王的妃子太姒；夏商周三代所以亡国，是因为夏桀宠爱妹喜，商纣王宠爱妲己，周幽王宠爱褒姒所致。

兰蕙质,柳絮才,皆女人之美誉;

冰雪心,柏舟操,悉孀妇之清声。

[注释] 兰蕙:兰和蕙。皆香草。多连用以喻贤者。 柳絮:见南朝宋刘义庆《世说新语·言语》。借指才女。 冰雪:形容心地纯净洁白或操守清正贞洁。 柏舟:本为《诗·鄘风》篇名。《诗·鄘风·柏舟序》:"柏舟,共姜自誓也。卫世共伯早死,其妻守义,父母欲夺而嫁之,誓而弗许,故作是诗以绝之。"后因以谓丧夫或夫死矢志不嫁。

[译文] 兰蕙质、柳絮才,都是称赞有才能女人的话;冰雪心,柏舟操,都是称赞寡妇名声清白的话。

女貌娇娆,谓之尤物;妇容姣媚,实可倾城。

[注释] 尤物:指绝色美女。有时含有贬意。 倾城:旧以形容女子极其美丽。汉代李延年作诗称其妹妹的姿色说:"北方有佳人,绝世而独立。一顾倾人城,再顾倾人国。"

[译文] 女子的相貌娇艳可称为尤物,女子的仪容婉媚可称为倾城。

潘妃步朵朵莲花,小蛮腰纤纤杨柳。

[注释] 潘妃:南朝齐东昏侯之妃,小字玉儿,有姿色,性淫侈。 小蛮:唐白居易的舞妓名。

[译文] 南朝齐东昏侯用金子制成的莲花贴在地上,令潘妃在上面行走,称"步步生莲花";唐朝白居易的小妾小蛮善舞,腰细软如杨柳,有诗称"杨柳小蛮腰"。

张丽华发光可鉴,吴绛仙秀色可餐。

[注释] 秀色可餐:形容秀美异常。吴绛仙其事,见《隋遗录》。

[译文] 南朝陈后主宠妃张丽华的头发长七尺,光亮可以照人;隋炀帝妃子吴绛仙的秀色可餐,使人忘掉饥饿。

丽娟气馥如兰，呵处结成香雾；
太真泪红于血，滴时更结红冰。

[注释] 丽娟：汉武帝所宠爱的宫女名。《洞冥记》："帝所幸宫人，名丽娟，年十四，玉肤柔软，吹气胜兰。" 太真：《旧唐书·后妃传上·杨贵妃》："时妃衣道士服，号曰'太真'。"

[译文] 汉武帝的宫人丽娟年仅十四，肌肤柔软，气息芳香如兰，呵出的气能结成香雾；唐朝杨贵妃告别父亲进宫时，流出的眼泪结成了红冰。

孟光力大，石臼可擎；飞燕身轻，掌上可舞。

[注释] 飞燕：指汉成帝赵皇后。《汉书·外戚传下·孝成赵皇后》："孝成赵皇后，本长安宫人，学歌舞，号曰飞燕。"

[译文] 东汉梁鸿的妻子孟光力气很大，能举起石臼；汉成帝的妃子赵飞燕身轻如燕，能在手掌上起舞。

至若缇萦上书而救父，卢氏冒刃而卫姑，此女之孝者。

[注释] 缇(tí)萦：汉代孝女。事见刘向《列女传·齐太仓女》。 卢氏：指唐郑义宗的妻子。事见《旧唐书·列女传·郑义宗妻卢氏传》。

[译文] 汉帝时，淳于意获罪欲判刑，他的女儿上书文帝，愿入宫为婢，以赎父罪。文帝怜悯她救父一片孝心，就赦免了淳于意。唐代郑义宗家夜里闯入强盗，他的妻子卢氏冒着被杀的危险立在婆婆身旁保护她。这些都是女子中尽孝道者。

侃母截发以延宾，村媪杀鸡而谢客，此女之贤者。

[注释] 侃母：指晋陶侃之母湛氏。事见《晋书·列女传·陶侃母湛氏传》。 村媪(ǎo)：乡村老妇人的通称。事见《资治通鉴·汉纪》。

[译文] 晋朝陶侃家贫，有客范逵来访，陶母剪去自己的头发卖

掉，换回酒食招待客人。汉武帝有一次微服私访到柏谷村，有人怀疑他是盗贼要捉拿他，一老妇说："这位客人非平常人。"就杀鸡招待他。这些都是女人中的贤惠者。

韩玖英恐贼秽而自投于秽，陈仲妻恐陨德而宁陨于崖，此女之贞者。

[注释] 韩玖英：唐韩仲成之女。其事之出处未详。 陈仲妻：事见《太平御览》引《列女传》。

[译文] 唐朝韩仲成的女儿玖英，怕被强盗抓去遭到污辱，就自投于粪坑里；唐朝陈仲的妻子遇到贼人，怕受污辱有损德行，宁可跳崖自尽。这些都是女人中的刚烈者。

王凝妻被牵，断臂投地；文叔妻誓志，引刀割鼻，此女之烈者。

[注释] 断臂：砍断手臂。谓女子贞洁守身。典出《新五代史·杂传序》。

引刀割鼻：汉刘向《列女传·梁寡高行》："梁高行者，梁之寡妇也。其为人，荣于色而美于行，夫死早寡不嫁，梁贵人多争欲取之者，不能得。梁王闻之，使相聘焉。（高行）乃援镜持刀以割其鼻。"后以其人为封建时代节妇烈女的典型，亦有效法其事者。

[译文] 五代王凝在外做官死了，他的妻子李氏携子扶柩回家。晚上投宿时，店家不让住，被店主拉着手臂赶出店外。李氏大哭，用斧子将被人拉过的手臂砍断。曹文叔的妻子夏侯令女早寡无子，立志不嫁，用刀把自己的鼻子割去。这些都是女人中的贞节者。

曹大家续完汉帙，徐惠妃援笔成文，此女之才者。

[注释] 曹大家：汉班昭。班彪之女，班固、班超之妹。

[译文] 东汉班昭寡居，被汉和帝召入宫内替哥哥班固续修完

《汉书》,因她嫁给曹家,人称"曹大家"。唐朝徐孝德的女儿徐惠,八岁就能提笔成文,后被唐太宗召进宫当才人。这些都是女人中的有才华者。

戴女之练裳竹笥,孟光之荆钗布裙,此女之贫者。

[注释] 练裳:粗布衣服。 竹笥(sì):用以盛放衣物书籍等的竹制盛器。

[译文] 东汉戴良有五个女儿,选择女婿不问贵贱,唯贤为重,出嫁时都只以布衣、竹箱作嫁妆。东汉梁鸿的妻子孟光平时的穿戴都是些荆钗布裙。这些都是女人中清贫俭朴者。

柳氏秃妃之发,郭氏绝夫之嗣,此女之妒者。

[注释] 秃:此谓使之秃。此句事见《古今事文类聚》后集十五引《朝野佥载》。 嗣:子孙。此句事见《晋书·贾充传》。

[译文] 唐太宗赐给尚书任环两个美女,他的妻子柳氏想法让两个美女的头发烂掉,变成秃子。晋朝贾充的妻子郭氏生了儿子,让乳母抚养。后来怀疑贾充私通乳母,就把乳母打死了,而幼子因思念乳母也死了,断了贾家的后代。这些都是女人中的悍妒者。

贾女偷韩寿之香,齐女致祆庙之毁,此女之淫者。

[注释] "偷香"事:见《世说新语·惑溺》、《晋书·贾充传》。 "祆庙"事:见《山堂肆考》卷三十九。

[译文] 晋朝贾充的女儿与他的下属韩寿私通,并把晋武帝赐给她父亲的外国异香偷偷给了韩寿。贾充发现后,怕家丑败露,只好把女儿嫁给韩寿。北齐的公主从小就和奶妈陈氏的儿子在一起嬉玩,两人长大后,有一次,公主约陈氏子在祆庙里相会,陈氏子先到睡着了,公主到庙里见陈氏子熟睡不醒,就把幼时的玉环给他留

下走了。陈氏子醒来见到玉环，知公主来过又走了，一气之下把祆庙烧掉了。这些都是女人中的淫乱者。

东施效颦而可厌，无盐刻画以难堪，此女之丑者。

[注释] 东施效颦：嘲讽不顾本身条件而一味模仿，以致效果很坏的人。

无盐：即战国时齐宣王后钟离春。因是无盐人，故名。为人有德而貌丑。后常用为丑女的代称。

[译文] 春秋时美女西施病了皱着眉头，村里有个丑女东施以为好看，也学她皱眉头，更让人讨厌。钟离春是齐宣王的王后，长得很丑，就是精心打扮，也让人难以忍受。这些都是女人中的丑陋者。

自古贞淫各异，人生妍丑不齐。是故生菩萨、九子母、鸠盘荼，谓妇态之变更可畏；钱树子、一点红、无廉耻，谓青楼之妓女殊名。此固不列于人群，亦可附之以博笑。

[注释] 生菩萨：活菩萨。喻容貌端丽。 九子母：女神名。传说能佑人生子。 鸠盘荼：佛书中谓啖人精气的鬼。常用来比喻丑妇或妇人的丑陋之状。 钱树子：指妓女。旧社会妓院中鸨母把妓女当作摇钱树，故称。

[译文] 自古以来女子的贞淫不同，美丑各异。女人少年时如"生菩萨"，中年多儿女如"九子母"，到老了脂粉凋落，脸色青黑，就像"鸠盘荼"，这是说女人一生姿态变更的可怕；"钱树子"、"一点红"、"无廉耻"，都是青楼女子的别名。这些女子虽然不能列入人群中，但也可以附带写上，博人一笑。

【增】

蔡女咏吟，曾传笳谱；薛姬裁制，雅号针神。

[注释] 笳谱：相传汉末蔡邕女蔡琰作胡笳十八拍，共十八章，一章为一拍。

[译文] 东汉蔡邕的女儿蔡琰善于吟诗作词，曾留传下《胡笳十八拍》；魏文帝美姬薛灵芸善于女工，夜里不借助灯光可以裁制衣服，雅称针神。

蛾眉队里状元，崇嘏文章洒洒；
红粉班中博士，兰英才思翩翩。

[注释] 嘏：音 gǔ。

[译文] 古今女子中可称状元的，是能写出洋洋洒洒文章的前蜀的黄崇嘏；可称博士的，是才思翩翩的南朝齐的韩兰英。

城号夫人，牢不可破；军称娘子，锐而莫摧。

[注释] 夫人城：故址在湖北襄阳西北。　娘子军：指唐高祖之女平阳公主所组织的军队。

[译文] 晋朝时苻坚攻襄阳，襄阳令朱序的母亲韩氏带领百余妇女筑新城御敌。苻坚攻破旧城西北角，全军退守新城，牢不可破，人称"夫人城"。唐初柴绍夫人平阳公主协助高祖起兵，率精兵万余，与秦王李世民在渭北会合，锐不可挡，人称"娘子军"。

是谁佳冶唾如花，赵家飞燕；若个娉婷颜似玉，秦氏文鸾。

[注释] 佳冶：娇美妖冶。　娉（pīng）婷：姿态美好貌。

[译文] 是谁不小心将唾沫吐在自己妹妹的袖子上，妹妹反称她的唾沫像花一般？原是汉朝的赵飞燕。哪个女子长得亭亭玉立，刘长卿有诗夸她"潇洒如美玉"？原是唐朝妓女秦文鸾。

徐贤妃却天子召，露沁新诗；谢道韫解小郎围，风生雄辩。

[注释] 风生：形容气氛活跃。

[译文] 唐太宗的妃子徐惠有才华，有一次太宗召她不至，大

怒，徐惠进诗说："朝来临镜台，妆罢独徘徊。千金始一笑，一召岂能来。"太宗看了沁满心迹的诗，气也消了。晋朝王凝之的妻子谢道韫听说小叔子王献之与宾客谈论中词穷受窘，便主动出来为小叔子解围，在青绫帐后面与客人理论，口若悬河，客不能胜。

人说骊姬专国色，我云薛女是香珠。

[注释] 国色：旧指姿容极美的女子。赞其容貌冠绝一国，故云。

[译文] 人们都说春秋晋献公的骊姬有倾国之色，我说唐朝元载的小妾薛瑶英是说话能飘香的香珠。

慧姬振铎为严傅，颇称巾帼先生；
老妇吹篪当健儿，须谓裙钗将士。

[注释] 振铎：谓从事教职。 吹篪：吹奏篪管。篪，古代管乐器，形如笛，有八孔。

[译文] 前秦韦逞的母亲宋氏慧颖，为了传父业，在家立紫帐传授生徒，可称得上是"巾帼先生"。后魏河间王女婢朝云，假扮老妇吹篪，使羌人降服，有人说："快马健儿，不如老妪吹篪。"可称得上是"裙钗将士"。

看舞剑而工书字，必是心灵；听弹琴而辨绝弦，无非性敏。

[注释] 心灵、性敏：心性灵敏。

[译文] 晋朝卫夫人看人舞剑，从各种姿态中悟出写字的诀窍，书法大有长进，可见她的心思一定很灵巧；汉朝蔡琰六岁时，听父亲蔡邕弹琴弦断，立即能辨别是第几根弦，真是天性机敏。

爱欲海，未可沉埋男子躯；温柔乡，岂应老葬君王骨。

[注释] 爱欲海：佛教语，比喻贪欲、情欲如深广之海。 温柔乡：汉成

卷二　131

帝谓宠妃赵合德为温柔乡。

[译文] 佛家称世上有"爱欲海",告诫男子不可贪恋女色,使自己在此沉没身亡。汉成帝宠爱赵合德,称她是"温柔乡",说"当老死在温柔乡中"。难道"温柔乡"真应埋葬君王之骨吗?

还讶桃叶女,横波眼最好;更思孙寿娥,坠马髻偏妍。
[注释] 桃叶女:晋王献之之爱妾。 坠马髻:古代妇女发髻名。
[译文] 晋朝王献之的爱妾桃叶的眼睛长得好看,美丽而清如秋水,令人惊讶;汉朝梁冀的妻子孙寿娥,她那"坠马髻"的发式,艳丽媚人,更让人思念。

李子豪雄,红拂顿生敲户念;寇公费用,蒨桃应有惜缣心。
[注释] 红拂:相传为隋唐时的女侠,姓张,名出尘,是隋末权相杨素的侍妓。 蒨(qiàn)桃:宋寇准的小妾。 缣(jiān):双丝织的浅黄色细绢。
[译文] 隋朝李靖性情豪爽,在杨素家见一女婢执红拂在旁侍候,女婢对他一见钟情,顿生私会念头。夜里有一穿衣戴帽者敲门来访李靖,脱去帽子,原来就是白天所见的女婢,两人于是私奔太原。宋朝寇准听歌妓唱一曲,便送她一匹绫缎。他的小妾蒨桃感到可惜,作诗劝他道:"一曲情歌一束绫,美人何事意缣轻。不知织女寒窗下,几度抛梭织得成。"

诗人老去莺莺在,情意绸缪;公子归来燕燕忙,私悰款洽。
[注释] 莺莺、燕燕:语本宋苏轼《张子野年八十五尚闻买妾述古令作诗》:"诗人老去莺莺在,公子归来燕燕忙。" 悰(cóng):心情、情绪。
[译文] 唐朝崔氏女儿莺莺和张生私通,后来两人断了来往,张生想去见她,被她作诗婉绝,这种情意是何等绸缪;汉成帝私访赵飞燕,常有张公子(张放)陪同,这种情意也是非常缠绵。

端端体态果然端,皎皎姿容何等皎。

[注释] 端端:端正;不倾斜。此指唐名妓李端端。 皎皎:洁白貌;清白貌。此指唐妓女阿软的女儿皎皎。

[译文] 唐朝有妓女李端端,体态果然长得端庄大方;妓女阿软生下一女,求白居易起名,白居易说:"此女肌肤白皙,可名皎皎。"

语言偷鹦鹉之舌,声律动人;文章炫凤凰之毛,英华绝俗。

[注释] 鹦鹉之舌:比喻语言新巧。 凤凰之毛:比喻文章脱俗。唐元稹《寄赠薛涛》诗:"言语巧偷鹦鹉舌,文章分得凤皇毛。"

[译文] 唐朝薛涛是蜀中名妓,元稹以诗称她:"言语巧偷鹦鹉舌,文章分得凤皇毛。"夸她的语言动人,文章脱俗。

可谓笑时花近眼,每看舞罢锦缠头。

[注释] 缠头:古代歌舞艺人表演完毕,客以罗锦为赠,谓之缠头。

[译文] 唐朝杜甫有赠妓诗说:"笑时花近眼,舞罢锦缠头。"夸其如花似锦。

外 戚

帝女乃公侯主婚,故有公主之称;
帝婿非正驾之车,乃是驸马之职。

[注释] 公主:帝王、诸侯之女的称号。天子嫁女,秦汉以来,使三公主之,故呼公主也。 驸马:副车之马。三国魏何晏始以公主丈夫拜驸马都尉,后代皇帝的女婿照例加此称号。

[译文] 皇帝的女儿出嫁,都由同姓公侯们主婚,所以称公主。

汉武帝时，皇帝出行掌副车的官员称驸马都尉。魏晋后，皇帝的女婿例封驸马都尉，简称驸马。

郡主县君，皆宗女之谓；仪宾国宾，皆宗婿之称。

[注释] 郡主：郡公主。晋始置。唐制太子之女为郡主。宋沿唐制，而宗室女亦得封郡主。明清则称亲王女为郡主。因同姓诸侯之女结婚由郡县主婚，故称郡主、县君。　县君：明代郡王曾孙女称县君。　仪宾：明代对宗室亲王、郡王之婿的称谓。　国宾：取宾于王家之义。

[译文] 与皇帝同姓的诸侯之女，她们出嫁都由郡、县长主婚，所以称郡主、县君；她们的丈夫，称为仪宾、国宾。

旧好曰通家，好亲曰懿亲。

[注释] 通家：犹世交。　懿亲：至亲。

[译文] 几代都相交，称为通家；关系好的亲戚，叫懿亲。

冰清玉润，丈人女婿同荣；泰山泰水，岳父岳母两号。

[注释] 冰清玉润：典出《世说新语·言语》"卫洗马初欲渡江"南朝梁刘孝标注引《卫玠别传》。　泰山：岳父的别称。明陈继儒《群碎录》："又以泰山有丈人峰，故又呼丈人曰岳翁，亦曰泰山。"　泰水：岳母的别称。宋庄季裕《鸡肋编》卷上："俗人以泰山有丈人观，遂谓妻母为泰水。"

[译文] 晋朝乐广和女婿卫玠，在当时都很有声望，人们称岳父为冰清，女婿为玉润。后以冰清玉润形容丈人和女婿同负盛名。泰山之巅有丈人峰，峰下有水，所以称岳父为泰山，称岳母为泰水。

新婚曰娇客，贵婿曰乘龙。

[注释] 娇客：新做亲的女婿。　乘龙：比喻得佳婿。

[译文] 新婚女婿叫娇客，得到佳婿叫乘龙。

赘婿曰馆甥，贤婿曰快婿。

[注释] 赘婿：指婚后定居于女家的男子。以女之父母为父母，所生子女从母姓。秦汉时赘婿地位等于奴婢，后世有所改变。　馆甥：赵岐注《孟子·万章下》："谓妻父曰外舅，谓我舅者，吾谓之甥。尧以女妻舜，故谓舜甥。"后因称女婿为"馆甥"。

[译文] 入赘于女家之婿叫馆甥，有贤才的女婿叫快婿。

凡属东床，俱称半子。

[注释] 东床：典出《世说新语·雅量》。　半子：半个儿子，指女婿。

[译文] 晋朝郗监让王导帮他选婿，王导的弟子们听说后，都格外矜持，唯有王羲之露腹躺在东床上视若不闻，郗监认为他就是佳婿，把女儿嫁给了他。后来女婿就叫东床。凡是女婿，都有半个儿子之称。

女子号门楣，唐贵妃有光于父母；
外甥称宅相，晋魏舒期报于母家。

[注释] 门楣：喻能光大门第的女儿。　宅相：外甥的代称。典出晋魏舒之舅宅出贵甥事。

[译文] 唐玄宗册立杨贵妃时，有歌谣说："男不封侯女作妃，君看女郎为门楣。"意思是杨贵妃为自己的父母和家族门庭争了光。晋朝魏舒少年失去双亲，由舅家宁氏抚养。宁氏当建新宅，看相人说："这个家当出贵甥。"魏舒听了后表示，一定要实现看相人说的话，以报舅家养育之恩。后来魏舒果然做了司徒。所以外甥又称宅相。

共叙旧姻，曰原有瓜葛之亲；自谦劣戚，曰忝在葭莩之末。

[注释] 瓜葛：瓜与葛。皆蔓生植物。比喻辗转相连的亲戚关系或社会关

系。　葭莩（jiā fú）：芦苇里的薄膜。比喻亲戚关系疏远淡薄。

[译文] 共叙旧时姻亲，便说原有瓜葛之亲；自谦是无所作为的亲戚，便说处在葭莩之末。

大乔小乔，皆姨夫之号；连襟连袂，亦姨夫之称。

[注释] 大乔小乔：大乔，三国吴孙策之妻。小乔，三国吴周瑜之妻。后以此作为姐妹丈夫的称呼。　连襟连袂（mèi）：姊妹丈夫之互称或合称。

[译文] 三国吴孙策、周瑜分别娶了大乔、小乔，后来大乔、小乔就成了姐妹丈夫的称呼。宋朝李晋卿有二女，长女嫁给了王陶，次女嫁给了滕元发，王、滕二人相继进了翰林院。后来连襟连袂也成了姐妹丈夫的称呼。

蒹葭依玉树，自谦借戚属之光；
茑萝施乔松，自幸得依附之所。

[注释] 蒹葭（jiān jiā）玉树：《世说新语·容止》："魏明帝使后弟毛曾与夏侯玄共坐，时人谓'蒹葭依玉树'。"蒹葭，蒹和葭都是价值低贱的水草，此谓毛曾；玉树，指夏侯玄。谓两个品貌极不相称的人在一起。　茑（niǎo）萝：茑萝与女萝。两种蔓生植物的合称。比喻关系亲密，寓依附攀缘之意。

[译文] 蒹葭依靠着玉树，这是借了亲戚之光的谦称；茑萝与女萝的丝藤缠在高大的松树上，这是庆幸自己有了依靠攀附之所。

【增】
卢李之亲，苏程之戚。

[注释] "卢李"句：语出《容斋随笔》卷九《李益卢纶诗》。　"苏程"句：语出《东坡全集》卷二十一《表弟程德孺生日》。

[译文] 唐朝卢纶和李益是内兄弟关系的亲戚，宋朝苏轼和程德孺是表兄弟关系的亲戚。

王茂弘呼何充以麈尾，杨沙哥引崔嫂以油幢。

[注释] 麈（zhǔ）尾：古人闲谈时执以驱虫、掸尘的一种工具。在细长的木条两边及上端插设兽毛。　油幢：油布帐幕。多指将帅幕府。

[译文] 晋朝何充是丞相王导内弟的儿子，常去王家，王导（字茂弘）以拂尘的麈尾招呼他在床上同坐。后来何充做了高官。唐朝杨汝士（小名沙哥）带着妻子崔氏镇守东川，他的妹夫白居易戏作贺诗说："何似沙哥领崔嫂，碧油幢引向东川。"

林宗贷钱，宁以贫穷为病；彦达分秩，不将富贵自私。

[注释] 分秩：分俸禄于人。秩，俸禄。

[译文] 汉朝郭林宗家里很穷，就向姐夫贷钱五千去求学，不以贫穷为羞耻；南朝宋庾彦达为益州刺史，将自己俸禄的一半分给姐姐作膳食之用，不把富贵看作私有。

直卿果重亲情，相邀会食；潘岳能敦戚谊，每令弹琴。

[注释] 会食：相聚进食。

[译文] 宋朝黄直卿重亲情，常邀请内弟及外姓兄弟聚会饮酒；晋朝潘岳重情义，他的内弟阮瞻读书不专，但善于弹琴，潘岳没有责备他，反而常听他弹琴，通宵达旦而不废。

中子执内弟之丧，行冲称外家之宝。

[注释] 内弟：妻子的弟弟。　外家：泛指母亲和妻子的娘家。

[译文] 隋朝王通（号文中子）的内弟死了，他丧期内不喝酒、不吃肉；唐朝元行冲的表弟韦述能读书作文，行冲称他是外家之宝。

骑驴以追胡婢，仲容不顾居丧；

披扇而笑老奴,温峤自为媒妁。

[注释] "骑驴"句:事见《晋书·阮咸传》。阮咸,字仲容。 "披扇"句:详见《婚姻》。

[译文] 晋朝阮咸与姑母的婢女私通,后来母亲死了,姑母与婢女远行,仲容不顾母丧,借了条毛驴将她们追了回来;晋朝温峤自荐为姑母的女婿,姑母扇着扇笑他是老奴。

介妇冢妇,不敢并行;先生后生,原为同出。

[注释] 介妇、冢妇:古代宗法称嫡长子之妻为冢妇,非嫡长子之妻为介妇。

[译文] 介妇和冢妇,按照封建礼法是不能并行的;无论先出生,还是后出生,都是同一个父亲。

智能散宝,为侄弃军;兆卜张弧,因姬遣嫁。

[注释] "散宝"事:详见《史记·吕后本纪》。 "张弧"事:详见《左传·僖公十五年》。张弧,把弓拉开,做好发射准备。引申为事先做准备,防患于未然。

[译文] 汉朝樊哙的妻子(吕雉之妹)因侄儿吕禄放弃军权而去,大怒,把自己的珠宝玉器都撒在堂上,说:"不为他人保管了。"春秋晋献公想把女儿伯姬嫁到秦国,占卜的人说:"寇张之弧,侄其从姑。"认为不吉利。

聂政非无贤姊,屈平亦有女媭。

[注释] 屈平:即屈原。 女媭(xū):屈原之姐。

[译文] 战国时聂政行刺韩相侠累后自尽,他的姐姐伏尸痛哭,死在弟弟的尸体旁,聂政并非没有贤姐。屈原有个姐姐叫女媭。

莫嫌萧氏之姻,宜学郝家之法。

[注释] 萧氏:指唐薛凯之妻子萧氏。 郝家:指晋王浑弟王湛之妻郝氏。

[译文] 不要像武则天一样,嫌弃薛凯的妻子萧氏不是贵族出身这样的姻亲。晋朝王浑的妻子钟氏和弟弟王湛的妻子郝氏,皆有德行。世人说:钟氏之礼,郝氏之法,都值得学习。

老幼寿诞

不凡之子,必异其生;大德之人,必得其寿。

[注释] 大德:指德行高尚的人。

[译文] 凡是不平凡的孩子,他的出生必定有奇异的地方;有高尚品德的人,必定能享高寿。

称人生日,曰初度良辰;贺人逢旬,曰生申令旦。

[注释] 初度:谓始生之年时。后因称生日为"初度"。 逢旬:满十年。 生申:申伯诞生之日。后为生日之祝辞。 令旦:犹吉日。

[译文] 称呼别人的生日,叫做初度良辰;贺人逢十的生日,叫做生申令旦。

三朝洗儿,曰汤饼之会;周岁试周,曰晬盘之期。

[注释] 三朝:谓三日。 汤饼之会:小孩出生第三天或满月、周岁时举行的庆贺宴会。因备有象征长寿的汤面,故名。 晬(zuì)盘:旧俗于婴儿周岁日,以盘盛纸笔刀箭等物,听其抓取,以占其将来之志趣,谓之试儿,也叫试晬、抓周。盛物之盘曰"晬盘"。

[译文] 小孩生下来三天要洗浴,宴请亲朋好友,叫汤饼之会;小孩满周岁,用盘子盛上各种玩物,让他抓取,以测日后他的志

趣，叫晬盘之期。

男生辰，曰悬弧令旦；女生旦，曰设帨佳辰。

[注释] 悬弧：古代风俗尚武，家中生男，则于门左挂弓一张，后因称生男为悬弧。 设帨（shuì）：古礼，女子出生，挂佩巾于房门右。后用以指女子生辰。《礼记·内则》："子生，男子设弧于门左，女子设帨于门右。"

[译文] 男子的生日叫悬弧令旦，女子的生辰叫设帨佳辰。

贺人生子，曰嵩岳降神；自谦生女，曰缓急非益。

[注释] 嵩岳：即嵩山。 缓急：指危急之事或发生变故之时。

[译文] 庆贺人家生儿子，说"嵩岳降神"，意思是说中岳嵩山降下天神；自谦生了女儿，说是"缓急非益"，意思是遇到有急事，帮不上忙，没一点益处。

生子曰弄璋，生女曰弄瓦。

[注释] 弄璋：《诗·小雅·斯干》："乃生男子，载寝之床，载衣之裳，载弄之璋。"诗意祝所生男子成长后为王侯，执圭璧。后因称生男为"弄璋"。
弄瓦：《诗·小雅·斯干》："乃生女子，载寝之地，载衣之裼，载弄之瓦。"瓦，纺砖，古代妇女纺织所用。后因称生女曰弄瓦。

[译文] 生儿子叫弄璋，生女儿叫弄瓦。

梦熊梦罴，男子之兆；梦虺梦蛇，女子之祥。

[注释] 梦熊梦罴（pí）：古人以梦中见熊罴为生男的征兆。《诗·小雅·斯干》："维熊维罴，男子之祥。"罴，熊的一种。 梦虺（huǐ）梦蛇：古人以梦中见虺蛇为生女的征兆。虺，古称蝮蛇一类的毒蛇。通常指土虺蛇，色如泥土。《诗·小雅·斯干》："维虺维蛇，女子之祥。"

[译文] 熊罴属阳物，梦见它们是生男孩的预兆；虺蛇属阴物，梦见它们是生女孩的祥征。

梦兰协吉，郑文公之妾生穆公之奇；
英物称奇，温峤闻声知桓公之异。

[注释] 梦兰：谓妇人怀孕。典出《左传·宣公三年》。 英物：杰出的人物。典出《晋书·桓温传》。

[译文] 梦见兰花预示吉祥，传说春秋时郑文公之妾燕姞因梦见有人送她兰花而生下郑穆公，这是很神奇的事。晋朝温峤听见桓温在月子里的哭声，便知桓温是个英物，长大后一定有奇才。桓温的父亲因儿子得到温峤的赏识，就以"温"为名。

姜嫄生稷，履大人之迹而有娠；
简狄生契，吞玄鸟之卵而协孕。

[注释] 姜嫄（yuán）：周人始祖后稷之母，帝喾之妻。 简狄：相传为有娀氏之女，帝喾之妻。

[译文] 传说帝喾之妻姜嫄生稷，是因为姜嫄在外出的路上踩了巨人的脚印而怀孕；帝喾次妻简狄生契，是因为简狄误吞了玄鸟下的蛋而怀孕。

麟吐玉书，天生孔子之瑞；玉燕投怀，梦孕张说之奇。

[注释] 玉书：表示祥瑞的书简。晋王嘉《拾遗记·周灵王》："夫子未生时，有麟吐玉书于阙里（孔子故里）人家。文云：'水精之子，继衰周而为素王。'" 玉燕投怀：玉燕，传说预兆生育贵子的白燕。五代王仁裕《开元天宝遗事·梦玉燕投怀》："张说母梦有一玉燕自东南飞来，投入怀中，而有孕生说，果为宰相。"

[译文] 阙里有麒麟口吐玉书，上有"水精之子，继衰周而为素王"等字，这是孔子出生前的一种瑞兆；唐朝宰相张说的母亲因梦见一只玉燕投入怀中，而怀孕生了张说，这也是一桩奇事。

弗陵太子，怀胎十四月而始生；
老子道君，在孕八十一年而始诞。

[注释] 弗陵：即汉昭帝，汉武帝少子，其母赵婕妤怀十四月而生。 老子：姓李名耳。传说其母怀孕八十一年而生，因生李树下遂指李为姓。

[译文] 汉武帝的弗陵太子，其母赵婕妤怀孕十四个月才生下他；道教的始祖老子在娘胎里八十一年才出生，生下来就一头白发。

晚年生子，谓之老蚌生珠；暮岁登科，正是龙头属老。

[注释] 老蚌生珠：称颂人老而得子。汉孔融《与韦端书》："前日元将来，渊才亮茂，雅度弘毅，伟世之器也；昨日仲将复来，懿性贞实，文敏笃诚，保家之主也。不意双珠，近出老蚌。"元将、仲将，韦端二子康、诞的字。 龙头：状元的别称。

[译文] 汉朝韦端老年生下两个儿子，孔融说："不料一双明珠，竟生在老蚌腹内。"宋朝梁灏八十二岁中进士，他在谢恩诗中说："也知年少登科好，怎奈龙头属老成。"

贺男寿曰南极星辉，贺女寿曰中天婺焕。

[注释] 南极：星名。即南极老人星。 婺(wù)：星宿名，即女宿。

[译文] 祝贺男人寿辰，叫南极星辉；祝贺女人寿辰，叫中天婺焕。

松柏节操，美其寿元之耐久；桑榆暮景，自谦老景之无多。

[注释] 松柏：松树和柏树。两树皆长青不凋。比喻长寿。 桑榆：比喻晚年；垂老之年。

[译文] 松柏节操，赞美人的寿命长久，品节如松柏；桑榆暮景，是老人自谦称自己的岁月不多了，已近黄昏。

矍铄称人康健，聩眊自谦衰颓。

[注释] 聩眊（mào）：耳聋眼花。引申为昏聩。

[译文] 矍铄，是称赞人精神健康；聩眊，是自谦耳聋眼花。

黄发儿齿，有寿之征；龙钟潦倒，年高之状。

[注释] 黄发：指长寿老人。头发由白变黄。 儿齿：老人齿落后更生之齿。 龙钟：一种竹子。形容身体衰老，行动不灵便者。

[译文] 老人头发由黄变白，牙齿掉了又长出像孩童一样的牙齿，这都是长寿的征兆；像龙钟一样摇摇晃晃，站立不稳，这都是年事已高的状态。

日月逾迈，徒自伤悲；春秋几何，问人寿算。

[注释] 日月逾迈：日月前行。谓时光流逝。 寿算：寿数，年寿。

[译文] 认为时光已经流逝，这是在为衰老徒然悲伤；打听别人的年纪，要说"春秋几何"。

称少年，曰春秋鼎盛；羡高年，曰齿德俱尊。

[注释] 齿德：年龄与德行。

[译文] 称呼少年叫春秋鼎盛，意思是他正处在青春壮年的时候；羡慕高龄长寿，称齿德俱尊，意思是他的年龄和品德，都应受到尊敬。

行年五十，当知四十九年之非；
在世百年，那有三万六千日之乐。

[注释] "行年五十"二句：《淮南子·原道训》："蘧（qú）伯玉年五十，而知四十九年非。"蘧伯玉，春秋时卫国人。

[译文] 人到五十，应知过去四十九年的是非过失；人在世百

年,哪能三万六千天都快乐呢?

百岁曰上寿,八十曰中寿,六十曰下寿;八十曰耋,九十曰耄,百岁曰期颐。

[注释] 上寿、中寿、下寿:《庄子·盗跖》:"人上寿百岁,中寿八十,下寿六十。"说法不一。 耋(dié):泛指老年。 耄(mào):年老;高龄。古称大约七十至九十岁的年纪。 期颐:一百岁。《礼记·曲礼上》:"百年曰期颐。"

[译文] 人活百岁叫上寿,八十岁叫中寿,六十岁叫下寿;八十岁叫耋,九十岁叫耄,一百岁叫期颐。

童子十岁就外傅,十三舞勺,成童舞象;
老者六十杖于乡,七十杖于国,八十杖于朝。

[注释] 外傅:古代贵族子弟至一定年龄,出外就学,所从之师称外傅。 舞勺:谓古代儿童学文舞。 舞象:学象舞。象舞,武舞。古代成童所学。

[译文]《礼记》上说:小孩十岁就应该外出跟老师学书习礼,十三岁要学文舞,成童要学武舞;《礼记》上又说:老年人六十岁可以在乡里扶拐杖,七十岁可以在国中扶拐杖,八十岁可以在朝廷扶拐杖,这是对老年人的尊重。

后生固为可畏,而高年尤是当尊。

[注释] 后生:谓青年。 高年:老年人。

[译文] 后生固然可畏,而对老年人尤其应该尊重。

【增】

漫道豫章之小,已具梁栋之观。

[注释] 豫章:亦作"豫樟"。木名。枕木与樟木的并称。比喻栋梁之材,

有才能的人。《南史·王俭传》:"丹阳尹袁粲闻其名,及见之曰:'宰相之门也。桧柏豫章虽小,已有栋梁气矣,终当任人家国事。'"

[译文] 别说豫章树小,它已具备栋梁之材。这是南朝王俭年幼时袁粲夸他有出息的话。

项橐童牙作师,却知学富;甘罗孱口为相,勿论年雏。

[注释] 橐:音tuó。 童牙:幼小。 孱(chán):羸弱;瘦小。

[译文] 春秋时项橐童牙未换,就当了孔子的老师,可知他的学识丰富;秦朝甘罗仅十二岁就被封为宰相,不要说他年纪还小。

列俎豆而习礼仪,孟氏冲年乃尔;
执干戈以卫社稷,汪踦小子能然。

[注释] 俎豆:俎和豆。古代祭祀、宴飨时盛食物用的两种礼器。亦泛指各种礼器。 干戈:干和戈是古代常用武器,因以干戈用作兵器的通称。 踦:音jī。

[译文] 孟子年幼时住在学馆旁边,与其他孩子做游戏,排列俎豆练习礼仪,他母亲见了很高兴;春秋时齐国伐鲁,鲁国童子汪踦手执干戈以捍卫国家,直至战死。

寇公七岁咏山,已卜具瞻气象;
司马五龄击瓮,即占拯溺才猷。

[注释] 具瞻:谓为众人所瞻望。据《陈辅之诗话·八岁吟华山诗》,寇准八岁吟华山诗:只有天在上,更无山与齐。其师谓准父曰:"贤郎怎不作宰相。"据考,时寇准八岁,各本误。 击瓮:指宋司马光幼时击破大瓮救小儿之事。

[译文] 宋朝宰相寇准七岁已能作诗咏山,很有气魄,他的老师预见他已具有将来受百姓瞻仰的气象了;司马光五岁时,击破水缸救出掉在里面的同伴,大家都很惊异,显示了他将来

能拯救万民的才能。

步处敏于诗，我道公权过子建；
坐间言自别，人称谢尚是颜回。

[注释] "步处"句：事见《新唐书·柳公权传》："诏令再赋，复无停思，天子甚悦，曰：'子建七步，尔乃三焉。'" "坐间"句：事见《晋书·谢尚传》："八岁，神悟夙成。鲲尝携之送客，或曰：'此儿一坐之颜回也。'"

[译文] 唐朝柳公权十二岁时，走三步即能成诗，唐文宗称他胜过七步成诗的曹子建；晋朝谢尚八岁时已能陪客宴饮，谈吐自如，宾客夸他是孔子的弟子颜回。

勿谓卢家儿，案上翻残墨汁；尚嘉羊氏子，桑中探出金环。

[注释] "勿谓"句：语出卢仝《示儿诗》："闲来案上翻墨汁，涂抹诗书如老鸦。" "尚嘉"句：《晋书·羊祜传》："祜年五岁，时令乳母取所弄金环。乳母曰：'汝先无此物。'祜即诣邻人李氏东垣桑树中探得之。主人惊曰：'此吾亡儿所失物也，云何持去。'"

[译文] 不要说唐朝卢仝的儿子翻倒书桌上的墨斗，把纸上的新诗涂抹成老乌鸦，倒应该夸奖晋朝的羊祜，他五岁时，在邻家的桑树林中，寻找到邻家亡儿的遗物金环。

亩丘人，问年不少；绛县年，历甲何多。

[注释] 亩丘：有垄界的丘地。借指乡野。

[译文] 春秋齐桓公见一老人在田里耕作，问他年龄，答："已八十三岁了。"桓公赞他高寿。晋国绛县有位老人称自己已经历了四百四十五个甲子，合二万六千七百岁。

函谷跨牛，为令尹演《道经》五千之秘；

渭川跃鲤,子牙钓乾坤八百之秋。

[注释] 函谷:即函谷关。在今河南灵宝县境内。 渭川:即渭水。

[译文] 周朝李耳骑着青牛过函谷关,关令尹喜知他是圣人,要他传授些经典方可过关。李耳就将五千言的《道德经》传授给他。姜子牙在渭水钓鲤鱼,算定了周朝有八百年天下。

是谁运动老阳,生子却无日影;
若个学成玄法,烧丹剩有霞光。

[注释] "是谁运动"二句:相传汉朝陈留有个九十老翁娶女生一子,他的长子不认这个弟弟,与他争家产多年,州郡长官都不能断。丞相丙吉说:"曾听说九十老人所生之子,在阳光下行走无影子。"令子站在阳光下确实无影子,争端得以平息。 "若个学成"二句:西汉淮南王刘安学道术,八个老人授他炼丹术,刘安吃了炼成的丹丸,成仙而去。剩下的炼丹炉还在发光,鸡犬舔了,也随主人成仙而去了。

[译文] 是谁老年得子,儿子在太阳下无身影?又是谁学成玄法,炼丹成仙,剩下的炼丹炉还留有霞光?

荣启期能扩襟怀,行歌乐土;疏太傅乞归骸骨,饮饯都门。

[注释] 行歌:边行走边歌唱。借以抒发自己的感情,表示自己的意向、意愿等。事见《列子》。 饮饯:以酒饯行。事见《汉书·疏广传》。

[译文] 古代隐士荣启期九十五岁了,襟怀开阔,常唱行乐歌:"为人是一乐,为男是二乐,年有九十五是三乐。贫者士之常,死者人之终,吾何忧哉?"西汉太子太傅疏广与当少傅的侄儿二人上表乞求归家,死后能葬故乡。他的朋友们在都城门外为他俩饯行,观者称他叔侄二人都是贤者。

猃狁侵周,方叔迈年奏三捷;先零叛汉,充国颓龄请一行。

[注释] 猃狁(xiǎn yǔn):我国古代北方少数民族。事见《毛诗·小

雅》。　先零：汉代羌族的一支。最初居于今甘肃、青海的湟水流域，后渐与西北各族融合。事见《汉书·赵充国传》。

[译文] 夷族狁猃国侵犯周朝，老将方叔不顾年迈前去迎战，一月传回三次捷报；西汉羌族先零国反叛，老将赵充国此时虽已七十多岁了，仍请缨出征。

李百药才新而齿则宿，卢蒲嫳发短而心甚长。

[注释]"李百药"句：事见《新唐书·李百药传》。　"卢蒲嫳（piè）"句：事见《左传·昭公三年》。

[译文] 唐朝李百药七十岁作《帝京赋》，太宗看了说："齿则宿而才甚新。"意思是百药已年高牙齿萎缩，但才思却很清新。春秋齐国卢蒲嫳曾协助庆封叛乱，被齐侯流放，后来他在齐侯面前痛苦说："我的头发已很短了，还能干什么呢？"请求宽恕。齐侯的儿子子雅说："他的头发很短，但心思却很长。"意思是野心还很大。

身　体

百体为血肉所存，五官有贵贱之别。

[注释] 百体：人体的各个部分。　五官：耳、目、鼻、口、心。

[译文] 人体的各个部分都是血肉组成的；从五官上可以看出人的贫富贵贱。

尧眉分八彩，舜目有重瞳。

[注释] 八彩：《孔丛子·居卫》："昔尧身修十尺，眉分八采。"后因以"八彩"指尧眉或形容帝王容颜。　重瞳：即重瞳子。谓目中有两个瞳子。旧时认为是一种异相、贵相。

[译文] 传说唐尧的眉毛有八种色彩，虞舜的眼睛里有两个瞳仁。

耳有三漏，大禹之奇形；臂有四肘，成汤之异体。

[注释] 耳有三漏：两耳各有三孔。旧传为圣人异相。　四肘：《帝王世纪》："臂四肘，有圣德。"

[译文] 相传大禹的每只耳朵有三孔，足见其外貌奇特；成汤的胳膊有四个肘关节，形体与人不同。

文王龙颜而虎眉，汉高斗胸而隆准。

[注释] 斗胸：胸膛宽阔。　隆准：鼻梁骨高。

[译文] 相传周文王有龙的额头、虎的眉毛，汉高祖的胸脯宽而鼻梁高。

孔子之顶若圩，文王之胸四乳。

[注释] 顶若圩：头顶凹陷。《史记·孔子世家》："（孔子）生而首上圩顶，故因名曰丘云。"　胸四乳：谓胸上有四只乳房。古代传说周文王有四乳，迷信者附会为仁圣之相。

[译文] 相传孔子的头顶是凹陷的，周文王的胸上有四个乳房。

周公反握，作兴周之相；重耳骈胁，为霸晋之君。

[注释] 骈胁：肋骨紧密连接为一，是一种生理上的畸形。

[译文] 周武王的弟弟周公两手软如绵，可以反握，是振兴周朝的宰相；晋文公重耳的肋骨连在一起，是称霸春秋的君主。

此皆古圣之英姿，不凡之贵品。

[注释] 英姿：卓越的天资、才华。

[译文] 这些都是古代圣人的英姿，非凡的高贵品相。

至若发肤不敢毁伤,曾子常以守身为大;
待人须当量大,师德贵于唾面自干。

[注释] 发肤:头发与皮肤。《孝经·开宗明义》:"身体发肤,受之父母,不敢毁伤,孝之始也。" 唾面自干:详见《兄弟》。

[译文] 父母给的头发和肌肤,不可毁伤。曾子常以此为保护身体的大事。待人接物应当气量大,唐朝宰相娄师德就对他弟弟说过,有人把唾沫吐到你的脸上,不要去擦,让它自己干掉。

谗口中伤,金可铄而骨可销;虐政诛求,敲其肤而吸其髓。

[注释] 谗口:说坏话的嘴;谗人。

[译文] 恶意中伤的话,可以把金子熔化,把肌骨销毁;暴政豪夺,如同敲打肌肤,吸人骨髓。

受人牵制,曰掣肘;不知羞愧,曰厚颜。

[注释] 掣肘:谓从旁牵制。

[译文] 受到别人的牵制,叫掣肘;不知道羞耻惭愧,叫厚颜。

好生议论,曰摇唇鼓舌;共话衷肠,曰促膝谈心。

[注释] 摇唇鼓舌:耍弄嘴皮进行挑拨煽动。 促膝:谓对坐而膝相接近。多形容亲切交谈或密谈。

[译文] 无事生非好发议论,叫摇唇鼓舌;彼此在一起倾诉心事,叫促膝谈心。

怒发冲冠,蔺相如之英气勃勃;
炙手可热,唐崔铉之贵势炎炎。

[注释] 怒发冲冠:《史记·廉颇蔺相如列传》:"相如因持璧却立倚柱,怒发上冲冠。" 炙手可热:《新唐书·崔铉传》:"铉所善者郑鲁、杨绍复、

段瑰、薛蒙,颇参议论,时语曰:郑、杨、段、薛,炙手可热。"

[译文]怒发冲冠,是指战国时赵国蔺相如出使秦国,用玉璧换取秦地,见秦王出尔反尔,怒气冲天,竖起的头发把帽子都顶起来了;炙手可热,是指唐朝崔铉任左仆射时,与同党垄断朝政,其势如灼烧得烫手的火焰。

貌虽瘦而天下肥,唐玄宗之自谓;
口有蜜而腹有剑,李林甫之为人。

[注释]口有蜜而腹有剑:《资治通鉴·唐玄宗天宝元年》:"李林甫为相,尤忌文学之士,或阳与之善,啖以甘言而阴陷之。世谓李林甫'口有蜜,腹有剑'。"

[译文]唐玄宗说:"自己的面貌虽然瘦了,但天下的百姓都胖了。"话说得像蜜一样甜,而心里却藏着一把杀人的利剑,这就是唐朝李林甫的为人。

赵子龙一身都是胆,周灵王初生便有须。

[注释]须:胡须。

[译文]三国蜀主刘备称赞赵云浑身是胆;周灵王一生下来就有胡须,天赋异相。

来俊臣注醋于囚鼻,法外行凶;
严子陵加足于帝腹,忘其尊贵。

[注释]"来俊臣"句:来俊臣,唐酷吏。事见《韵府群玉》。"严子陵"句:严子陵,东汉隐逸严光,其字子陵。事见《后汉书·严光传》。

[译文]唐朝酷吏来俊臣生性残忍,审讯囚犯用酸醋灌在他的鼻子里,这是在法律之外的行凶;东汉严光有一次和光武帝刘秀同卧,竟把两只脚放在光武帝的肚子上,忘记了皇帝的尊贵。

久不屈兹膝，郭子仪尊居宰相；
不为米折腰，陶渊明不拜吏胥。

[注释] 屈兹膝：即屈膝，下跪。引申为投降，屈服。事见《旧唐书·郭子仪传附子晤、映传》。　折腰：弯腰行礼。引申为屈身事人。事见《晋书·隐逸传·陶潜》。

[译文] 唐朝田承嗣占据魏地不服唐朝王法，宰相郭子仪派使者给他送信，田承嗣向西跪拜说："我的膝盖已有十年不屈于人了，今为尊重郭公而下跪。"晋朝陶渊明做彭泽县令，一日郡守派督邮来，渊明不肯跪迎，说："我岂能为五斗米而折腰！"辞官归里。

断送老头皮，杨璞得妻送之诗；
新剥鸡头肉，明皇爱贵妃之乳。

[注释] 老头皮：头皮，指脑袋。以"老头皮"为年老男子的戏称。事见宋赵令畤《侯鲭录》卷六。　鸡头肉：借指妇女的乳头。事见宋刘斧《青琐高议·骊山记》。

[译文] 宋朝杨璞被真宗召见，临行时他妻子写诗送他，其中有"今日捉将官里去，这回断送老头皮"。真宗听说后，把杨璞放了回去。唐朝杨贵妃沐浴出水，玄宗抚摸她的乳房说："软温新剥鸡头肉。"

纤指如春笋，媚眼若秋波。

[注释] 秋波：秋天的水波。比喻美女清澈明亮的目光。

[译文] 唐朝诗人王履道有诗称杨贵妃的手指纤细娇嫩，长得如同春笋一样；宋朝诗人黄庭坚有诗称女人的妩媚眼神，像秋天的水波一样动人。

肩曰玉楼，眼名银海。

[注释] 玉楼：道教语。指肩。 银海：道家、医家称人的眼睛。语皆出苏轼《雪后书北台壁》。

[译文] 肩又称玉楼，眼又名银海，这是苏轼诗"冻合玉楼寒起粟，光摇银海眩生花"里的话。

泪曰玉箸，顶曰珠庭。

[注释] 玉箸（zhù）：玉制的筷子。喻眼泪。 珠庭：饱满的天庭，星相家以为主贵之相。

[译文] 泪水，被形容为"玉箸"；天庭，也可叫做"珠庭"。

歇担曰息肩，不服曰强项。

[注释] 息肩：卸去负担。 强项：挺着脖子。

[译文] 挑担子累了放下歇歇，叫息肩；不肯屈服，挺着脖子，叫强项。

丁谓与人拂须，何其谄也；彭乐截肠决战，不亦勇乎。

[注释] "丁谓"句：事见《宋史·寇准传》。 "彭乐"句：事见《北史·彭乐传》。

[译文] 宋朝参政丁谓与宰相寇准同席饮酒，见寇准胡须上沾着菜汤，便上前替他抹去，这是何等的谄媚；北齐大将彭乐在战斗中被刺伤，流出肠子，他用刀把肠子割断继续再战，这是何等英勇！

剜肉医疮，权济目前之急；伤胸扪足，计安众士之心。

[注释] 剜肉医疮：比喻用有害的手段救眼前之急，不暇顾及后果。 扪足：以手摸足。

[译文] 割掉好肉去医治疮伤，这只是救眼前之急的一种权宜之计；汉高祖刘邦胸口中箭，却用手揞住脚，这是安定军心的一种计谋。

汉张良蹑足附耳，黄眉翁洗髓伐毛。

[注释] 蹑足附耳：指刘邦玩弄权术封韩信为齐王一事。事见《史记·淮阴侯列传》。 洗髓伐毛：道教谓修道者洗去凡髓，消除毛发换成仙骨。事见汉郭宪《洞冥记》卷一。

[译文] 西汉韩信向汉高祖要求封假王，高祖正想发怒，张良在旁连忙用脚踢踢高祖，并附耳劝他同意。高祖马上说："要封就封真王。"于是封韩信为齐王。汉朝东方朔曾听仙人黄眉翁说："我三千年一返骨洗髓，二千年一剥皮伐毛，如今已三次洗髓，五次伐毛了。"示意自己已活了九千多岁。

尹继伦，契丹称为黑面大王；傅尧俞，宋后称为金玉君子。

[注释] "尹继伦"句：尹继伦，开封浚仪人，宋朝猛将。语出《宋史·尹继伦传》。 "傅尧俞"句：傅尧俞字钦之，本郓州须城人，徙孟州济源。语出《宋史·傅尧俞传》。

[译文] 宋朝尹继伦脸长得黑，在徐河大败契丹。契丹人称要避开这个黑面大王；宋朝侍郎傅尧俞在皇帝面前直言敢谏，毫无避讳，死后太后夸他是金玉君子。

土木形骸，不自妆饰；铁石心肠，秉性坚刚。

[注释] 土木形骸：比喻人不加修饰的本来面目。语出《晋书·嵇康传》。 铁石心肠：比喻刚强而不为感情所动的秉性。语出唐皮日休《桃花赋》序。

[译文] 史书上说晋朝嵇康是"土木形骸"，意思是说他的形体如土木一样自然，不加装饰；唐朝李璟为人正直，皮日休在《桃花赋》的序中说他秉性刚毅，有如"铁石心肠"。

叙会晤，曰得挹芝眉；叙契阔，曰久违颜范。

[注释] 得挹（yì）芝眉：唐代隐士元德秀，字紫芝，风度飘逸。房琯曾赞赏说："见紫芝眉宇，使人名利之心都尽。"语出《新唐书·元德秀传》。很幸运遇见的意思。　久违颜范：很长时间再见的意思。颜范，容颜风范。

[译文] 与人叙谈会晤，叫得挹芝眉；久别重逢，叫久违颜范。

请女客奉迓金莲，邀亲友敢攀玉趾。

[注释] 奉迓（yà）：敬词。迎接。　金莲：女子的纤足。借指女子。　玉趾：对人脚步的敬称。

[译文] 邀请女客，叫奉迓金莲；邀请亲友，叫敢攀玉趾。

侏儒谓人身矮，魁梧称人貌奇。

[注释] 侏儒：身材异常短小者。

[译文] 侏儒，是指人身材矮小；魁梧，是指人身材高大奇伟。

龙章凤姿，庙廊之彦；獐头鼠目，草野之夫。

[注释] 龙章凤姿：蛟龙的文采，凤凰的姿容。比喻风采出众。　獐头鼠目：用以形容人面目猥琐、心术不正。

[译文] 只有神采如龙，风姿如凤的人，才能成为朝廷的贤士；头如獐，目如鼠，是形容草野之民猥琐的形象。

恐惧过甚，曰畏首畏尾；感佩不忘，曰刻骨铭心。

[注释] 畏首畏尾：疑虑重重貌。

[译文] 过分恐惧，称畏首畏尾；感恩不忘，称刻骨铭心。

貌丑曰不飏，貌美曰冠玉。

[注释] 不飏（yáng）：不显明；不出众。

[译文] 面貌丑陋，叫不飏；面貌秀美，叫冠玉。

足跛曰蹒跚，耳聋曰重听。

[注释] 蹒跚：跛行貌。　重听：听觉迟钝；耳聋。

[译文] 足跛叫蹒跚，耳聋叫重听。

期期艾艾，口讷之称；喋喋便便，言多之状。

[注释] 期期艾艾：形容人口吃结巴。　喋喋便便：形容巧言利口，擅长辞令。

[译文] 期期艾艾，是对口吃的称呼；喋喋便便，是形容话多，絮絮叨叨。

可嘉者，小心翼翼；可鄙者，大言不惭。

[注释] 大言不惭：说大话而不觉羞愧。

[译文] 值得称赞的人，是做事小心翼翼者；令人鄙视的人，是大言不惭者。

腰细曰柳腰，身小曰鸡肋。

[注释] 鸡肋：鸡的肋骨。比喻瘦弱的身体。

[译文] 形容女子腰肢细软，叫柳腰；形容身体弱小，叫鸡肋。

笑人齿缺，曰狗窦大开；讥人不决，曰鼠首偾事。

[注释] 狗窦：狗洞，戏称齿缺状。　鼠首偾（fèn）事：偾，毁坏；败坏。比喻人办事没决断，就像胆小的老鼠，在出洞时头在洞口伸伸缩缩一样。

[译文] 嘲笑别人牙齿缺落，叫狗窦大开；讥讽别人办事不果断，叫鼠首偾事。

口中雌黄，言事多而改移；皮里春秋，心中自有褒贬。

[注释] 口中雌黄：雌黄，黄色矿物，用作颜料。古人用黄纸写字，写错

了，用雌黄涂抹后改写。比喻不顾事实，随口乱说。 皮里春秋：皮里，指内心。指藏在心里不说出来的言论。

[译文] 口中雌黄，形容说话随便，言而无信；皮里春秋，形容嘴上不说，但胸中已有想法。

唇亡齿寒，谓彼此之失依；足上首下，谓尊卑之颠倒。

[注释] 唇亡齿寒：唇缺则齿露受冷。比喻关系密切，利害相关。 足上首下：脚在上，头在下。比喻长幼尊卑相互颠倒。

[译文] 唇亡齿寒，比喻彼此利益相联，不可分开；足上首下，比喻尊卑颠倒，上下不分。

所为得意，曰吐气扬眉；待人诚心，曰推心置腹。

[注释] 吐气扬眉：形容受压抑的心情得以舒展而感到快意。 推心置腹：把赤诚的心交给人家，谓以至诚待人。

[译文] 人有得意之处，叫吐气扬眉；待人真诚，叫推心置腹。

心慌曰灵台乱，醉倒曰玉山颓。

[注释] 灵台：指心。 玉山：古代传说中的仙山。形容人的品德仪容美好。

[译文] 心中慌乱，叫灵台乱；酒后醉倒，叫玉山颓。

睡曰黑甜，卧曰息偃。

[注释] 黑甜：酣睡。 息偃：休息。

[译文] 夜里酣睡，叫黑甜；白天卧床休息，叫息偃。

口尚乳臭，谓世人年少无知；三折其肱，谓医士老成谙练。

[注释] 乳臭（xiù）：奶腥气。谓人年少无知。 三折其肱（gōng）：肱，手臂。《左传·定公十三年》："三折肱，知为良医。"

[译文] 口尚乳臭，比喻人年少幼稚无知；三折其肱，比喻医生老成干练，富有经验。

西子捧心，愈见增妍；丑妇效颦，弄巧反拙。
[注释] 效颦：语出《庄子·天运》。后以为不善摹仿，弄巧成拙的典故。
[译文] 美女西施有病，手捧着胸口，显得更加妩媚可爱；丑妇东施仿效西施的样子，反而弄巧成拙，显得更加丑陋。

慧眼始知道骨，肉眼不识贤人。
[注释] 慧眼：敏锐的眼力。
[译文] 只有具备慧眼，才能看出仙风道骨之人；平常人的肉眼，是不能识别贤人的。

婢膝奴颜，谄容可厌；胁肩谄笑，媚态难堪。
[注释] 婢膝奴颜：形容卑躬屈膝谄媚奉承的奴才相。 胁肩谄（chǎn）笑：耸起肩膀，装出笑脸。形容极端谄媚的样子。
[译文] 婢女见人就跪，奴仆见人就曲意奉承，这种谄媚的样子令人厌恶；见人弓背哈腰，脸上露出虚伪的假笑，这种谄媚的样子令人难堪。

忠臣披肝，为君之药；妇人长舌，为厉之阶。
[注释] 披肝：表示以真诚相见。 长舌：比喻好说闲话、搬弄是非。
[译文] 忠臣披肝沥胆，直言相谏，是君王治理天下的良药；妇人多嘴多舌，搬弄是非，是得祸的阶梯。

事遂心曰如愿，事可愧曰汗颜。
[注释] 汗颜：脸上出汗，比喻羞愧。

[译文] 做事顺心，按希望达到目的者，叫如愿；处事不当心中有愧者，叫汗颜。

人多言，曰饶舌；物堪食，曰可口。
[注释] 饶舌：唠叨；多嘴。
[译文] 人的话多，叫饶舌；食物好吃，叫可口。

泽及枯骨，西伯之深仁；灼艾分痛，宋祖之友爱。
[注释] 泽及枯骨：恩泽施及死去的人。形容恩情深厚。 灼艾分痛：详见《兄弟》。
[译文] 周文王挖地，掘得枯骨，令人重新埋葬，恩泽施于枯骨，可见他仁义深厚；宋太祖为分担兄弟赵匡义灼艾的痛苦，自己也去灼艾，可见兄弟之间的友情。

唐太宗为臣疗病，亲剪其须；颜杲卿骂贼不绝，贼断其舌。
[注释] "唐太宗"二句：事见《旧唐书·李勣（jì）传》。 "颜杲（gǎo）卿"句：事见《旧唐书·颜杲卿传附子泉明传》。
[译文] 唐太宗听说大臣李勣治病需要龙须，亲自将自己的胡须剪下来给他配药；唐朝颜杲卿在常山当太守，城被叛将安禄山攻破被俘，他痛骂不停，直到舌头被敌贼割掉。

不较横逆，曰置之度外；洞悉虏情，曰已入掌中。
[注释] 横逆：横暴无理的行为。
[译文] 不把蛮横强暴的事放在心上，叫置之度外；洞察敌情了如指掌，叫已入掌中。

马良有白眉，独出乎众；阮籍作青眼，厚待乎人。

[注释] 白眉：详见《兄弟》。　青眼：指对人喜爱或器重。与"白眼"相对。眼睛平视则见黑眼珠，上视则见白眼珠。

[译文] 三国蜀将马良眉中有白毛，他的才能，独在众兄弟之上；传说西晋阮籍能作青白眼，见了俗客用白眼相看，见了贤人用青眼正视，厚礼相待。

咬牙封雍齿，计安众将之心；含泪斩丁公，法正叛臣之罪。

[注释] 雍齿：沛人，曾随刘邦反秦，后又反叛，几次反复后，最后归附刘邦。　丁公：项羽大将。

[译文] 汉高祖刘邦咬着牙将他平时最痛恨的雍齿封为什方侯，为的是安抚众将之心；又含泪斩了前来投诚的项羽旧将丁公，为的是刘邦认为丁公对项羽不忠，有叛逆之罪。

掷果盈车，潘安仁美姿可爱；投石满载，张孟阳丑态堪憎。

[注释] 掷果盈车：详见《世说新语·容止》刘孝标注。　投石满载：见晋裴启《语林》。

[译文] 潘安仁长得很俊美，每次出行，妇人们总要向他车上掷果品，满载而归；张孟阳长得丑态可厌，每次出行，小孩们都要向他的车上投掷瓦石，颓丧不堪。

事之可怪，妇人生须；事所骇闻，男人诞子。

[注释] 诞子：生子。

[译文] 最奇怪的事情，莫过于妇女长出胡子；最骇人听闻的事情，莫过于男人生出孩子。

求物济用，谓燃眉之急；悔事无成，曰噬脐何及。

[注释] 噬脐（shì qí）：自啮腹脐。喻后悔不及。

[译文] 寻求东西解救危急，叫燃眉之急；后悔做事没有成功，叫噬脐何及。

情不相关，如秦越人之视肥瘠；
事当探本，如善医者只论精神。

[注释] 肥瘠：此谓土地的肥沃和硗薄。

[译文] 没什么情谊关系，就像越国人对秦国人的土地肥瘠毫不关心一样；凡事要探求根源，就像良医从病人的精、气、神上探讨病因一样。

无功食禄，谓之尸位素餐；谫劣无能，谓之行尸走肉。

[注释] 尸位素餐：谓居位食禄而不尽职。　谫（jiǎn）劣：浅薄低劣。行尸走肉：谓徒具形骸，庸碌无为，毫无生气的人。

[译文] 没有功劳而获得俸禄，叫尸位素餐；品性恶劣，没有才能又缺乏理想，叫行尸走肉。

老当益壮，宁知白首之心；穷且益坚，不坠青云之志。

[注释] 老当益壮：谓年虽老而志更壮。　穷且益坚：处境越穷困，意志应当越坚定。

[译文] 老当益壮，可以知道白首之人的心志；穷且益坚，不放弃高如青云的志气。

一息尚存，此志不容少懈；十手所指，此心安可自欺。

[注释] 十手所指：指个人的言论行动总是在群众的监督之下，不允许做坏事，做了也不可能隐瞒。

[译文]《论语》中说：只要有一丝气息尚存，人的志向就不能有少许懈怠；《大学》中说，众人的手都在指着自己，所以心术要

正,决不可自欺欺人。

【增】

高台曰头,广宅云面。

[注释] 高台、广宅:佛教语。头、脸之别称。

[译文] 佛经里称人头为高台,人脸为广宅。

顿殊于众,须号于思;迥异乎人,指生骈拇。

[注释] 于思:亦作"于腮"。多须貌。 骈(pián)拇:骈,合也。谓足大拇指与第二趾相连合为一趾也。

[译文] 春秋宋人华元的胡须很多,与众不同,人称为于思;有的人脚上拇指与第二趾相连合成一趾,与人迥异。

何平叔面犹傅粉,秦庄公颜若渥丹。

[注释] 傅粉:搽粉。 渥丹:润泽光艳的朱砂。多形容红润的面色。

[译文] 三国魏何晏(字平叔)姿容美白,文帝怀疑他脸上敷有白粉;春秋秦庄公面色红润,就像渥丹一样。

古尚书头尖如笔,便擅英称;张丞相腹大如瓠,更垂好誉。

[注释] "古尚书"句:事见《魏书·古弼传》。 "张丞相"句:事见《汉书·张苍传》。

[译文] 北魏尚书令古弼的头像笔尖,世祖戏称他为笔头,时人尊称他为笔公;西汉太仆张苍的肚子大如瓠瓜,获罪当斩,却因肚大躺不到铡刀下,高祖只好放了他。没想到大肚给他带来了美誉。

可作生民主,刘曜垂五尺之髯;

能为帝者师,张良掉三寸之舌。

[注释] 髯（rán）：胡须。　三寸之舌：形容能说会道,善于应付的嘴。

[译文] 五代后汉刘曜可为百姓做主,他的须髯有五尺多长；西汉张良能当皇帝的老师,全凭他的三寸不烂之舌。

维翰一尺面,宰相奇形；比干七窍心,忠臣异蕴。

[注释] 维翰：姓桑,字国侨,五代后晋人。其身短面广,殆非常人。详见《旧五代史·晋书·桑维翰传》。

[译文] 五代后晋桑维翰脸有一尺长,是宰相中的奇形；商代比干之心七孔,这是忠臣的不同之处。

英雄当自别,金云寇莱公鼻息如雷；
俊杰却非凡,始信王浚冲目光若电。

[注释] 鼻息如雷：形容熟睡时鼾声特别大。事见《梦溪笔谈·人事一》。

目光若电：目光发亮像闪电。形容见识远大。事见《晋书·王戎传》。王戎,字浚冲。

[译文] 英雄自有区别于他人之处,都说宋朝宰相寇准睡觉鼾声如雷；俊杰者从来与凡人不同,晋朝司徒王戎的目光炯炯如闪电。

垂肩大耳,刘先主毕竟兴王；盖胆毛深,德谦师自当成佛。

[注释] 兴王：指开创基业的君主。

[译文] 耳大垂肩,三国刘备最后果然建立了蜀汉王朝；胸毛遮盖了心胆,元朝高僧德谦大师自然应当成佛。

岳公刺背间之字,愈见心忠；英布黥面上之痕,何嫌貌丑。

[注释] 黥：于面额上刺字,以墨涅之。古代的一种肉刑。

[译文] 宋朝岳飞的背上刺着"尽忠报国"四字，愈见他报效朝廷的忠心；西汉英布有罪，脸上被刺了字，人称"黥布"，后来他助刘邦平定天下，被封为九江王，谁还嫌他貌丑呢？

苏生正直，膝岂容佞士作枕头；
林蕴精忠，项不使顽奴为砥石。

[注释] 佞（nìng）士：善于花言巧语，阿谀奉承的人。 顽奴：愚鲁的奴仆。

[译文] 三国魏侍中苏则为人正直，有一次善于阿谀奉承的董昭将头倚在他的膝盖上，苏则将他推开说："我的膝盖岂能让这种奸人当枕头呢？"唐朝刘辟反叛，林蕴直言斥责他，刘辟想杀他，又惜他有才，就让行刑人在他脖子上磨刮以威胁他，林蕴说："死就死，我的脖子岂能让顽奴当磨刀石！"

彦回之髯如戟，岂为乱阶；李瞻之胆如升，不亏大节。

[注释] 髯如戟：胡须又长又硬，一根根像戟似的怒张着。形容丈夫气概。语出《南史·褚彦回传》。褚渊，字彦回。 胆如升：古时形容人胆大，亦有作"如斗"者。语出《南史·贼臣传·侯景》。

[译文] 南朝宋褚渊有一晚卧在阁下，有个公主前来挑逗，彦回不动心，公主说："你的须髯如戟，怎么没一点大丈夫之气？"彦回答："我虽不才，也不敢用我的须髯做淫乱的台阶。"南朝梁李瞻在侯景之乱时起兵反叛，被乱军擒获，侯景剖开他的肚子，见他的胆囊大如升斗，不亏有大节。

张睢阳鼓烈气，握拳透爪；鲁仲连喷义声，嚼齿穿龈。

[注释] 握拳透爪、嚼齿穿龈（yín）：皆形容愤怒异常。

[译文] 唐朝睢阳太守张巡鼓着忠烈的志气，临死还紧握拳头，

指甲透进了肉里;战国时鲁仲连仗义骂贼,恨得牙齿把牙龈都咬破了。

党进虽然大腹,非多算之人也;
李纬徒有好须,不足齿之伧欤。

[注释] 伧(cāng):粗俗;鄙陋。

[译文] 宋朝大将党进虽然腹大,但不是有计谋的人;唐朝李纬虽长有一副好须,却是个不足挂齿的粗俗之辈。

衣 服

冠称元服,衣曰身章。

[注释] 元服:指冠。古称行冠礼为加元服。 身章:《左传·闵公二年》:"衣,身之章也。"

[译文] 冠称元服,衣服叫身章。

曰弁、曰冔、曰冕,皆冠之号;
曰履、曰舄、曰屣,悉鞋之名。

[注释] 弁(biàn):古代贵族的一种帽子,通常穿礼服时用之。 冔(xǔ):殷代冠名。《仪礼·士冠礼》:"周弁,殷冔,夏收。" 冕:古代天子、诸侯、卿、大夫等行朝仪、祭礼时所戴的礼帽。《说文·冂部》:"冕,大夫以上冠也。" 履:本义为行走,后用来指鞋子。 舄(xì):古代一种以木为复底的鞋。多帝王大臣穿。 屣(xǐ):一般的鞋子。

[译文] 弁、冔、冕,都是冠的名称;履、舄、屣,都是鞋的名称。

上公命服有九锡，士人初冠有三加。

[注释] 九锡：古代天子赐给诸侯、大臣的九种器物，是一种最高礼遇。三加：古代男子行加冠礼，初加缁布冠，次加皮弁，次加爵冠，称为三加。

[译文] 皇帝赐给三公有九件器物：车马、衣服、乐则（悬挂的打击乐器）、朱户（朱红漆的大门）、纳陛（凿殿基而成的台阶）、虎贲、宫矢、铁（斧）钺、秬鬯（酒器），称为九锡；男子行加冠礼，有三加：一加布冠，二加皮弁，三加爵冠。

簪缨缙绅，仕宦之称；章甫缝掖，儒者之服。

[注释] 簪缨（zān yīng）：古代官吏的冠饰。比喻显贵。 缙绅：详见《文臣》。 章甫：商代的一种冠。称儒者之冠。 缝掖：大袖单衣，古儒者所服。

[译文] 簪缨、缙绅，是官吏的代称；章甫、缝掖，是读书人的帽子、衣服。

布衣即白丁之谓，青衿乃生员之称。

[注释] 布衣：布制的衣服。借指平民。 青衿：青色交领的长衫。古代学子和明清秀才的常服。

[译文] 布衣，原是穷人穿的衣服，后指没功名的人；青衿，原是青色的衣领衫，后为生员的称呼。

葛屦履霜，诮俭啬之过甚；绿衣黄里，讥贵贱之失伦。

[注释] 葛屦（jù）：用葛草编成的鞋。 绿衣黄里：古时以黄色为正色，绿为闲色。以绿色为衣，用黄色为里。喻尊卑反置，贵贱颠倒。

[译文] 冬天还穿着夏天用葛草做的鞋，就会被人讥笑太吝啬了；如果将绿色穿在外面，而黄色穿在里面，就会被人讥笑贵贱颠倒了。

上服曰衣，下服曰裳；衣前曰襟，衣后曰裾。

[注释] 衣、裳：《诗·邶风·绿衣》："绿衣黄裳。"毛传："上曰衣，下曰裳。"

[译文] 上装叫衣，下装叫裳；衣的前面叫襟，衣的后面叫裾。

敝衣曰褴褛，美服曰华裾。

[注释] 褴褛：形容衣服破烂。 华裾：犹美服。

[译文] 破烂的衣服叫褴褛，华丽的衣服叫华裾。

襁褓乃小儿之衣，弁髦亦小儿之饰。

[注释] 襁褓：背负婴儿用的宽带和包裹婴儿的被子。后亦泛指婴儿包。弁髦：弁，黑色布帽；髦，童子眉际垂发。

[译文] 襁褓是小儿穿的衣服，弁髦是小儿的头饰。

左衽是夷狄之服，短后是武夫之名。

[注释] 左衽（rèn）：我国古代某些少数民族的服装，前襟向左掩，异于中原一带的右衽。 短后：即短后衣。后幅较短的上衣，便于活动，多为武士之衣。

[译文] 衣襟在左边的，是夷族穿的衣服；后裾较短的衣服，是武士穿的。

尊卑失序，如冠履倒置；富贵不归，如锦衣夜行。

[注释] 锦衣夜行：穿了锦绣衣裳在夜间出行。比喻虽居官位，却不能使人看到自己的荣耀显贵。

[译文] 尊卑失去了次序，如同帽子在下、鞋子在上倒置了一样；富贵了不回故乡，如同穿着华丽的锦衣在夜里行走，没人知道。

狐裘三十年，俭答晏子；锦帐四十里，富羡石崇。

[注释] 狐裘：用狐皮制的外衣。语出《礼记·檀弓下》："晏子一狐裘，三十年。"

[译文] 春秋齐国晏婴的一件狐裘皮衣，穿了三十年，他的俭朴令人称赞；晋朝富翁石崇的锦帐，有四十里长，他的豪富令人羡慕。

孟尝君珠履三千客，牛僧孺金钗十二行。

[注释] 珠履：珠饰之履。

[译文] 春秋齐国孟尝君门下食客三千人，个个都穿着装饰有珍珠的鞋子；唐朝宰相牛僧孺家戴有金钗的宠妾成群，白居易有诗说他"金钗十二行"。

千金之裘，非一狐之腋；绮罗之辈，非养蚕之人。

[注释] 一狐之腋：一只狐狸腋下的皮毛。常用以喻指少量的皮毛或珍贵的皮毛。 绮罗之辈：穿着华贵丝绸衣服的人。

[译文] 价值千金的皮裘，不是一只狐狸的腋皮就能做成的；身穿绫罗绸缎的人，一定不是养蚕的人。

贵者重裀叠褥，贫者裋褐不完。

[注释] 重裀（yīn）：指双层的坐卧垫褥。 裋（shù）褐：粗陋布衣。古代多为贫贱者所服。

[译文] 富贵人家，座上的坐垫一重又一重，床上的褥子一叠又一叠；贫寒人家，穿的粗布衣服也是破烂不全的。

卜子夏甚贫，鹑衣百结；公孙弘甚俭，布被十年。

[注释] 鹑衣：破烂的衣服。鹑尾秃，故称。

[译文] 孔子的弟子卜子夏家里很贫穷,破旧衣服上面打满了补丁;西汉博士公孙弘很俭朴,一床布被用了十年。

南州冠冕,德操称庞统之迈众;
三河领袖,崔浩羡裴骏之超群。

[注释] 南州冠冕:南方人才中杰出的人。《三国志·蜀书·庞统传》:"(司马)徽甚异之,称(庞)统当为南州士之冠冕。"司马徽,字德操。 三河领袖:北魏崔浩称裴骏之语。事见《魏书·裴骏传》。

[译文] 南州冠冕,是三国名士司马徽称赞庞统才智出众的赞词;三河领袖,是北魏司徒崔浩羡慕裴骏才华超群的用语。

虞舜制衣裳,所以命有德;昭侯藏敝裤,所以待有功。

[注释] 敝裤:破旧的裤子。

[译文] 舜帝制作衣服,是为了表彰有德行的人;战国韩昭侯把自己的旧裤子收起来,等待赏赐给有功之臣。

唐文宗袖经三浣,晋文公衣不重裘。

[注释] 三浣:洗过三次。 重裘:厚毛皮衣。

[译文] 唐文宗曾对群臣说自己穿的衣服已洗过三次了,以示节俭;春秋晋文公从不穿厚毛皮衣,以倡俭朴。

衣履不敝,不肯更为,世称尧帝;
衣不经新,何由得故,妇劝桓冲。

[注释] 更为:更换。 "衣不经新"句:详见《夫妇》。

[译文] 衣服和鞋子,如果不是破得不能穿,就不肯更换,世人都称赞唐尧的俭朴之风。不穿新衣,哪有旧衣?这是晋朝大将桓冲的妻子劝他穿新衣的话。

王氏之眉贴花钿，被韦固之剑所刺；

贵妃之乳服诃子，为禄山之爪所伤。

[注释] 花钿（diàn）：用金翠珠宝制成的花形首饰。 诃（hē）子：妇女的饰物。抹胸之类。宋高承《事物纪原·衣裘带服·诃子》："本自唐明皇杨贵妃作之，以为饰物。贵妃私安禄山，以后颇无礼，因狂悖，指爪伤贵妃胸乳间，遂作诃子之饰以蔽之。"

[译文] 唐朝韦固的妻子眉间贴着花钿，那是为了遮盖幼时被韦固的剑误伤的缘故；唐朝杨贵妃穿着诃子，那是为了掩盖她和安禄山私通，乳房被安用手抓伤的缘故。

姜氏翕和，兄弟每宵同大被；王章未遇，夫妻寒夜卧牛衣。

[注释] 翕（xī）和：融洽；和睦。此句事详见《兄弟》。 牛衣：供牛御寒用的披盖物。如蓑衣之类。《汉书·王章传》："章疾病，无被，卧牛衣中。"

[译文] 汉朝姜肱兄弟和睦，每晚都同盖一条大被而眠；汉朝王章未得志前，家里很贫穷，寒夜夫妻睡在盖牛用的草帘子上。

缓带轻裘，羊叔子乃斯文主将；

葛巾野服，陶渊明真陆地神仙。

[注释] 缓带轻裘：宽松的衣带，轻暖的皮衣。事见《晋书·羊祜传》。 葛巾野服：葛巾，用葛布制成的头巾。野服，村野平民之服。事见《宋书·隐逸传·陶潜》。

[译文] 晋国大将羊祜（字叔子）镇守襄阳时，经常身不披甲，轻裘宽带，优游于山水亭阁之间，人称他是"斯文主将"；晋朝陶潜（字渊明）辞官归隐后，每次头戴葛巾，身穿山野之服，对菊饮酒，人称他是"陆地神仙"。

服之不衷，身之灾也；缊袍不耻，志独超欤。

[注释] 不衷：不合适；不恰当。 缊袍不耻：缊袍，以乱麻、乱棉絮成的袍子，指古代贫者之衣。虽然穿得很破，而不认为丢脸。形容人穷志不穷。 欤（yú）：语气词。表示感叹。

[译文] 衣服穿着不适宜，就会引来灾祸；穿着旧袍子而不觉得羞耻，此人的志向一定超凡。

【增】
制廌作法冠，裁荷为隐服。
[注释] 廌（zhì）：獬（xiè）廌，古代传说中的神兽。一角，能辨曲直。因此古时法官戴的帽子称獬廌冠。 法冠：古代冠名。本为楚王冠，从秦汉起，御史、使节和执法官皆戴此冠。

[译文] 古代执法者都戴着用獬廌制成的帽子，以示公平；高人、隐士之服裁荷花而制成，以示高洁。

王乔属仙令，舄飞天外之凫；赵后是娇姝，钗化宫中之燕。
[注释] 舄（xì）飞天外之凫：舄，古代一种以木为复底的鞋。凫，野鸭。见《后汉书·方术传上·王乔》。 钗化宫中之燕：钗，即玉燕钗。《洞冥记》卷二："神女留玉钗以赠帝，帝以赐赵婕妤。至昭帝元凤中，宫人犹见此钗。黄琳欲之。明日示之，既发匣，有白燕飞升天。后宫人学作此钗，因名玉燕钗，言吉祥也。"

[译文] 东汉叶县县令王乔有神术，每进京朝见皇帝，不用车骑，而是踏着双凫飞来的，抓来双凫一看，原来是皇帝赐给他的尚方履。汉武帝的赵后有姿色，皇帝赐以白玉钗藏在匣中。一天开匣，玉钗忽然化作玉燕飞走了。

肌生银粟，是谁寒赠紫驼尼；肩耸玉楼，有客暖捐红衲袄。
[注释] 银粟：比喻人因受冷皮肤上形成的小疙瘩。 紫驼尼：用骆驼毛织成的呢料。 玉楼：道教语。指肩。 红衲：红色的补缀上衣。

[译文] 身上冻得起鸡皮疙瘩，是谁在寒冷时送来紫驼尼？这是宋朝黄庭坚感谢别人的诗句。春日与人同行，怕热得流鼻血，东汉张衡耸起双肩脱掉红衲袄。

精忠膺主眷，狄仁杰披金字之袍；
阴德有天知，裴晋公还纹犀之带。

[注释] 金字之袍：金字，皇帝写的文字。《新唐书·狄仁杰传》："（武）后自制金字十二于袍，以旌其忠。" 纹犀之带：以犀牛角为饰的腰带。

[译文] 精忠之臣，自然会得到君主的眷爱。唐朝宰相狄仁杰身上的金字袍，就是武后亲自绣上赐给他的。唐朝裴度把在香山寺捡到的一条纹犀玉带还给了失主，后被封为晋国公，人们以为他是做了积阴德的好事而得到回报。

军中孤帽，沈庆之镇压貔貅；滩上羊裘，严子陵傲睨轩冕。

[注释] 貔貅（pí xiū）：相传貔貅是一种凶猛瑞兽，雄性名"貔"，雌性名"貅"。此借指勇猛的南蛮将士。事见《宋书·沈庆之传》。 轩冕：古时大夫以上官员的车乘和冕服。事见《后汉书·严光传》。严光，字子陵。

[译文] 南朝宋大将沈庆之征南蛮时，因有头风病，常戴着狐皮帽，蛮兵见了都很怕他；东汉严光穿着羊裘，在富春江滩上钓鱼，这是因为他傲视官位爵禄，甘当隐士。

通天带，顿输严续之姬；鹔鹴裘，为贳相如之酒。

[注释] 通天带：用一种上下贯通的犀牛角做的腰带。 鹔鹴（sù shuāng）裘：相传为汉司马相如所穿的裘衣。用鹔鹴鸟的皮制成。 贳（shì）：典押；交换。

[译文] 南唐裴皞和严续豪赌，裴以身上的无价宝通天犀牛带下注，严以自己的美姬下注，结果严续输了，只好把美姬给了裴皞；

西汉司马相如与卓文君私奔成都后,家境贫穷,就把身上穿的鹔鹴裘拿去赊酒,与文君欢饮。

高人能洁己,飘飘挂神武之冠;
过客共摩肩,济济看马嵬之袜。

[注释] 挂神武之冠:南朝梁陶弘景,于齐高帝作相时,曾被引为诸王侍读。他家贫,求作县令不得,乃脱朝服挂神武门,上表辞禄。见《南史·隐逸传下·陶弘景》。 看马嵬(wéi)之袜:杨贵妃死于马嵬时遗下的袜子。宋乐史《杨太真外传》:"妃子死日,马嵬媪得锦袎袜一只。相传过客一玩百钱,前后获钱无数。"

[译文] 高人自能洁身自好,南朝梁陶弘景不愿做官,把官帽挂在神武门上,飘然而去;唐朝杨贵妃死在马嵬驿,有一老妇拾得她的一只锦袜,士人摩肩接踵,争着拿钱以求一观,看一次收百钱,老妇得钱无数。

晋怀以青衣行酒,事丑万年;光武以赤帻起兵,名芳千古。

[注释] 青衣:青色或黑色的衣服。汉以后,多为地位低下者所穿。 赤帻(zé):赤色头巾。古代武士所服。

[译文] 西晋怀帝被前赵主刘聪擒去,让他身穿青衣给人斟酒,此事真是遗臭万年;东汉光武帝起兵反王莽,军士们个个头上裹着红头巾,他的声名流芳千古。

有女遗王濛之新帽,何人换季子之敝裘。

[注释] 遗(wèi):给予;馈赠。 敝裘:破旧的皮衣。

[译文] 晋朝王濛姿容出众,走在街上,有女子见他帽子破旧,送他一顶新帽;战国苏秦(字季子)穿一件别人送的黑貂皮裘到秦国求官,皮裘穿破了,也没求到官职,更没人为他更换破皮裘。

韦绶寝覆缬袍，荣施若此；祭遵贫衣布裤，廉洁何如。

[注释] 缬（xié）：染有彩文的丝织品。 裤（kù）：同"裤"。

[译文] 唐朝韦绶做了翰林学士，有一天德宗同韦妃来到翰林院，见韦绶熟睡，德宗怕他受寒，就把韦妃身上穿的丝袍盖在他身上，这是何等的宠遇啊！东汉祭遵忧国奉公，家无私财，穿的都是布衣裤，这是何等的廉洁啊！

晋帝不忍浣征袍，留彼嵇侍中之血；
唐士未须裁道服，重他张孝子之缣。

[注释] "晋帝"二句：《晋书·嵇绍传》："及事定，左右欲浣衣，帝曰：'此嵇侍中血，勿去。'" "唐士"二句：《新唐书·韩思彦传》："张僧彻者，庐墓三十年，诏表其闾，请思彦为颂，饷缣（jiān）二百，不受。时岁凶，家窭（jù）甚，僧彻固请，为受一匹，命其家曰：'此孝子缣，不可轻用。'"缣，双丝织的浅黄色细绢。

[译文] 晋朝嵇绍，为保护晋惠帝中箭而死，血溅在惠帝的战袍上。事后手下要为惠帝洗战袍，惠帝不允，说："这是嵇侍中的血，不要洗掉。"唐朝名士韩思彦为孝子张僧彻作墓志，张送给他缣二百匹，他只收了一匹，并吩咐家人轻易不要用它裁制衣服。

汉王制竹箨之冠，威仪自别；闵子衣芦花之絮，孝行纯全。

[注释] 竹箨（tuò）之冠：箨，即竹笋皮。秦末刘邦以竹皮所作之冠。
芦花之絮：用芦花代替棉絮而制的冬衣。见《太平御览》卷八一九引南朝宋师觉授《孝子传》。

[译文] 汉高祖未得志前，就曾用竹子皮做冠，其威严自与众不同；孔子门徒闵子骞的继母冬天让自己的两个儿子穿棉衣，让子骞穿用芦花做成的衣服。他父亲想休了继母，子骞跪下求情说："母亲在只有一子受寒，母亲去了三子都孤单。"这种孝行是多么纯正周全啊。

卷 三

人 事

《大学》首重夫明新，小子莫先于应对。

[**注释**]《大学》：原为《礼记》第四十二篇。宋朝程颢、程颐兄弟把它从《礼记》中抽出，编次章句。朱熹将《大学》、《中庸》、《论语》、《孟子》合编注释，称为《四书》，从此《大学》成为儒家经典。至于《大学》的作者，程颢、程颐认为是"孔氏之遗言也"。 明新：明德与新民，引申为做人的美德。明王守仁《大学·问》："物有本末，先儒以明德为本，新民为末，两物而内外相对也。"《大学》篇首即云："大学之道，在明明德，在亲民，在止于至善。" 小子：学生；晚辈。也可用为老师对学生的称呼。

[**译文**]《大学》首先推崇的是明德与新民，小孩首先要学习的是应对他人的语言和礼仪。

其容固宜有度，出言尤贵有章。

[**注释**] 有度：有仪度；有法度。 有章：有条理；有文采。《诗·小雅·都人士》："彼都人士，狐裘黄黄。其容不改，出言有章。"郑玄笺："吐口言语，又有法度文章。"

[译文] 仪容固然要有法度,说话更要有章法。

智欲圆而行欲方,胆欲大心欲小。
[注释] 智:智慧。
[译文] 唐朝孙思邈说过:"人的智慧要圆通,品行要端正;胆子要大,而心要细。"

阁下、足下,并称人之辞;不佞、鲰生,皆自谦之语。
[注释] 阁下:古代多用于对尊显的人的敬称。后泛用作对人的敬称。唐赵璘《因话录·征》:"古者三公开阁,郡守比古之侯伯,亦有阁,所以世之书题有阁下之称。今又布衣相呼,尽曰阁下。" 足下:古代下称上或同辈相称的敬词。 不佞(nìng):谦辞,犹言不才。 鲰(zōu)生:犹小生。多作自称的谦词。
[译文] "阁下"、"足下",是对人的称呼;"不佞"、"鲰生",是对自己的谦称。

恕罪曰原宥,惶恐曰主臣。
[注释] 原宥(yòu):谅情赦罪。 主臣:犹言惶恐。《史记·陈丞相世家》:"上曰:'苟各有主者,而君所主者何事也?'平谢曰:'主臣!陛下不知其驽下,使待罪宰相。'"裴骃集解:"张晏曰:若今人谢曰'惶恐'也。"
[译文] 请人宽恕,叫"原宥";惶恐不安,叫"主臣"。

大春元、大殿选、大会状,举人之称不一;
大秋元、大经元、大三元,士人之誉多殊。
[注释] 大春元、大殿选、大会状:邹圣脉注:"春元,以会试在春;殿选,以殿陛所选也;会状,则兼会元、状元也。皆预期之称。" 大秋元、大经元、大三元:邹圣脉注:"秋元,以乡试在秋;经元,以五经之首;三元者,解元、会元、状元也。"

[译文]"大春元"、"大殿选"、"大会状",这些都是对参加不同等级科举考试中试者的不同称呼;"大秋元"、"大经元"、"大三元",这些都是读书人得到的不同荣誉。

大掾史,推美吏员;大柱石,尊称乡宦。

[注释]掾(yuàn)史:官名。汉以后中央及各州县皆置掾史,分曹治事。多由长官自行辟举。唐宋以后,掾史之名渐移于胥吏。 柱石:比喻担当重任的人。

[译文]"大掾史",是对古代下层官员的美称;"大柱石",是对担当过国家重任的人的称呼。

贺入学,曰云程发轫;贺新冠,曰元服加荣。

[注释]云程:喻远大的前程。 发轫(rèn):喻事物的开端。 元服:详见《衣服》。

[译文]祝贺别人入学读书,叫"云程发轫";祝贺别人成年行冠礼,叫"元服加荣"。

贺人荣归,谓之锦旋;作商得财,谓之稇载。

[注释]锦旋:犹言衣锦荣归。 稇(kǔn)载:以绳束财物,载置车上。亦指满载、重载。

[译文]祝贺别人做官或成名后荣归故里,叫"锦旋";经商发了财,叫"稇载"。

谦送礼曰献芹,不受馈曰反璧。

[注释]献芹:见《列子·杨朱》。后遂以"献芹"谦言自己的赠品菲薄或建议浅陋。 反璧:不受别人的馈赠。

[译文]给别人送礼,谦称"献芹";不收别人的馈赠,叫"反璧"。

谢人厚礼曰厚贶，自谦礼薄曰菲仪。

[注释] 厚贶（kuàng）：丰厚的赠礼。　菲仪：谦词。菲薄的礼物。

[译文] 感谢别人送的礼物厚重，叫"厚贶"；谦称自己送的礼物菲薄，叫"菲仪"。

送行之礼，谓之赆仪；拜见之赀，名曰贽敬。

[注释] 赆（jìn）仪：送行的礼物。《孟子·公孙丑下》："行者必以赆。" 贽（zhì）敬：为表敬意所送的礼品。

[译文] 送人出行的礼物，叫"赆仪"；拜谒别人的礼物，叫"贽敬"。

贺寿仪曰祝敬，吊死礼曰奠仪。

[注释] 祝敬：用于贺寿的礼品。　奠仪：用于祭奠的礼品。

[译文] 别人寿辰时送的贺礼，叫"祝敬"；吊丧时送的礼物，叫"奠仪"。

请人远归曰洗尘，携酒送行曰祖饯。

[注释] 洗尘：设宴欢迎远方来人。　祖饯：践行。《汉书·临江闵王刘荣传》："荣行，祖于江陵北门。"颜师古注："祖者，送行之祭，因飨饮也。昔黄帝之子累祖好远游而死于道，故后人以为行神也。"

[译文] 宴请远道归来的客人，叫"洗尘"；设酒席为客人送行，叫"祖饯"。

犒仆夫，谓之旌使；演戏文，谓之俳优。

[注释] 旌（jīng）使：旌奖其来人。　俳（pái）优：古代以乐舞谐戏为业的艺人。

[译文] 犒劳仆人，叫"旌使"；古代演戏的人，叫"俳优"。

谢人寄书，曰辱承华翰；谢人致问，曰多蒙寄声。

[注释] 华翰：对他人来信的美称。誉其词翰之华美也。　寄声：托人传话。

[译文] 感谢别人寄来书信，叫"辱承华翰"；感谢别人的问候，叫"多蒙寄声"。

望人寄信，曰早赐玉音；谢人许物，曰已蒙金诺。

[注释] 玉音：对别人言辞的敬称。　金诺：珍贵如金的诺言。语本《史记·季布栾布列传》："楚人谚曰：'得黄金百，不如得季布一诺。'"

[译文] 盼望别人寄来书信，叫"早赐玉音"；感谢别人答应送给自己东西，叫"已蒙金诺"。

具名帖曰投刺，发书函曰开缄。

[注释] 投刺：投递名帖。古无纸时，字刺刻在竹简、木简上，故称投刺。　开缄（jiān）：开拆函件。

[译文] 拜谒别人时送上自己的名片，叫"投刺"；开启别人寄来的信函，叫"开缄"。

思慕久，曰极切瞻韩；想望殷，曰久怀慕蔺。

[注释] 瞻韩：唐李白《与韩荆州书》："白闻天下谈士相聚而言曰：'生不用封万户侯，但愿一识韩荆州。'何令人之景慕一至于此耶！"唐韩朝宗曾作荆州长史，喜拔用后进，为时人所重。后因以"瞻韩"为初见面的敬词，意谓久欲相识。　慕蔺：《史记·司马相如列传》："司马相如者，蜀郡成都人也，字长卿。少时好读书，学击剑，故其亲名之曰犬子。相如既学，慕蔺相如之为人，更名相如。"后因称慕贤为"慕蔺"。

[译文] 思慕别人已久，叫"极切瞻韩"；想望别人殷切，叫"久怀慕蔺"。

相识未真,曰半面之识;不期而会,曰邂逅之缘。

[注释] 半面:《后汉书·应奉传》:"奉少聪明。"李贤注引三国吴谢承《后汉书》:"奉年二十时,尝诣彭城相袁贺,贺时出行闭门,造车匠于内开扇出半面视奉,奉即委去。后数十年于路见车匠,识而呼之。"后因用以称瞥见一面。　邂逅:不期而遇。

[译文] 相交不深,叫"半面之识";无意中相逢,叫"邂逅之缘"。

登龙门,得参名士;瞻山斗,仰望高贤。

[注释] 龙门:此谓声望高的人的府第。南朝宋刘义庆《世说新语·德行》:"李元礼风格秀整,高自标持,欲以天下名教是非为己任。后进之士,有升其堂者,皆以为登龙门。"　山斗:泰山、北斗的合称。比喻为世人所钦仰的人。语出《新唐书·韩愈传》:"赞曰:'自愈没,其言不行,学者仰之如泰山、北斗云。'"

[译文] 汉朝李膺(字元礼)名望很高,有人能见到他,称为"登龙门";唐朝韩愈极有文才,儒生们敬仰他如泰山、北斗,称为"瞻山斗"。

一日三秋,言思慕之甚切;渴尘万斛,言想望之久殷。

[注释] 三秋:谓九个月。一秋三月,三秋为九月。一说指三年。见清俞樾《古书疑义举例·以小名代大名例》。　万斛(hú):极言容量之多。古代以十斗为一斛,南宋末年改为五斗。

[译文] 《诗经》上说"一日不见如三秋兮",形容思慕之情深切;想念别人久了,叫"渴尘万斛"。

暌违教命,乃云鄙吝复萌;来往无凭,则曰萍踪靡定。

[注释] 暌(kuí)违:此谓背违。　鄙吝(lìn):形容心胸狭窄。东汉黄

宪雅量高致，其本传云：'同郡陈蕃、周举常相谓曰："时月之间不见黄生，则鄙吝之萌复存乎心。"' 靡（mǐ）：此谓不，表否定。

[译文] 几天得不到朋友的教诲，鄙吝庸俗之心又会萌生，称"鄙吝复萌"；来往没有约定，就像水中的浮萍随风飘荡踪迹不定，叫"萍踪靡定"。

虞舜慕唐尧，见尧于羹，见尧于墙；
门人学孔圣，孔步亦步，孔趋亦趋。

[注释] 虞舜：上古五帝之一。姓姚，名重华，因其先国于虞，故称虞舜。 唐尧：上古五帝之一。帝喾之子，姓伊祁（亦作伊耆），名放勋。初封于陶，又封于唐，号陶唐氏。以子丹朱不肖，传位于舜。 门人：弟子。见《庄子·外篇·田子方第二十一》。

[译文] 尧帝死后，舜帝对他很是怀念。三年中，吃饭时见尧在羹汤里，坐着见尧在墙上；孔子的弟子学孔子，孔子慢步，弟子也跟着慢步，孔子快走，弟子也跟着快走。

曾经会晤，曰向获承颜接辞；谢人指教，曰深蒙耳提面命。

[注释] 承颜接辞：有幸见面交谈。 耳提面命：《诗·大雅·抑》："匪面命之，言提其耳。"孔颖达疏："非但对面命语之，我又亲提撕其耳，庶其志而不忘。"后以"耳提面命"谓教诲殷切，要求严格。

[译文] 曾经与人见过面，叫"向获承颜接辞"；感谢别人的指教，就说"深蒙耳提面命"。

求人涵容，曰望包荒；求人吹嘘，曰望汲引。

[注释] 包荒：包含荒秽。谓度量宽大。 汲引：引荐；提拔。

[译文] 求人包涵宽容，叫"望包荒"；求人吹捧自己，叫"望汲引"。

求人荐引,曰幸为先容;求人改文,曰望赐郢斫。

[注释] 先容:本谓先加修饰,后引申为事先为人介绍、推荐。 郢斫(yǐng zhuó):同"郢匠挥斤"。《庄子·徐无鬼》载,匠石挥斧削去郢人涂在鼻翼上的白粉,而不伤其人。后因以喻纯熟、高超的技艺。

[译文] 求人引荐,叫"幸为先容";求人修改文章,叫"望赐郢斫"。

借重鼎言,是托人言事;望移玉趾,是浼人亲行。

[注释] 鼎言:有分量的言论。常用于请人帮助说话的敬词。 浼(měi):央求;请求。

[译文] "借重鼎言",是指托别人为自己说事;"望移玉趾",是央求别人屈驾亲自前往。

多蒙推毂,谢人引荐之辞;望作领袖,托人倡首之说。

[注释] 推毂(gǔ):言举荐人如推车运毂。

[译文] "多蒙推毂",是感谢别人引荐人才的话;"望作领袖",是请别人出来领头倡议的话。

言辞不爽,谓之金石语;乡党公论,谓之月旦评。

[注释] 金石语:言语如金石一样掷地有声。 月旦评:谓品评人物。典出《后汉书·许劭传》:"初,劭与靖俱有高名,好共核论乡党人物,每月辄更其品题,故汝南俗有'月旦评'焉。"言曹操为"治世之能臣,乱世之奸雄"者,即为许劭。月旦,旧历每月初一。

[译文] 说话算数不爽约,叫"金石语";在乡里公开论事,品评人物,叫"月旦评"。

逢人说项斯,表扬善行;名下无虚士,果是贤人。

[注释] 逢人说项斯:项斯,唐朝诗人,为人清奇雅正,善诗。杨祭酒敬

之爱才，公心尝知江表之士项斯，做《赠项斯》云："几度见诗诗尽好，及观标格过于诗。平生不解藏人善，到处逢人说项斯。"比喻到处为某人某事吹嘘，说好话。　名下无虚士：讲北齐薛道衡故事。邹圣脉注："薛氏有诗名，作《人日诗》云：'立春才七日，离家已半年。'或见之曰：'谁谓此虏亦能诗，是甚底话？'及见'人归落雁后，思发在花前'之句，乃大叹曰：'名下固无虚士。'"

[译文] 唐朝项斯为人清雅，品行端正，诗人杨敬之赠诗有"到处逢人说项斯"句；北齐薛道衡有诗名，有人读了他的《人日诗》后，不禁赞叹道："名下无虚士。"

党恶为非，曰朋奸；尽财赌博，曰孤注。

[注释] 朋奸：就是朋比为奸，勾结起来干坏事。

[译文] 结党行恶，为非作歹，叫"朋奸"；把钱财全部拿去赌博，叫"孤注"。

徒了事，曰但求塞责；戒明察，曰不可苛求。

[注释] 明察：谓观察入微，不受蒙蔽。

[译文] 贪图省力就想把事情草草了结，叫"但求塞责"；告诫别人考察不要过严，叫"不可苛求"。

方命是逆人之言；执拗是执己之性。

[注释] 方命：违命；抗命。《书·尧典》："帝曰：'吁，咈哉！方命圮族。'"蔡沈集传："方命者，逆命而不行也。"　执拗（niù）：亦作"执拗"。坚持己见，固执任性。

[译文] "方命"，是违抗命令的意思；"执拗"，是任性固执的意思。

曰觊觎、曰睥睨，总是私心之窥望；

曰倥偬、曰旁午，皆言人事之纷纭。

[注释] 觊觎（jì yú）：非分的希望或企图。 睥睨（pì nì）：窥视；侦伺。 倥偬（kōng zǒng）：事情纷繁迫促。 旁午：交错；纷繁。《汉书·霍光传》："受玺以来二十七日，使者旁午，持节诏诸官署征发。"颜师古注："一纵一横为旁午，犹言交横也。"

[译文] "觊觎"、"睥睨"，都是指藏有私心的窥望；"倥偬"、"旁午"，都是说人世间的事情错综繁杂。

小过必察，谓之吹毛求疵；乘患相攻，谓之落井下石。

[注释] 吹毛求疵（cī）：语出《韩非子·大体》："古之全大体者，不吹毛而求小疵，不洗垢而察难知。" 落井下石：语出唐韩愈《柳子厚墓志铭》："落陷阱，不一引手救，反挤之，又下石焉者。"

[译文] 对一些小过失也要穷追考察，叫"吹毛求疵"；见人有难乘机加害，叫"落井下石"。

欲心难厌如溪壑，财物易尽若漏卮。

[注释] 漏卮：底上有孔的酒器。

[译文] 贪欲之心很难满足，如同沟壑难以填平；财物是很容易消耗尽的，如同有孔的酒器一样，酒很快就漏完了。

望开茅塞，是求人之教导；多蒙药石，是谢人之箴规。

[注释] 茅塞：《孟子·尽心下》："山径之蹊间，介然用之而成路；为闲不用，则茅塞之矣。今茅塞子之心矣！"后人用《孟子》语意以比喻思路闭塞，或愚昧无知。且多作为自谦之词。 箴（zhēn）规：劝诫规谏。

[译文] 盼望清除堵塞心思的茅草，是求人给以教导；承蒙赠给药物和石针，是感谢别人的忠告规劝。

芳规芳躅，皆善行之可慕；格言至言，悉嘉言之可听。

[注释] 芳规：前贤的遗规。　芳躅（zuó）：前贤的踪迹。　格言：含有教育意义可为准则的话。　至言：最高超的言论；极其高明的言论。《庄子·天地》："是故高言不止于众人之心。至言不出，俗言胜也。"

[译文] 前代贤德人的规矩和事迹，都是善良的行为，令人敬慕；富有教益的语言和哲理很深的语言，都是佳言，值得听取。

无言曰缄默，息怒曰霁威。

[注释] 缄默：闭口不言。　霁（jì）威：收敛威怒。

[译文] 沉默不语，叫"缄默"；平息愤怒，叫"霁威"。

包拯寡色笑，人比其笑为黄河清；
商鞅最凶残，常见论囚而渭水赤。

[注释] 黄河清：此谓难得、罕见的事。《宋史·包拯传》："拯立朝刚毅，贵戚宦官，为之敛手，闻者皆惮之。人以包拯笑比黄河清。"　渭水赤：卫鞅，战国时人，为秦孝公宰相，封于商地，故名商鞅，亦称商君。据裴骃《史记集解》所引《新序》云："（商鞅）一日临渭而论囚七百余人，渭水尽赤。"

[译文] 宋朝包拯的脸上很少露出笑容，人说要让他笑，如同让黄河水变清一样难；战国时秦商鞅最凶残，常在渭水边审囚犯，一次杀了七百多人，渭水为此变得赤红。

仇深曰切齿，人笑曰解颐。

[注释] 切齿：极端痛恨貌。　解颐（yí）：谓开颜欢笑。

[译文] 仇恨结得很深叫"切齿"，开颜欢笑叫"解颐"。

人微笑曰莞尔，掩口笑曰胡卢。

[注释] 莞（wǎn）尔：微笑貌。　胡卢：喉间的笑声。宋陆游《书感》诗："成败只堪三太息，是非终付一胡卢。"

[译文] 微笑叫"莞尔",掩着嘴笑叫"胡卢"。

大笑曰绝倒,众笑曰哄堂。

[注释] 绝倒:此谓仰俯大笑。 哄堂:唐御史台有台、殿、察三院,以一御史掌杂事,称"杂端"。公堂会食,皆绝言笑,惟杂端失笑,则三院合座皆笑,谓之"哄堂"。事见唐赵璘《因话录·御史三院》、宋曾慥《类说》卷十四。后以指众人同时大笑。

[译文] 放声大笑叫"绝倒",众人都笑叫"哄堂"。

留位待贤,谓之虚左;官僚共署,谓之同寅。

[注释] 虚左:留下左边的位置。古时以左为尊。语出《史记·魏公子列传》。 同寅:即同僚。

[译文] 留着左边的位置给有贤才的人坐,叫"虚左";官吏们在同一衙署供事,叫"同寅"。

人失信曰爽约,又曰食言;人忘誓曰寒盟,又曰反汗。

[注释] 爽约:失约。 食言:言已出而又吞没之。谓言而无信。 寒盟:背弃或忘却盟约。 反汗:《汉书·刘向传》:"《易》曰:'涣汗其大号。'言号令如汗,汗出而不反者也。今出善令,未能逾时而反,是反汗也。"以汗出而不能反喻令出不能收。后因以指翻悔食言或收回成命。

[译文] 人失信叫"爽约",又叫"食言";人忘记了誓言,叫"寒盟",又叫"反汗"。

铭心镂骨,感德难忘;结草衔环,知恩必报。

[注释] 结草:见《左传·宣公十五年》。后因以"结草"为受厚恩而虽死犹报之典。 衔环:事见南朝梁吴均《续齐谐记》。后用为报恩之典。

[译文] 铭记在心,镂刻在骨,形容难忘别人的大恩大德;"结草衔环",形容受到别人的恩惠一定要回报于他。

自惹其灾,谓之解衣抱火;幸离其害,真如脱网就渊。

[注释] 解衣抱火:亦作解衣包火。比喻不解决问题,只招致危险。

[译文] 自己招惹灾祸,如同解开衣服把火抱在身上;侥幸脱离祸害,如同网中漏出的鱼又重回潭中。

两不相入,谓之枘凿;两不相投,谓之冰炭。

[注释] 枘(ruì)凿:榫头与卯眼。枘圆凿方或枘方凿圆,难相容合。后因以"枘凿"比喻事物的枘格不入或互相矛盾。

[译文] 两人格格不入,称为"枘凿";两人情不相投,称为"冰炭"。

彼此不合曰龃龉,欲进不前曰趑趄。

[注释] 龃龉(jǔ yǔ):不相投合,抵触。 趑趄(zī jū):想前进又不敢前进。形容疑惧不决,犹豫观望。汉刘向《新序·杂事五》:"《易》曰:'臀无肤,其行趑趄。'"一本作"趑趄";今本《易·夬》作"次且"。

[译文] 彼此意见不合,叫"龃龉";想前进又难以举步,叫"趑趄"。

落落,不合之词;区区,自谦之语。

[注释] 落落:形容孤高,与人难合。 区区:自称的谦词。

[译文] "落落",形容孤独、不合群之词;"区区",微不足道的意思,是自谦的话。

竣者,作事已毕之谓;醵者,敛财饮酒之名。

[注释] 醵(jù):凑钱聚饮。《礼记·礼器》:"周礼其犹醵与?"郑玄注:"合钱饮酒为醵。"

[译文] "竣",做事已完成的意思;"醵",大家凑钱饮酒的意思。

赞襄其事，谓之玉成；分裂难完，谓之瓦解。

[注释] 玉成：语出宋张载《西铭》："富贵福泽，将厚吾之生也；贫贱忧戚，庸玉女于成也。"意谓助之使成。后为成全之意。 瓦解：瓦片碎裂。比喻崩溃或分裂、分离。

[译文] 赞助别人办成事情，叫"玉成"；东西破裂不再完整，叫"瓦解"。

事有低昂曰轩轾，力相上下曰颉颃。

[注释] 轩轾（xuān zhì）：车前高后低叫轩，前低后高叫轾。引申为高低、轻重、优劣。语出《诗·小雅·六月》："戎车既安，如轾如轩。" 颉颃（xié háng）：谓不相上下，相抗衡。

[译文] 万事有高低轻重之分，叫"轩轾"；人的力量有大小上下之分，叫"颉颃"。

凭空起事曰作俑，仍前踵弊曰效尤。

[注释] 作俑：《孟子·梁惠王上》："仲尼曰：'始作俑者，其无后乎！'为其象人而用之也。"本谓制作用于殉葬的偶像，后因称创始、首开先例为"作俑"。多用于贬义。 效尤：仿效坏的行为。

[译文] 首作恶事的人叫"作俑"，继续前人的弊端叫"效尤"。

手口共作曰拮据，不暇修容曰鞅掌。

[注释] 鞅（yāng）掌：谓职事纷扰烦忙。《诗·小雅·北山》："或栖迟偃仰，或王事鞅掌。"毛传："鞅掌，失容也。"

[译文] 手和口共同做事，辛劳操持，叫"拮据"；事务繁忙，没空修整容貌，叫"鞅掌"。

手足并行曰匍匐，俯首而思曰低徊。

[注释] 低佪：徘徊，流连。

[译文] 手和脚一起在地上爬行，叫"匍匐"；低头思考，徘徊不前，叫"低佪"。

明珠投暗，大屈才能；入室操戈，自相鱼肉。

[注释] 明珠投暗：亦作明珠暗投。比喻有才能的人得不到赏识和重用。 入室操戈：语出《后汉书·郑玄传》："时任城何休好《公羊》学，遂著《公羊墨守》、《左氏膏肓》、《穀梁废疾》。玄乃发《墨守》、针《膏肓》、起《废疾》。休见而叹曰：'康成入吾室，操吾戈以伐我乎！'"后以"入室操戈"比喻以其人之说反驳其人。

[译文] 把光亮的珠子投到暗处，形容有才能的人投错了地方，委屈了自己；进到别人的屋里，拿起他的长矛刺他，比喻内部争斗，相互像对待鱼肉一样任意残杀。

求教于愚人，是问道于盲；枉道以干主，是衔玉求售。

[注释] 枉道：违背正道。《管子·形势》："小人者，枉道而取容，适主意而偷说，备利而偷得，如此者，其得之虽速，祸患之至亦急。" 衔（xián）玉：犹衔璧。《左传·僖公六年》："许男面缚衔璧，大夫衰绖，士舆榇。"杜预注："缚手于后，唯见其面，以璧为贽，手缚故衔之。"后因称国君投降为"衔璧"。

[译文] 向愚笨的人请教，如同向盲人打听道路；不以正道求君主重用，等于口衔玉璧以求出售。

智谋之士，所见略同；仁人之言，其利甚溥。

[注释] 溥（pǔ）：广大；大。

[译文] 有智谋的人，他们的见解大致是相同的；仁义君子的话，可以使人普遍得到好处。

班门弄斧，不知分量；岑楼齐末，不识高卑。

[注释] 岑（cén）楼齐末：岑楼，楼之高锐似山者。《孟子·告子下》："不揣其本而齐其末，方寸之木，可使高于岑楼。"意为不顾高楼的下面，只拿方寸之木与楼尖相比，则寸木即高于楼。

[译文] 在巧匠鲁班门前舞弄斧子，真是不知自己的分量；把一寸长的木头立在高楼顶上，就认为木头比楼还高，真是知识浅薄，不识高低。

势延莫遏，谓之滋蔓难图；包藏祸心，谓之人心叵测。

[注释] 滋蔓：生长蔓延。常喻祸患的滋长扩大。

[译文] 权势一旦蔓延扩大，就再也难以遏止了，这叫"滋蔓难图"；包藏祸心的人，心思难以窥测，这叫"人心叵测"。

作舍道傍，议论多而难成；一国三公，权柄分而不一。

[注释] 作舍道傍（páng）：亦作"作舍道边"。谓众说纷纭，莫衷一是，难于成事。 一国三公：一国之中有三个主公。比喻令出多门，事权不一。《左传·僖公五年》："狐裘尨茸，一国三公，吾谁适从？"

[译文] 在道路旁建造房舍，众人意见纷纭，难以建成；一个国家有三个主公，权力分散，政出多门，使人无所适从。

事有奇缘，曰三生有幸；事皆拂意，曰一事无成。

[注释] 三生有幸：极言幸运之深。

[译文] 事情有想不到的缘分，叫"三生有幸"；事事都违背自己的意愿，叫"一事无成"。

酒色是耽，如以双斧伐孤树；力量不胜，如以寸胶澄黄河。

[注释] 双斧伐孤树：谓嗜酒好色，摧残身体。语出《元史·阿沙不花传》："而惟曲蘖是耽，妃姬是好，是犹双斧伐孤树，未有不颠仆者。" 寸胶

澄黄河：谚云："寸胶不能理黄河之浊，尺水不能却萧邱之大。"

[译文] 沉溺于美酒和女色，如同双斧砍伐孤树，没有不倒的；力量不足以胜任，如同想用一点胶把黄河水澄清。

兼听则明，偏听则暗，此魏征之对太宗；
众怒难犯，专欲难成，此子产之讽子孔。

[注释] 专欲难成：独图私欲难以成事。《左传·襄公十年》："子产曰：'众怒难犯，专欲难成，合二难以安国，危之道也。'"

[译文] 兼听各方面的意见就明白，偏听一方之词就糊涂，这是唐朝魏征对太宗说的话；众人的愤怒是难以冒犯的，只想自己专权的欲望是难以成功的，这是春秋郑国大夫子产规劝子孔的话。

欲逞所长，谓之心烦技痒；绝无情欲，谓之槁木死灰。

[注释] 技痒：有某种技艺的人遇到机会急欲表现。 槁（gǎo）木：枯木。 死灰：火灭后的冷灰。形容消沉、失望的心情。《庄子·知北游》："形若槁骸，心若死灰。"

[译文] 急于想表现自己的技艺，叫"心烦技痒"；人没有任何嗜好和情趣，叫"槁木死灰"。

座上有江南，语言须谨；往来无白丁，交接皆贤。

[注释] 座上有江南：典出唐郑谷《席上贻歌者》。 白丁：指不学无术或缺乏知识的人。

[译文] 唐郑谷有诗说："座中亦有江南客，莫向春风唱鹧鸪。"因为江南人一听鹧鸪曲，便会思念故乡。后以"座上有江南"提醒人们说话一定要谨慎。唐朝刘禹锡《陋室铭》中有"谈笑有鸿儒，往来无白丁"句，意思是来往结交的人都是贤才的朋友，而无没有学问的人。

将近好处，曰渐入佳境；无端倨傲，曰旁若无人。

[注释] 渐入佳境：《晋书·文苑传·顾恺之》："恺之每食甘蔗，恒自尾至本。人或怪之。云：'渐入佳境。'"意谓甘蔗下端比上端甜，从上到下，越吃越甜。后用来比喻境况逐渐好转。

[译文] 逐渐进入好的境况，叫"渐入佳境"；傲慢自大，目空一切，叫"旁若无人"。

借事宽役曰告假，将钱嘱托曰夤缘。

[注释] 告假：请假。 夤（yín）缘：比喻拉拢关系，阿上钻营。

[译文] 假借理由，请求宽免公事，叫"告假"；用钱托人办事，叫"夤缘"。

事有大利，曰奇货可居；事宜鉴前，曰覆车当戒。

[注释] 奇货可居：谓商人把稀有的东西囤积起来，等待高价卖出去。亦比喻依仗某种独特的技艺、成就等以博取名利地位。语出《史记·吕不韦列传》。 覆车：比喻失败的教训。

[译文] 做事有大利可图的，叫"奇货可居"；做事应当借鉴前人教训的，叫"覆车当戒"。

外彼为此，曰左袒；处事两可，曰模棱。

[注释] 左袒（tǎn）：汉高祖刘邦死后，吕后擅政，大封吕姓以培植势力。吕后死，太尉周勃谋诛诸吕，行令军中说："为吕氏右袒，为刘氏左袒。"军中皆左袒。事见《史记·吕太后本纪》、《孝文本纪》。后因以称偏护一方为左袒。 模棱（léng）：喻遇事不置可否，态度含糊。

[译文] 双方意见不一，偏袒一方的，叫"左袒"；处理事情不置可否的，叫"模棱"。

敌甚易摧，曰发蒙振落；志在必胜，曰破釜沉舟。

[注释] 发蒙振落：揭开蒙盖物，摇掉将落的枯叶。喻轻而易举。　破釜沉舟：《史记·项羽本纪》："项羽乃悉引兵渡河，皆沉船，破釜甑，烧庐舍，持三日粮，以示士卒必死，无一还心。"后遂以"破釜沉舟"表示下定必死决心，有进无退干到底。

[译文] 敌人很容易就被摧毁，叫"发蒙振落"；下决心一定要取得胜利，叫"破釜沉舟"。

曲突徙薪无恩泽，不念豫防之力大；
焦头烂额为上客，徒知救急之功宏。

[注释] 曲突徙薪：《艺文类聚》卷八十引汉桓谭《新论》："淳于髡至邻家，见其灶突之直而积薪在傍，谓曰：'此且有火'，使为曲突而徙薪。邻家不听，后果焚其屋，邻家救火，乃灭。烹羊具酒谢救火者，不肯呼髡。智士讥之曰：'曲突徙薪无恩泽，燋头烂额为上客。'盖伤其贱本而贵末也"。突，烟囱。又见《汉书·霍光传》、汉刘向《说苑·权谋》。后用以比喻事先采取措施，防患于未然。　焦头烂额：喻处境狼狈或十分窘迫。

[译文] 有客建议主人把直烟囱改成弯曲的，把火旁的柴草搬走以防火灾，主人不听，结果真的发生了火灾。事后主人只知把被烧得焦头烂额的救火者请为上客，唯独没请先前提建议者，真是不知预防火灾比救火的功劳更大。

贼人曰梁上君子，强梗曰化外顽民。

[注释] 梁上君子：《后汉书·陈寔传》："时岁荒民俭，有盗夜入其室，止于梁上。寔阴见，乃起自整拂，呼命子孙，正色训之曰：'夫人不可以不自勉。不善之人未必本恶，习以性成，遂至于此。梁上君子者是矣！'盗大惊，自投于地，稽颡归罪。"后因以"梁上君子"为窃贼的代称。　化外：指政令教化所达不到的地方。　顽民：本指殷代遗民中坚决不服从周朝统治的人。后泛指改朝换代后仍效忠前朝的人。

[译文] 盗贼叫"梁上君子"；强横顽固的人，称"化外顽民"。

木屑竹头，皆为有用之物；牛溲马渤，可备药石之资。

[注释] 木屑竹头：比喻可供利用的废置之材。　牛溲马渤：亦作"牛溲马勃"。牛溲，即牛遗，车前草的别名。马渤，一名屎菰，生于湿地及腐木的菌类。两者皆至贱，均可入药。借指卑贱而有用之材。

[译文] 晋朝陶侃当荆州刺史时，把造船时留下的木屑、竹子头都收藏起来，当时人都不理解，他说："将来会有用的。"后来果然用木屑洒在雪地上防滑，竹子头又制成了造船的钉子，物尽其用。牛溲即车前草，马渤是长在湿地上的菌类植物，都可以作药材用。

五经扫地，祝钦明自亵斯文；一木撑天，晋王敦未可擅动。

[注释] 祝钦明：字文思，唐雍州始平人。少通五经，兼涉众史百家之说。尤精三礼，明经科及第。事具《新唐书·祝钦明传》。　王敦：字处仲，东晋权臣。邹圣脉注引《太平广记》："王敦谋逆，梦将一木撑天，求解于许真君，真君曰：'此未字也，只宜守旧，未可擅动。'"

[译文] 唐睿宗时，以儒学著名的国子监祭酒祝钦明有一次跳八风舞，因身体发胖，丑态百出，人们说是五经扫地，猥亵斯文。晋朝王敦想谋反，夜里梦见一木撑天，解梦人说："一木撑天是'未'字。"他听了不敢妄动。

题凤题午，讥友讥亲之隐词；破麦破梨，见夫见子之奇梦。

[注释] 题凤：见南朝宋刘义庆《世说新语·简傲》。后因以"题凤"为访友的典故。　题午：见邹圣脉注引《谈林》。　破梨：邹圣脉注："杨进贤任南阳刺史，登舟遇风，失其子，夫妇想念甚切。忽夜梦与儿剖梨，因自解曰：'剖梨，分离也。'明日述于友，友曰：'剖梨，则籽（子）见。'不旬日，果得子。"

[译文] 题凤题午，是讥讽亲友的隐词；破麦破梨，是将要见到亲人的奇梦。

毛遂片言九鼎，人重其言；季布一诺千金，人服其信。

[注释] 片言九鼎：秦昭王十五年秦围赵都邯郸，赵使平原君赴楚求救，毛遂自愿同往。经遂晓以利害，楚王同意救赵。平原君因而赞扬曰："毛先生一至楚，而使赵重于九鼎大吕。"见《史记·平原君列传》。九鼎大吕，古代国家的宝器。后因以为典，谓一句话即可产生极大的力量。 一诺千金：形容说话极有信用。语本《史记·季布栾布列传》："楚人谚曰：'得黄金百斤，不如得季布一诺。'"

[译文] 赵国毛遂自荐随平原君出使楚国，跟随有二十人，只有他说服了楚国联赵抗秦，他的话使赵国在诸侯国中重如九鼎。西汉季布重信用，世人有"得黄金千金，不如季布一诺"的说法。他做出的承诺，人们都信服。

岳飞背涅尽忠报国，杨震惟以清白传家。

[注释] 涅（niè）：在人身上刺涂黑色文字或图纹。 杨震：字伯起，东汉弘农华阴人。通晓经传，博览群书。为官清廉，不谋私利。亲朋好友劝他为子孙后代置办些产业，杨震坚决不肯，他说："让后世人都称他们为'清白吏'的子孙，这样的遗产，难道不丰厚吗？"

[译文] 岳飞为表示对朝廷的忠心，在背上刺了"尽忠报国"四个字；汉朝宰相杨震不重钱财，唯以清白廉洁的品德作为传家之宝。

下强上弱，曰尾大不掉；上权下夺，曰太阿倒持。

[注释] 尾大不掉：谓属下势强，不听从调度指挥。《左传·昭公十一年》："末大必折，尾大不掉。" 太阿倒持：《汉书·梅福传》："至秦则不然，张诽谤之罔，以为汉驱除，倒持泰阿，授楚其柄。"泰阿即太阿，古剑名。后以"太阿倒持"比喻授人权柄，自受其害。

[译文] 下属强悍，上级软弱，叫"尾大不掉"，就像动物的尾

柄过大,不宜摆动;上级的权力被下级篡夺,叫"太阿倒持",就像把太阿剑倒拿了一样,剑柄给了别人,反受其害。

当今之世,不但君择臣,臣亦择君;
受命之主,不独创业难,守成亦不易。

[注释]"当今之世"三句:《后汉书·马援传》:"援顿首辞谢光武,曰:'当今之世,非独君择臣也,臣亦择君矣。'" "受命之主"三句:见《新唐书·房玄龄传》。

[译文]东汉大将马援曾对光武帝说:"当今之世,不但君主可以选择臣子,臣子也可以选择君主。"唐朝魏征对唐太宗说:"当君主的不仅创业艰难,守住基业也不容易。"

生平所为皆可对人言,司马光之自信;
运用之妙惟存乎一心,岳武穆之论兵。

[注释]"生平所为"二句:《宋史·司马光传》:"光孝友忠信,恭俭正直,居处有法,动作有礼。自言:'吾无过人者,但平生所为,未尝有不可对人言者耳。'" "运用之妙"二句:《宋史·岳飞传》:"飞战开德、曹州皆有功,泽大奇之,曰:'尔勇智才艺,古良将不能过,然好野战,非万全计。'因授以阵图。飞曰:'阵而后战,兵法之常,运用之妙,存乎一心。'泽是其言。"

[译文]宋朝大臣司马光曾对人自信地说:"我这一生所做的事,都可以对人讲。"岳飞同众将议论兵法时说:"运用兵法的神妙之处,就在于用心思考。"

不修边幅,谓人不饰仪容;不立崖岸,谓人天性和乐。

[注释]边幅:指人的仪表、衣着。

[译文]"不修边幅",是说人不注意修饰仪表和容貌;"不立崖岸",是说人性格随和。

蕞尔、幺麽，言其甚小；卤莽、灭裂，言其不精。

[注释] 蕞（zuì）尔：形容小。 幺麽：微小；卑微。 卤（lǔ）莽：粗疏；鲁莽。 灭裂：谓言行粗疏草率。

[译文] "蕞尔"、"幺麽"，都是形容微小的意思；"卤莽"、"灭裂"，是说做事缺乏思考。

误处皆缘不学，强作乃成自然。

[注释] 误处皆缘不学：邹圣脉注："汉高祖生平误处甚多。唐仲友曰：'误处皆缘不学，改处皆由敏悟。'" 强作乃成自然：见《孔丛子》。

[译文] 探究失误的根源，都是因为不爱学习没有学问所致；强迫自己去做事，习惯了就能成自然。

求事速成曰躐等，过于礼貌曰足恭。

[注释] 躐（liè）等：逾越等级；不按次序。 足恭：过度谦敬，以取媚于人。《论语·公冶长》："巧言、令色、足恭，左丘明耻之，丘亦耻之。"

[译文] 办事急于求成，叫"躐等"；待人过于礼貌，叫"足恭"。

假忠厚者谓之乡愿，出人群者谓之巨擘。

[注释] 乡愿：指乡中貌似谨厚，而实与流俗合污的伪善者。汉徐幹《中论·考伪》："乡愿亦无杀人之罪，而仲尼恶之，何也？以其乱德也。" 巨擘（bò）：大拇指。比喻杰出的人物。

[译文] 装出一副忠厚样子的人，叫"乡愿"；德才出众的人，叫"巨擘"。

孟浪由于轻浮，精详出于暇豫。

[注释] 孟浪：粗率；疏误。 暇豫：邹圣脉注："暇，从容也。豫，早计也。"

[译文] 做事鲁莽草率是由于轻浮，办事精细周到是由于计划甚早。

为善则流芳百世，为恶则遗臭万年。

[注释] 流芳百世、遗臭万年：南朝宋刘义庆《世说新语·尤悔》："（桓温）既而屈起坐曰：'既不能流芳后世，亦不足复遗臭万载邪！'"

[译文] 与人为善就会流芳百世，作恶多端必定遗臭万年。

过多曰稔恶，罪满曰贯盈。

[注释] 稔（rěn）恶：丑恶；罪恶深重。 贯盈：谓罪恶满盈。

[译文] 过失、错误太多叫"稔恶"，罪恶累累叫"贯盈"。

尝见冶容诲淫，须知慢藏诲盗。

[注释] 诲淫、诲盗：《易·系辞上》："慢藏诲盗；冶容诲淫。"孔颖达疏："若慢藏财物，守掌不谨，则教诲于盗者，使来取此物。女子妖冶其容，身不精悫，是教诲淫者，使来淫己也。"原有祸由自招的意思。后常用"诲淫诲盗"指引诱人去干盗窃奸淫等坏事。

[译文] 常见女子将自己打扮得妖艳奇特，是教人淫乱；须知保管不慎，等于教人行窃。

管中窥豹，所见不多；坐井观天，知识不广。

[注释] 管中窥豹：谓从管子中看豹，只看到豹身上的一块斑纹。后用以比喻只见到事物的一小部分。 坐井观天：坐在井底看天。比喻眼界狭小，所见有限。

[译文] 从竹管中看豹子，看见豹子身上的斑点肯定不多；坐在井底看天，见识肯定不广。

无势可乘，英雄无用武之地；有道则见，君子有展采之思。

[注释] 英雄无用武之地：比喻有胆识、有才能，而无施展的机会。 展采：邹圣脉注："展，舒也。采，事也。谓舒展其事业也。"

[译文] 没有好的机遇可以利用，英雄也没有用武之地；天下有道，君子才会有施展才能的想法。

求名利达，曰捷足先得；慰士迟滞，曰大才晚成。

[注释] 捷足先得：谓行动敏捷的先达到目的，或得其所求。《史记·淮阴侯列传》："秦失其鹿，天下共逐之，于是高材疾足者先得焉。" 大才晚成：即"大器晚成"。谓贵重器物需要长时间才能完成。常比喻大才之人成就往往较晚。《老子·同异》："大器晚成，大音希声。"

[译文] 比别人先一步追求到名利，叫"捷足先登"；安慰士人功名得来迟缓，叫"大器晚成"。

不知通变，曰徒读父书；自作聪明，曰徒执己见。

[注释] 徒读父书：典出《史记·廉颇蔺相如列传》："赵孝成王七年，秦与赵兵相距长平，时赵奢（赵括之父）已死……赵王因以括为将，代廉颇。蔺相如曰：'王以名使括，若胶柱而鼓瑟耳。括徒能读其父书传，不知合变也。'"徒，白白地。

[译文] 不知道通达变化而死守教条，叫"徒读父书"；自作聪明，自以为是，叫"徒执己见"。

浅见曰肤见，俗言曰俚言。

[注释] 肤见：浅薄的见解。

[译文] 粗浅的见识叫"肤见"，方言俗语叫"俚言"。

识时务者为俊杰，昧先几者非明哲。

[注释] 识时务者为俊杰：《三国志》裴松之注引《襄阳记》曰：刘备访世事于司马德操。德操曰："儒生俗士，岂识时务？识时务者在乎俊杰。此间

自有伏龙、凤雏。"备问为谁,曰:"诸葛孔明、庞士元也。" 昧先几者非明哲:取"明者远见于未萌"之意,对于事情将要发生之前的兆头要有所察觉,不然就算不上明智。昧,不明白。几,细微的变化。汉司马相如《谏猎书》:"明者远见于未萌,而智者避危于未形。"

[译文] 能认清时势跟上时代潮流的人,才是英雄豪杰;昏昧无知毫无见解的人,不是明事理的贤者。

村夫不识一丁,愚者岂无一得。

[注释] 一丁:《旧唐书·张弘靖传》:"今天下无事,汝辈挽得两石力弓,不如识一丁字。"后因谓不识字或学极浅陋者为不识一丁。 一得:一点可取之处;一点长处。《晏子春秋·杂下十八》:"圣人千虑,必有一失;愚人千虑,必有一得。"后用以谦称自己的意见或心得。

[译文] 乡村的俗夫不识字,愚昧的人并不见得没有一个好主意。

拔去一丁,谓除一害;又生一秦,是增一仇。

[注释] 一丁:邹圣脉注:"宋仁宗朝丁谓擅权,贬寇准于雷州。京师语曰:'欲得天下宁,拔去眼前丁;欲得天下好,不如召寇老。'" 一秦:一个秦国。《汉书·陈胜传》:"武臣至邯郸,自立为赵王,陈余为大将军,张耳、召骚为左右丞相。胜怒,捕系武臣等家室,欲诛之。柱国曰:'秦未亡而诛赵王将相家属,此生一秦。不如因立之。'"颜师古注:"言为雠敌,与秦无异。"

[译文] 宋仁宗时丁谓专权,将他除掉,等于除了一害;秦末陈胜起义,他的部下武臣自主为赵王,陈胜要杀他,相国房君说:"秦国还未亡,又要杀武臣,等于又生了一个秦国,增加了一个仇敌。"

戒轻言,曰恐属垣有耳;戒轻敌,曰无谓秦无人。

[注释] 属垣有耳:谓以耳附墙,窃听人言。《诗·小雅·小弁》:"君子

无易由言，耳属于垣。"朱熹集传："君子不可易于其言，恐耳属于垣者，有所观望左右而生谗谮也。" 无谓秦无人：晋士会奔秦，秦不用，绕朝语于士会："子无谓秦无人，吾谋适不用也。"见《左传·文公十三年》。

[译文] 告诫别人不要轻易发言，就说恐怕隔墙有耳偷听；告诫人们不要轻敌，可借用春秋时秦国大夫绕朝对晋国士会说的话："不要以为秦国没有人了！"

同恶相帮，谓之助纣为虐；贪心无厌，谓之得陇望蜀。

[注释] 助纣为虐：比喻帮助恶人做坏事。《孟子·滕文公下》："周公相武王，诛纣伐奄。"宋朱熹注："奄，东方之国，助纣为虐者也。" 得陇望蜀：《东观汉记·隗嚣传》："西城若下，便可将兵，南击蜀虏。人苦不知足，既平陇，复望蜀，每一发兵，头鬓为白。"后遂以得陇望蜀喻贪心不足。

[译文] 帮助恶人做坏事，叫"助纣为虐"；贪心没有满足的时候，叫"得陇望蜀"。

当知器满则倾，须知物极必反。

[注释] 物极必反：事物发展到极限时必然向相反的方面转化。苏安恒上武后疏曰："太子年德俱盛，陛下贪其宝位，而忘母子深恩。臣愚以天意人事，还归李家。陛下虽安天位，殊不知物极则反，器满则倾。"事具《旧唐书·苏安恒传》。

[译文] 要知道容器装得太满，就会倾倒；事物走到极端，就会转向反面。

喜嬉戏名为好弄，好笑谑谓之诙谐。

[注释] 好弄：爱好游戏。当本诸"弱不好弄"，谓幼年时不爱嬉戏。

[译文] 喜欢嬉闹玩乐，叫"好弄"；喜欢幽默开玩笑，叫"诙谐"。

谗口交加，市中可信有虎；众奸鼓衅，聚蚊可以成雷。

[注释] "谗（chán）口交加"二句：此本诸"三人成虎"，比喻谣言重复多次，就能使人信以为真。详见《战国策·魏策二》。"众奸鼓衅（xìn）"二句：《汉书·中山靖王刘胜传》："夫众煦漂山，聚蚊成雷，朋党执虎，十夫桡椎，是以文王拘于牖里，孔子阨于陈、蔡，此乃蒸庶之成风，增积之生害也。"颜师古注："蚊，古蚊字。雷，古雷字。言众蚊飞声若有雷也。"因用以喻众口诋毁，积小可以成大。

[译文] 谗言反复鼓吹，能使人信以为真。古人说，集市上本无虎，有三个人说有虎，大家就相信了。众多奸人鼓动闹事，就像蚊子聚集在一起，蚊声如雷。

萋菲成锦，谓谮人之酿祸；含沙射影，言鬼蜮之害人。

[注释] 萋菲成锦：萋菲，又作"萋斐"花纹错杂貌。语本《诗·小雅·巷伯》："萋兮斐兮，成是贝锦；彼谮人者，亦已大甚！"后因以"萋斐"比喻谗言。 谮（zèn）人：谗毁他人。 含沙射影：古代传说，水中有一种叫蜮的怪物，看到人影就喷沙子，被喷射的人就会害病，剧者竟至死亡。详见晋干宝《搜神记》卷十二。后以"含沙射影"比喻暗中诽谤中伤。

[译文] 用美丽的萋菲织成锦缎，形容罗织诬陷的言语伤人可以酿成大祸。"含沙射影"，说的是有种叫蜮的动物，在水中能含沙喷射人或身影，使人生病。后以比喻暗中攻击或陷害他人。

针砭所以治病，鸩毒必至杀人。

[注释] 针砭：用砭石制成的石针。亦谓针灸治病。

[译文] "针砭"可以治病，"鸩毒"致人死亡。

李义府阴柔害物，人谓之笑里藏刀；
李林甫奸诡谄人，世谓之口蜜腹剑。

[注释] 笑里藏刀：形容对人外表和气，却阴险毒辣。 口蜜腹剑：详见

《身体》。

[译文] 唐朝中书令李义府貌似温柔，内心却阴险毒辣，人说他是"笑里藏刀"；李林甫奸诈狡猾，嘴上说好话，背后却害人，人称他是"口蜜腹剑"。

代人作事，曰代庖；与人设谋，曰借箸。

[注释] 代庖（páo）：本诸越俎代庖。见《庄子·逍遥游》。后因以"越俎代庖"比喻越权办事或包办代替。 借箸（zhù）：见《史记·留侯世家》。后因以"借箸"指为人谋划。

[译文] 代人做事叫"代庖"，给别人筹划计谋叫"借箸"。

见事极真，曰明若观火；对敌易胜，曰势若摧枯。

[注释] 明若观火：明白清楚，好像看火一样。形容观察事物十分清楚。 摧枯：即摧枯拉朽。摧折枯枝朽木。比喻极容易办到。

[译文] 把事物看得很透彻，叫"明若观火"；对敌军作战轻易取胜，叫"势若摧枯"。

汉武内多欲而外施仁义，廉颇先国难而后私仇。

[注释] 汉武内多欲而外施仁义：《汉书·汲黯传》："汉武帝欲招文学，黯对曰：'陛下内多欲而外施仁义，奈何欲效唐虞之治乎。'" 廉颇先国难而后私仇：见《史记·廉颇蔺相如列传》。

[译文] 汉武帝内心虽多私欲，但对外还是施以仁政；战国时赵国廉颇能以国难为重，把私人恩怨放在一边，主动与蔺相如和好。

卧榻之侧，岂容他人鼾睡，宋太祖之语；
一统之世，真是胡越一家，唐高祖之时。

[注释] "卧榻之侧"三句：见《类说》卷五三引宋杨亿《谈苑》。后常喻自己的势力范围或利益不容别人侵占。 "一统之世"三句：《旧唐书·高

祖本纪》:"高祖置酒于未央宫,命突厥颉利可汗起舞,又遣南越酋长冯智戴咏诗,既而笑曰:'胡、越一家,自古未之有也。'"胡越一家,喻居地远隔者聚集一堂,犹言四海一家。

[译文] 睡床旁边,岂能容忍别人鼾睡?这是宋太祖清除南唐后主李煜时说的话。天下统一,多族都来归附,如同一家,这是唐高祖时的盛事。

至若暴秦以吕易嬴,是嬴亡于庄襄之手;
弱晋以牛易马,是马灭于怀愍之时。

[注释] 以吕易嬴:吕不韦把一个怀了自己儿子的女子献给秦庄襄王,生下嬴政,即后来的秦始皇。 以牛易马:邹圣脉注:"东晋元帝名睿,系琅琊王瑾之子。初,琅琊王妃与小吏牛金私通而生睿,是为元帝,虽姓司马,实姓牛也。" 怀愍(mǐn):怀,晋怀帝司马炽。愍,晋愍帝司马邺。

[译文] 战国秦吕不韦把有孕的侍妾献给秦庄襄王,生了后来的始皇嬴政,暗中已把嬴姓换成了吕姓,所以嬴姓的秦国实际上在庄襄王手里就灭掉了;晋末琅琊王司马觐的妃子与小吏牛金私通,生下后来的元帝司马睿,元帝虽姓司马,实际上是牛姓的人,所以说司马的天下灭在怀愍之时。

中宗亲为点筹于韦后,秽播千秋;
明皇赐洗儿钱于贵妃,丑遗万代。

[注释] 中宗亲为点筹于韦后:事详《旧唐书·后妃传上·中宗韦庶人》。 明皇赐洗儿钱于贵妃:邹圣脉注:"唐安禄山,明皇待之甚厚,得入禁中,因请为贵妃儿。上与贵妃共坐,禄先拜贵妃,上问故,对曰:'胡人先母而后父。'上悦之。越三日,召入禁中,贵妃以锦绣为大褓褴裹安禄山,使宫人以彩舆升之。上闻后宫喧笑,问故,左右曰:'贵妃三日洗禄山儿。'上喜赐贵妃洗儿钱,自是出入无忌,颇有丑声闻于外。"

[译文] 唐中宗的韦后与武三思通奸,有时韦后和三思玩双陆

时，中宗还亲自为韦后点筹码，丑闻传千秋；杨贵妃将安禄山认作干儿子，两人关系暧昧，唐明皇还赐给贵妃洗儿钱，丑事遗臭万年。

非类相从，不如鹑鹊；父子同牝，谓之聚麀。

[注释] 鹑（chún）鹊：《诗·墉风·鹑之奔奔》："鹑之奔奔，鹊之强强。"郑玄笺："奔奔、强强，言其居有常匹、飞则相随之貌。"鹑，本指羽毛有斑的鹌鹑，后亦混称鹌鹑。鹊，即喜鹊。 聚麀（yōu）：《礼记·曲礼上》："夫唯禽兽无礼，故父子聚麀。"郑玄注："聚，犹共也。鹿牝曰麀。"禽兽不知父子夫妇之伦，故有父子共牝之事。后以指两代的乱伦行为。

[译文] 不是同类却互相跟从，还不如鹑、鹊；父子同一个女子淫乱，叫"聚麀"。

以下淫上谓之烝，野合奸伦谓之乱。

[注释] 烝（zhēng）：下淫上。指与母辈通奸。《左传·桓公十六年》："卫宣公烝于夷姜。"杜预注："夷姜，宣公之庶母也。上淫曰烝。" 乱：淫乱。

[译文] 晚辈与长辈淫乱，叫"烝"；未婚人通奸或五伦中人相奸淫，叫"乱"。

从来淑慝殊途，惟在后人法戒；
斯世清浊异品，全赖吾辈激扬。

[注释] 淑慝（tè）：犹善恶。 "斯世清浊异品"二句：见《新唐书·王珪传》。

[译文] 淑、慝从来不同，后人应当以善为法，以恶为戒；清、浊从来各异，全靠我辈激浊扬清。

【增】

休休莫莫,禁止之词;衮衮匆匆,仓皇之义。

[注释] 休休:犹言不要。 莫莫:表示劝诫。 衮衮:大水奔流貌。引申为急速。 匆匆:急急忙忙的样子。

[译文] "休休"、"莫莫",都是禁止的意思;"衮衮"、"匆匆",都是仓皇的意思。

暂为寄足,有似鹪鹩一枝;巧于营身,还如狡兔三窟。

[注释] 鹪鹩(jiāo liáo):鸟名。形小,体长约三寸。羽毛赤褐色,略有黑褐色斑点。尾羽短,略向上翘。以昆虫为主要食物。《庄子·逍遥游》:"鹪鹩巢于深林,不过一枝。" 狡兔三窟:见《战国策·齐策四》。后以"狡兔三窟"喻藏身处多,便于避祸。

[译文] 暂时找个地方落脚,就像鹪鹩暂借一根树枝栖息;巧于藏身,如同狡猾的兔子,有三个洞穴。

放枭囚凤,虐仁纵暴奚为;用蚓投鱼,得重弃轻应尔。

[注释] 放枭(xiāo)囚凤:《后汉书·刘陶传》:"陈耽与议郎曹操上言:'公卿所举,率党其私,所谓放鸱枭而囚鸾凤。'"鸱枭,鸟名。俗称猫头鹰。常用以比喻贪恶之人。鸾凤,鸾鸟与凤凰。比喻贤俊之士。 用蚓投鱼:以蚯蚓为饵引鱼来食,即抛砖引玉之意。

[译文] 放掉鸱枭,囚禁鸾凤,如此纵容强暴虐待仁慈究竟是为什么呢?用蚯蚓当鱼饵钓来大鱼,以小的代价得到大的收获,这才是应该做的。

爝火虽无大明之耀,铅刀竟有一割之能。

[注释] 爝(jué)火:炬火,小火。 铅刀竟有一割之能:《晋书·谯刚王逊传附子闵王承传》:"承行达武昌,释戎备见王敦。敦与之宴,欲观其意,谓承曰:'大王雅素佳士,恐非将帅才也。'承曰:'公未见知耳,铅刀岂不能

一割乎。'"铅刀,铅制的刀。

[译文] 爝火虽然没有大明那样的光耀,铅刀却尚有分割东西的功能。

淮南一老不就聘,高尚可钦;鲁国两生不肯行,清操足式。

[注释] 淮南一老不就聘:邹圣脉注:"汉应曜隐淮南山,与四皓俱征。四皓往,曜独不出。人语曰:'商山四皓,不如淮南一老。'" 鲁国两生不肯行:汉使叔孙通制礼,征鲁诸生,鲁有两生不肯行。事具《汉书·叔孙通传》。

[译文] 汉朝应曜隐居淮南山中,不肯应聘出来做官,这种高尚的气节值得钦佩;西汉叔孙通制定礼仪,征召鲁地两个儒生,两人不去,他们的情操是后人的典范。

一株竹,先兆应举皆荣;两尾牛,预料行兵有失。

[注释]"一株竹"二句:邹圣脉注:"宋王君炳二子赴秋试,夜梦人持竹一枝与种之。解者曰:'二郎君俱中选矣。竹字,两个也。'果俱进选。""两尾牛"二句:邹圣脉注:"黄巢出师,梦两尾牛,解者曰:'牛两尾,失字也。恐行军不利。'已而果然。"

[译文]"一株竹",是应举皆中的先兆;"两尾牛",是出师不利的先兆。

乐羊子功绩未成,谤书满箧;郭林宗声名最重,谒刺盈车。

[注释] 谤书:诽谤和攻讦他人的书函。 谒刺:拜见用的名片。汉应劭《风俗通·怨礼·公车征士豫章徐孺子》:"孺子无有谒刺,事讫便去。"今人王利器校注引《资治通鉴》卷五四注:"谒犹刺也。"《后汉书·郭太传》李贤注:"太名显,士争归之,载刺常盈车。"按郭太,字林宗。

[译文] 战国魏大将乐羊子征讨中山国三年,功绩未成,诽谤他的奏章已有满满一箱;汉朝郭林宗名重京师,求见他的名帖满载一车。

黠狗行凶，难免杲卿之骂；鸩媒肆毒，已生屈子之悲。

[注释] 杲卿之骂：《新唐书·颜杲卿传》："安禄山反，杲卿瞋目骂曰：'汝营州牧羊羯奴耳，窃荷恩宠，天子负汝何事，而乃反乎？'禄山怒，截断其舌。杲卿含刃而死。" 鸩媒：《楚辞·离骚》："吾令鸩为媒兮，鸩告余以不好。"王逸注："鸩羽有毒，可杀人，以喻谗佞贼害人也。"后因以"鸩媒"指善用谗言害人的人。

[译文] 唐朝安禄山反叛，颜杲卿骂他是狡黠的狗："朝廷没有亏待你，你为什么这样凶狠！"安禄山大怒，把他的舌头割了下来。楚国屈原被谗言陷害，他说："坏人的谗言如鸩鸟肆意放毒，实在可悲啊！"

人有一天，我有二天，便见大恩之爱戴；
河润百里，海润千里，乃为渥泽之沾濡。

[注释] "人有一天"六句：《翰苑新书》："且河润百里，海润千里，固知均被于沾濡，然人有一天，我有二天。"

[译文] 别人有一个天，我却有两个天，意思是得到了他人的大恩大德；黄河的水能滋润百里，大海的水能滋润千里，意思是受到了广厚的恩泽濡染。

退我一步行，固云安乐法；道人三个好，尤见喜好缘。

[注释] "退我一步行"四句：刘过《龙洲集》卷五《赠术士》："一性圆明俱是佛，四方落魄总成仙。逢人只可少说话，卖卜不须多觅钱。退一步行安乐法，道三个好喜欢缘。老夫亦欲挑包去，若要相寻在酒边。"

[译文] 凡事退让一步，能够平安快乐；说人三个好，能与人喜结欢缘。

借一叶之浓阴，可资覆荫；扩数间之巨庇，尽属骈襶。

[注释] 帡幪（píng méng）：庇荫；庇护。

[译文] 传说瀛洲有种影木，一片叶子在太阳下面能有百个影子。后人借"一叶遮荫"形容得到别人的帮助；唐朝大诗人杜甫有"安得广厦千万间，大庇天下寒士俱欢颜"的诗句。

挝三折，编三绝，书三灭，好学十分；
眼中泪，心中事，意中人，相思一样。

[注释] "挝（zhuā）三折"三句：《太平御览》："孔子晚善《易》，铁挝三折，韦编三绝，漆书三灭。" "眼中泪"三句：《苕溪渔隐丛话》前集卷三十七引《古今诗话》云：有客谓子野曰："人皆谓公'张三中'，即'心中事'、'眼中泪'、'意中人'也。"公曰："何不目之为'张三影'？"客不晓。公曰："'云破月来花弄影'、'娇柔懒起、帘压卷花影'、'柳径无人、堕风絮无影'，此余平生所得意也！"张先（990—1078），字子野，乌程（今浙江吴兴）人。在北宋是一个颇具声名的词人。

[译文] 孔子晚年读《周易》钉书简的铁槌敲断了三次，穿连书简的皮绳折断了三次，书简上的字磨灭了三次，可见他十分好学；眼中的泪，心中的事，意中的人，这都是宋代张先词里相思的意思。

饮 食

甘脆肥脓，命曰腐肠之药；羹藜含糗，难语太牢之滋。

[注释] 甘脆：美味，佳肴。 肥脓：厚味；美味。《文选·枚乘〈七发〉》："甘脆肥脓，命曰腐肠之药。" 羹藜（gēng lí）含糗（qiǔ）：羹藜，煮野菜羹。泛指饮食粗劣。糗，炒熟的米麦。亦泛指干粮。 太牢：古代祭祀，牛羊豕三牲具备谓之太牢。

[译文] 甘甜酥脆、肥美浓醇的食物，却是腐烂肠胃的毒药；喝野菜羹、吃干粮的人，很难说出牛、羊、猪肉的滋味。

御食曰珍馐，白米曰玉粒。

[注释] 珍馐（xiū）：珍美的肴馔。　玉粒：《博物志》："归州有米田，屈原耕此，产白米似玉。"

[译文] 皇帝吃得食物叫"珍馐"，白米叫"玉粒"。

好酒曰青州从事，次酒曰平原督邮。

[注释] "好酒"二句：《世说新语·术解》："晋桓温有主簿善别酒，有酒辄令先尝，好者谓'青州从事'。恶者谓'平原督邮'。青州有齐郡，平原有鬲县，从事言到脐，督邮言在鬲上住。"青州有齐郡，齐、脐音同，好酒直到脐下。平原有鬲县，鬲、膈音同，次酒只能到膈上。

[译文] 好酒叫"青州从事"，劣酒叫"平原督邮"。

鲁酒、茅柴，皆为薄酒；龙团、雀舌，尽是香茗。

[注释] 鲁酒：鲁国出产的酒。味淡薄。后作为薄酒、淡酒的代称。北周庾信《哀江南赋》序："楚歌非取乐之方，鲁酒无忘忧之用。"　茅柴：即茅柴酒。村酿薄酒。　龙团：宋代贡茶名。饼状，上有龙纹，故称。　雀舌：茶名。以嫩芽焙制的上等茶。

[译文] "鲁酒"和"茅柴"，都是味道淡薄的酒；"龙团"和"雀舌"，是很香的名茶。

待人礼衰，曰醴酒不设；款客甚薄，曰脱粟相留。

[注释] 醴酒不设：不再特别准备甜酒。比喻对人的礼敬渐渐减弱。　脱粟：米之未舂者。

[译文] 对客人怠慢，叫"醴酒不设"；招待客人不周，叫"脱粟相留"。

竹叶青、状元红，俱为美酒；葡萄绿、珍珠红，悉是香醪。

[注释] 竹叶青：古代酒名。今指由汾酒加多种名贵药品配制而成的酒，含酒精少，酒味醇美。亦指不经焦糖着色的一种绍兴原酒。　状元红：原名龙泉红。到清代雍正年间，下令凡考中状元者，必以龙泉红宴请宾朋，后来便改龙泉红为状元红。　葡萄绿：邹圣脉注："大宛国出葡萄，汉武帝使张骞得其实而归种之，后采其实以酿酒，味极甘美。"　珍珠红：美酒名。《宣和遗事》前集引唐李贺《将进酒》诗："琉璃钟，琥珀浓，小槽酒滴珍珠红。"

[译文]"竹叶青"、"状元红"，都是美酒；"葡萄绿"、"珍珠红"，都是醇酒。

五斗解酲，刘伶独溺于酒；两腋生风，卢仝偏嗜乎茶。

[注释] 五斗解酲（chéng）：谓大量饮酒才能解除酒病。见南朝宋刘义庆《世说新语·任诞》。　两腋生风：唐代诗人卢仝嗜茶，在品茶七道后，写下了传颂千古的《茶歌》："五碗肌骨清，六碗通仙灵，七碗吃不得，唯觉两腋，习习清风生。"

[译文] 喝五斗酒才能戒除嗜酒的毛病，这是晋朝刘伶沉溺于酒中说的话；唐朝卢仝嗜好品茶，曾作歌说："唯觉两腋，习习清风生。"

茶曰酪奴，又曰瑞草；米曰白粲，又曰长腰。

[注释] 酪奴：茶的别名。北魏杨衒之《洛阳伽蓝记·正觉寺》："羊比齐、鲁大邦，鱼比邾、莒小国。惟茗不中，与酪作奴，彭城王重谓曰：'卿明日顾我，为卿设邾、莒之食，亦有酪奴。'因此复号茗饮为酪奴。"　瑞草：古代以为吉祥之草亦可代指茶。　长腰：即长腰米。宋苏轼《和文与可洋州园池》之十二："劝君多拣长腰米，消破亭中万斛泉。"赵次公注："长腰米，汉上米之绝好者。"

[译文] 茶叫"酪奴"，又名"瑞草"；米叫"白粲"，又叫"长腰"。

太羹玄酒,亦可荐馨;尘饭涂羹,焉能充饿。

[注释] 太羹(gēng):不和五味的肉汁。《礼记·乐记》:"大飨之礼,尚玄酒而俎腥鱼,大羹不和,有遗味者矣。"郑玄注:"大羹,肉湆,不调以盐菜。"大,通太。 玄酒:古代祭礼中当酒用的清水。 尘饭涂羹:《韩非子·外储说左上》:"夫婴儿相与戏也,以尘为饭,以涂为羹,以木为胾(zì),然至日晚必归饷者。尘饭涂羹可以戏,而不可食也。"胾,切成块的肉。

[译文] 肉汁和清水,也可以用来供奉神灵;以尘土当饭,泥水作羹,怎么能充饥呢?

酒系杜康所造,腐乃淮南所为。

[注释] 杜康:传说为最早造酒的人。《书·酒诰》孔颖达疏引《世本》:"杜康造酒。" 淮南:西汉淮南王刘安。安好黄白之术,召集道士、儒士、郎中以及江湖方术之士炼丹制药,最著名的有苏非、李尚、田由、雷被、伍被、晋昌、毛被、左吴,号称"八公",在寿春北山筑炉炼丹时,偶成豆腐。故刘安被尊为豆腐鼻祖,八公山也因此得名。

[译文] 酒为古代杜康所造,豆腐是汉朝淮南王刘安所创。

僧谓鱼曰水梭花,僧谓鸡曰钻篱菜。

[注释] 水梭花:鱼的隐称。僧人素食,讳言荤腥之名,因鱼往来水中,形似穿梭,故称。 钻篱菜:僧人称鸡的隐词。宋苏轼《东坡志林·僧文荤食名》:"僧谓酒为'般若汤',谓鱼为'水梭花',鸡为'钻篱菜',竟无所益,但自欺而已,世人常笑之。"

[译文] 僧人称鱼叫"水梭花",称鸡叫"钻篱菜"。

临渊羡鱼,不如退而结网;扬汤止沸,不如去火抽薪。

[注释] "临渊羡鱼"二句:语出《汉书·董仲舒传》。 扬汤止沸:把锅里开着的水舀起来再倒回去,使它凉下来不沸腾。汉枚乘《上书谏吴王》:"欲汤之沧,一人炊之,百人扬之,无益也;不如绝薪止火而已。"

[译文] 站在深渊边羡慕在水中游来游去的鱼，不如回去织网来打捞；把沸腾的水扬起以降温，不如抽去火中柴薪，把火灭掉。

羔酒自劳，田家之乐；含哺鼓腹，盛世之风。

[注释] 羔酒自劳：《汉书·杨恽传》："恽报会宗书曰：'臣之得罪，已三年矣。田家作苦，岁时伏腊，亨羊炰羔，斗酒自劳。'" 含哺鼓腹：口含食物，饱食挺腹。语出《庄子·马蹄》："夫赫胥氏之时，民居不知所为，行不知所之，含哺而熙，鼓腹而游，民能以此矣。"后因以"含哺鼓腹"形容人过着安乐的生活。

[译文] 把羊羔和美酒犒劳自己，这是农家的乐趣；拍打吃饱鼓起的肚子，这是太平盛世的风俗。

人贪食曰徒餔啜，食不敬曰嗟来食。

[注释] 徒餔啜（bū zhuì）：餔啜，吃喝。亦作餔歠。《孟子·离娄上》："孟子谓乐正子曰：'子之从于子敖来，徒餔啜也。'"朱熹集注："餔，食也；啜，饮也。言其不择所从，但求食耳。" 嗟来食：原指悯人饥饿，呼其来食。后多指侮辱性的施舍。《礼记·檀弓下》："齐大饥，黔敖为食于路，以待饿者而食之。有饿者蒙袂辑屦，贸贸然来。黔敖左奉食，右执饮，曰：'嗟！来食。'扬其目而视之曰：'予唯不食嗟来之食，以至于斯也！'从而谢焉，终不食而死。"

[译文] 人贪食，叫"徒餔啜"；傲慢地施舍别人食物，叫"嗟来食"。

多食不厌，谓之饕餮之徒；见食垂涎，谓有欲炙之色。

[注释] 饕餮（tāo tiè）：特指贪食者。 欲炙（zhì）之色：《晋书·顾荣传》："荣与同僚宴饮，见执炙者貌状不凡，有欲炙之色，荣割炙啖之。坐者问其故，荣曰：'岂有终日执之而不知其味。'及伦败，荣被执，将诛，而执炙者为督率，遂救之，得免。"炙，烤熟的肉食。

[译文] 贪吃没穷尽，叫"饕餮之徒"；看见食物就流口水，叫"有欲炙之色"。

未获同食，曰向隅；谢人赐食，曰饱德。
[注释] 向隅：面对着屋子的一个角落。汉刘向《说苑·贵德》："今有满堂饮酒者，有一人独索然向隅而泣，则一堂之人皆不乐矣。"后遂以比喻孤独失意或不得机遇而失望。　饱德：饱受恩德。语出《诗·大雅·既醉序》："《既醉》，太平也。醉酒饱德，人有士君子之行焉。"
[译文] 不能同众人一起共食，叫"向隅"；感谢别人赐给食物，叫"饱德"。

安步可以当车，晚食可以当肉。
[注释] 安步可以当车：缓缓步行，当作坐车。语本《战国策·齐策四》："晚食以当肉，安步以当车。"　晚食：较晚进食。
[译文] 缓步行走，可以当作坐车一样轻松舒适；晚一点再吃饭，吃什么都如同吃肉一样有滋味。

饮食贫难，曰半菽不饱；厚恩图报，曰每饭不忘。
[注释] 半菽（shū）：谓半菜半粮，指粗劣的饭食。　每饭不忘：《史记·张释之冯唐列传》："文帝曰：'吾居代时，吾尚食监高祛数为我言赵将李齐之贤，战于钜鹿下。今吾每饭，意未尝不在钜鹿也。'"后以"每饭不忘"谓时刻不忘。
[译文] 吃饭贫穷困难，叫"半菽不饱"；时刻挂记着报答别人的厚恩，叫"每饭不忘"。

谢扰人曰兵厨之扰，谦待薄曰草具之陈。
[注释] 兵厨：三国魏阮籍闻步兵校尉厨贮美酒数百斛，营人善酿，乃求为校尉。　草具：粗劣；引申为粗劣的饭食。

[译文] 感谢打扰别人为自己设宴款待，叫"兵厨之扰"；谦称自己待客菲薄，叫"草具之陈"。

白饭青刍，待仆马之厚；炊金爨玉，谢款客之隆。

[注释] 白饭：白米饭。 青刍（chú）：新鲜的草料。 炊金爨（cuàn）玉：用金玉做饭。比喻饮食珍贵，待客热情。爨，烧火做饭。

[译文] 以白饭招待仆人，以青草喂马，这是看重客人的奴仆和马的意思；"炊金爨玉"，是感谢主人待客的宴席隆重豪奢的用语。

家贫待客，但知抹月批风；冬月邀宾，乃曰敲冰煮茗。

[注释] 抹月批风：用风月当菜肴。家贫无可待客的戏言。宋苏轼《和何长官六言次韵》之四："贫家何以娱客，但知抹月批风。" 敲冰煮茗：《白孔六帖》卷三："逸人王休居太白山下，每冬时，取溪冰琢其精莹者煮茗，以供宾客。"

[译文] 家境贫穷没什么东西待客，只好陪着客人站在窗前披着清风赏月；冬天邀请宾客，叫"敲冰煮茗"，六朝时王休隐居太白山，冬天用冰块煮茶招待客人。

君侧元臣，若作酒醴之曲糵；朝中冢宰，若作和羹之盐梅。

[注释] 曲糵：酒曲。 盐梅：盐和梅子。盐味咸，梅味酸，均为调味所需。亦喻指国家所需的贤才。

[译文] 君主身边的大臣，就如同酿酒的酒曲；朝中的宰相，就如同做羹时调味的盐和梅，都不能缺少。

宰肉甚均，陈平见重于父老；戛羹示尽，丘嫂心厌乎汉高。

[注释] "宰肉"二句：《汉书·陈平传》："里中社，平为宰，分肉甚均。里父老曰：'善，陈孺子之为宰。'平曰：'嗟乎，使平得宰天下，亦如此肉矣。'"陈平，西汉王朝的开国功臣，阳武（今河南原阳东南）人。 "戛羹"

二句：见《史记·楚元王世家》。后称嫂为"叏羹"。

[译文] 汉朝宰相陈平在社日分肉非常公平均匀，老人们都很敬重他；汉高祖未发迹时在丘嫂家吃饭，丘嫂很讨厌他，就敲打汤锅表示汤羹已喝完。

毕卓为吏部而盗酒，逸兴太豪；
越王爱士卒而投醪，战气百倍。

[注释] 毕卓为吏部而盗酒：事见《晋书·毕卓传》。 越王爱士卒而投醪：事见《吕氏春秋·顺民》。

[译文] 晋朝毕卓嗜酒，身为礼部侍郎却去邻居家偷酒喝，这样的酒兴有点过分；春秋越王勾践爱护士兵，把酒倒在河的上游，让士兵同饮，顿时士气大振。

惩羹吹齑，谓人惩前警后；酒囊饭袋，谓人少学多餐。

[注释] 惩羹吹齑（jī）：人被滚汤烫过，以后吃冷菜也要吹一下。羹，滚汤；齑，细切的肉菜，冷食品。比喻戒惧过甚。

[译文] 曾被热汤烫过嘴的人，后来连吃冷食时也要用嘴吹一吹，这是"惩前警后"的意思；"酒囊饭袋"，比喻人没有学问，只知道吃喝。

隐逸之士，漱石枕流；沉湎之夫，藉糟枕曲。

[注释] 漱石枕流：南朝宋刘义庆《世说新语·排调》："孙子荆年少时，欲隐。语王武子'当枕石漱流'，误曰'漱石枕流'。王曰：'流可枕，石可漱乎？'孙曰：'所以枕流，欲洗其耳；所以漱石，欲砺其齿。'"后以"漱石枕流"形容隐居生活。 藉糟枕曲：枕着酒曲，垫着酒糟。谓嗜酒，醉酒。

[译文] 晋朝孙楚隐居山间，用石子漱口，用流水当枕头，以示自己的清高；晋朝刘伶整日沉溺于酒中，坐卧在酒糟上，头枕在曲上。

昏庸桀纣,胡为酒池肉林;苦学仲淹,惟有断齑画粥。

[注释] 酒池肉林:传说殷纣以酒为池,以肉为林,为长夜之饮。《史记·殷本纪》:"以酒为池,悬肉为林。" 断齑画粥:形容贫苦力学。

[译文] 昏庸的殷纣王荒淫奢侈无度,作酒池、肉林取乐;宋朝范仲淹少时孤贫,在僧庙读书,常常将粥待冷凝后分成数份,把腌菜切成数十块,分几次食用。

【增】

钟阜山庄赤米,隐士加餐;邯郸旅邸黄粱,仙人入梦。

[注释] "钟阜山庄赤米"二句:《南史·周颙传》:"颙于钟山西立隐舍……王俭谓颙曰:'卿在山中何所食?'颙曰:'赤米白盐,绿葵紫蓼。'文惠太子问颙菜食何味最胜,颙曰:'春初早韭,秋末晚菘。'" "邯郸旅邸黄粱"二句:唐沈既济《枕中记》载:卢生在邯郸客店遇道士吕翁,生自叹穷困,翁探囊中枕授之曰:"枕此当令子荣适如意。"时主人正蒸黄粱,生梦入枕中,享尽富贵荣华。及醒,黄粱尚未熟,怪曰:"岂其梦寐耶?"翁笑曰:"人世之事亦犹是矣。"

[译文] 南齐周颙隐居钟阜山庄时,有人问他吃什么,他说:"赤米白盐,绿葵紫蓼。"传说赤米可以增加人的饭量。古代卢生在邯郸梦见自己将相五十年,大富大贵,等到醒来,主人煮的黄米饭还未熟。

小儿盗禾亩,孔琇之按罪何妨;
逸马犯麦田,曹孟德自刑犹尔。

[注释] "小儿盗禾亩"二句:《南齐书·孔琇之传》:"琇之,会稽山阴人也……有吏能。还主通直郎,补吴令。有小儿年十岁,偷刈邻家稻一束,琇之付狱治罪,或谏之,琇之曰:'十岁便能为盗。长大何所不为?'县中皆震肃。" "逸马犯麦田"二句:见《三国志·魏书·武帝纪》。

[译文] 南朝齐有个小孩偷了田里的稻子,县令孔琇之认为小时候会偷,长大了将无所不为,所以依法判了罪,这又有什么不可以的呢?三国曹操行军时下令不准损坏麦田,可是他的马突然失控闯入麦田,踩坏了庄稼。曹操将自己的头发割下来,以严肃军纪。

易秕以谷,邹侯为民庶之意拳拳;
煮豆燃萁,子建悟兄弟之情切切。

[注释] "易秕(bǐ)以谷"二句:详《新序》卷六。 "煮豆燃萁"二句:详见《兄弟》。

[译文] 让百姓用秕糠换取国库里的谷子,春秋邹穆公为民众的拳拳之情,使人难以忘怀;曹植"煮豆燃豆萁"诗句,把兄弟互相残杀比喻得十分贴切。

狄山之肉,旋割旋生;青田之壶,愈倾愈溢。

[注释] "狄山之肉"二句:《山海经·海外南经》郭璞于"狄山"下注:"聚肉形如牛肝,有两目也。食之无尽,寻复更生如故。" "青田之壶"二句:晋崔豹《古今注·草木》:"乌孙国有青田核,莫测其树实之形,至中国者,但得其核耳。得清水则有酒味出,如醇美好酒。核大如六升瓠,空之以盛水,俄而成酒,谓之青田壶。"

[译文] 《山海经》里说,狄山上有一种肉,形似牛肝,随割随生;青田国有一种仙果,果核很大,将米放入核中,顿时就能变成酒,倒之不尽,号称"青田壶"。

我爱鹅儿黄似酒,雅可怡情;人言雀子软于绵,最堪适口。

[注释] 我爱鹅儿黄似酒:杜甫《舟前小鹅儿》诗:"鹅儿黄似酒,对酒爱新鹅。"

[译文] 鹅儿黄似酒,这句诗幽雅又可以怡悦性情;有人说黄雀的肉嫩软似棉花,最适宜人的口味。

多才之士，谢茶而赠我好歌；好事之徒，载酒而问人奇字。

[注释] 谢茶而赠我好歌：唐卢仝《走笔谢孟谏议寄新茶》歌曰："日高丈五睡正浓，将军打门惊周公。口云谏议送书信，白绢斜封三道印。开缄宛见谏议面，手阅月团三百片。" 载酒而问人奇字：《汉书·扬雄传下》："时雄校书天禄阁上，治狱使者来欲收雄，雄恐不能自免，乃从阁上自投下，几死……（莽）请问其故，乃刘棻尝从雄学作奇字……雄以病免，复召为大夫。家素贫，耆酒，人希至其门。时有好事者载酒肴从游学，而巨鹿侯芭常从雄居，受其《太玄》、《法言》焉。"

[译文] 唐朝卢仝多才，性嗜茶，谁送他好茶，他便回赠一首好诗；汉朝扬雄嗜酒，好事的人常常用车载着酒，向他请教古怪的字。

挹东海以为醴，庶畅高怀；折琼枝以为馐，可舒雅志。

[注释] 挹（yì）东海以为醴（lǐ）：曹植《与吴季重书》："举泰山以为肉，倾东海以为酒。" 折琼枝以为馐（xiū）：《楚辞》："折琼枝以为羞兮，精琼靡以为粻。"馐，精美的食物。

[译文] 舀东海的水酿制成的酒，喝了可以抒发高尚的情怀；折琼枝当美肴，吃了可以舒展幽雅的志向。

云子饭可入杜诗；月儿羹见重柳文。

[注释] 云子饭可入杜诗：唐杜甫《与鄠县源大少府宴渼陂》诗："饭抄云子白，瓜嚼水精寒。"云子，一种白色小石，细长而圆，状如饭粒。 月儿羹见重柳文：《白孔六帖》卷十六："《字锦》曰：'柳公权以隔风纱作《龙城记》及《八朝名品》，号锦样书以进。上方御剪刀面、月儿羹，即命分赐公权。'"

[译文] 云子是神仙吃的食物，云子饭被杜甫写进诗中："饭抄云子白。"唐朝柳公权作《龙城记》呈文宗，文宗将自己吃的"月

儿羹"赐给他作为奖赏。

烧鹅而恣朵颐，且愿鹅生四掌；
炮鳖而充嗜欲，还思鳖著两裙。

[注释]"烧鹅而恣朵颐"四句：《五代史补》卷五："僧谦光，金陵人也，素有才辩。江南国主师礼之，然无羁检，饮酒如常，国主无以禁制，而又于诸肉中尤嗜鹅、鳖。国主常与从容语及释氏果报，且问曰：'吾师莫有志愿否？寡人固欲闻之。'谦光对曰：'老僧无他愿，但得鹅生四只腿，鳖长两重裙足矣。'国主大笑。"

[译文]喜欢吃烧鹅的人，总是希望鹅能长出四个掌来，可以多吃一点；爱吃鳖的人，总是希望鳖能生出两裙来，以满足食欲。

种秫不种粳，陶公若以酒为命；
窖粟不窖宝，任氏则以食为天。

[注释]种秫（shú）不种粳（jīng）：鲁迅《且介亭杂文·病后杂谈》："陶渊明做了彭泽令，就教官田都种秫，以便做酒，因了太太的抗议，这才种了一点粳。"秫，粱米、粟米之黏者。多用以酿酒。粳，一种黏性较小的稻。 任氏则以食为天：《史记·货殖列传》："宣曲，任氏之先，为督道仓吏。秦之败也，豪杰皆争取金玉，而任氏独窖仓粟。楚汉相距荥阳也，民不得耕种，米石至万，而豪杰金玉尽归任氏，任氏以此起富。"

[译文]晋朝陶潜当彭泽令时，他吩咐都种秫米不种粳米，因为高粱能酿酒，而他又嗜酒如命；在地窖中藏粮食而不藏珍宝，这是秦汉相争时一户任姓人家把饭食看得和天一样重要的做法。

白苋紫茄，种满吴兴之圃；绿葵翠斋，殖盈钟阜之区。

[注释]"白苋（xiàn）紫茄"二句：《南史·蔡撙传》："撙为吴兴太守，不饮郡井，斋前自种白苋紫茄，以为常饵，诏褒其清。" "绿葵翠斋"二句：详见《饮食》。

[译文] 梁朝吴兴太守蔡撙，在园圃里种满了苋菜和茄子；南朝周颙隐居在钟阜山时，在山上种满了葵菜和韭菜。

宫 室

洪荒之世，野处穴居；有巢以后，上栋下宇。

[注释] 有巢：有巢氏。传说中巢居的发明人。《韩非子·五蠹》："上古之世，人民少而禽兽众，人民不胜禽兽虫蛇，有圣人作，构木为巢以避群害，而民悦之，使王天下，号曰有巢氏。"

[译文] 在上古洪荒时代，人类都居住在野外的洞穴里；直到有巢氏的出现，才教人架木筑巢，上有房梁，下有屋檐。

竹苞松茂，谓制度之得宜；鸟革翚飞，谓创造之尽善。

[注释] 竹苞松茂：《诗·小雅·斯干》："如竹苞矣，如松茂矣。"此诗以"竹苞松茂"喻根基稳固，枝叶繁荣，后多用作新屋落成或向人祝寿时的颂词。 鸟革翚（huī）飞：形容宫室壮丽。

[译文] "竹苞松茂"，比喻宫室制度很得体适宜；"鸟革翚飞"，比喻宫室建造得很完善。

朝廷曰紫宸，禁门曰青锁。

[注释] 紫宸：宫殿名，天子所居。唐宋时为接见群臣及外国使者朝见庆贺的内朝正殿，在大明宫内。 青锁：装饰皇宫门窗的青色连环花纹。

[译文] 唐宋时皇宫的前面常种有紫荆和枫树，所以宫殿又称"紫宸"；进出宫门的禁令很严，又以青色涂墙并加锁关闭，所以宫门又叫"青锁"。

宰相职掌丝纶，内居黄阁；百官具陈章疏，敷奏丹墀。

[注释] 黄阁：汉代丞相、太尉和汉以后的三公官署避用朱门，厅门涂黄色，以区别于天子。　丹墀（chí）：指宫殿的赤色台阶或赤色地面。

[译文] 宰相掌管皇帝的诏书，在皇宫办公的地方叫"黄阁"；百官们奏陈章疏，只能跪在殿前红色的台阶上。

木天署学士所居，紫薇省中书所莅。

[注释] 木天：秘书阁的别称。因其屋宇高大宏敞，故名。后以木天署为翰林学士官署。　紫薇省：唐开元元年取天文紫薇垣之义，改中书省为紫薇省，中书令为紫薇令。省中种紫薇花，故亦称紫薇省。

[译文] "木天署"是翰林学士居住的地方，"紫薇省"是唐代中书令办公的场所。

金马、玉堂，翰林院宇；柏台、乌府，御史衙门。

[注释] 金马、玉堂：参《文臣》。　柏台、乌府：《汉书·朱博传》："是时御史府吏舍百余区，井水皆竭；又其府中列柏树，常有野乌数千栖宿其上，晨去暮来，号曰'朝夕乌'。"后因称御史府为"柏台"、"乌府"。

[译文] "金马"、"玉堂"，是翰林院的美称；"柏台"、"乌府"，是御史衙门的别名。

布政司称为藩府，按察司系是臬司。

[注释] 布政司：参《文臣》。　按察司：官名，是元明清三代设立在省一级的司法机构，主管一省的刑名、诉讼事务。同时也是中央监察机关都察院在地方的分支机构，对地方官员行使监察权。

[译文] 布政司称为"藩府"、"藩台府"等，是主管一省人事和钱粮的官府；按察司就是"臬司"，是主管一省刑事的官府。

潘岳种桃子满县，人称花县；子贱鸣琴以治邑，故曰琴堂。

[注释] "潘岳"句：参《文臣》。　"子贱"句：《吕氏春秋·察贤》：

"宓子贱治单父,弹鸣琴,身不下堂而单父治。"后因用"鸣琴"称颂地方官简政清刑,无为而治。

[译文] 晋朝潘岳做河阳县令时,全县到处都种桃树,人称"花县";孔子弟子宓子贱做单父县官时,终日无讼案,经常在公堂上弹琴,人称"琴堂"。

潭府是仕宦之家,衡门乃隐逸之宅。

[注释] 潭府:潭潭,深邃貌。后因以"潭府"尊称他人的居宅。 衡门:横木为门。指简陋的房屋。借指隐者所居。

[译文] 庭院幽深似潭,是官宦之家;横木为门,是隐士的住宅。

贺人有喜,曰门阑蔼瑞;谢人过访,曰蓬荜生辉。

[注释] 门阑蔼瑞:门阑,门庭。蔼瑞,祥云。指门庭充满吉祥。 蓬荜生辉:使陋室增加光彩。多用作谦辞。

[译文] 祝贺人家有喜事,称"门阑蔼瑞";感谢别人来访,称"蓬荜生辉"。

美奂美轮,礼称屋宇之高华;肯构肯堂,书言父子之同志。

[注释] 美奂美轮:形容房屋的高大和众多。 肯构肯堂:详见《父子》。

[译文] "美奂美轮",是《礼记》中称赞房屋修建得高大华丽,完美无缺;"肯构肯堂",是《尚书》里比喻子承父业,志同道合。

土木方兴,曰经始;创造已毕,曰落成。

[注释] 经始:开始营建;开始经营。 落成:落,古代宫室筑成时举行的祭礼。后因称建筑物竣工为"落成"。

[译文] 土木工程刚开始动工,叫"经始";工程创建完工,叫"落成"。

楼高可以摘星，屋小仅堪容膝。

[注释] 楼高可以摘星：《徐氏笔精》卷五："宋杨大年数岁不能言，偶家人抱登楼，偶触其首，即能语。吟诗曰：'危楼高百尺，手可摘星辰。不敢高声语，恐惊天上人。'" 屋小仅堪容膝：陶渊明《归去来分辞》："倚南以寄傲，审容膝之易安。"

[译文] 楼高仿佛可以摘取天上的星星，屋小仅能容下双膝。

寇莱公庭除之外，只可栽花；李文靖厅事之前，仅容旋马。

[注释] "寇莱公"二句：邹圣脉注："寇准为相，庭阶下为广地，仅可栽花而已。" "李文靖"二句：宋李沆，谥文靖。《宋史·李沆传》："沆为相，治第封丘门内，厅事前仅容旋马。"

[译文] 宋代宰相寇准的庭院空地，只许种些花草；宋代另一个宰相李沆议事的厅堂前只能容下一匹马旋转。

恭贺屋成，曰燕贺；自谦屋小，曰蜗庐。

[注释] 燕贺：即燕雀相贺。《淮南子·说林训》："汤沐具而虮虱相吊，大厦成而燕雀相贺，忧乐别也。"谓燕雀因大厦落成有栖身之所，而互相庆贺。后用作贺人新屋落成之语。 蜗庐：即蜗牛庐。形圆似蜗牛的简易庐舍。亦泛指简陋的房屋。常用以谦称自己的居处。

[译文] 恭贺别人房屋建成，叫"燕贺"；自谦屋子狭小，叫"蜗居"。

民家名曰闾阎，贵族称为阀阅。

[注释] 闾(lǘ)阎：里巷内外的门。后多借指里巷。泛指民间。 阀阅：在古代，规模较大的官宦之家的居所建筑，被称为"阀阅之家"。它是对世代建有功勋的官宦人家的称谓。

[译文] 平民人家叫"闾阎"，富贵家族称"阀阅"。

朱门乃富豪之第,白屋是布衣之家。

[注释] 朱门:红漆大门。指贵族豪富之家。 白屋:指不施彩色、露出本材的房屋。一说,指以白茅覆盖的房屋。为古代平民所居。

[译文] 大门涂成红色,是富贵的府第;没有装饰,四面空白的屋子,是贫寒百姓之家。

客舍曰逆旅,馆驿曰邮亭。

[注释] 逆旅:旅馆。

[译文] 接待旅客的房屋叫"逆旅",传送公文的驿站叫"邮亭"。

书室曰芸窗,朝廷曰魏阙。

[注释] 魏阙:古代宫门外两边高耸的楼观。楼观下常为悬布法令之所。亦借指朝廷。

[译文] 读书人的书房叫"芸窗",天子的宫廷叫"魏阙"。

成均、辟雍,皆国学之号;黉宫、胶序,乃乡学之称。

[注释] 成均:古之大学。泛称官设的最高学府。 辟雍:本为西周天子所设大学,校址圆形,围以水池,前门外有便桥。东汉以后,历代皆有辟雍,除北宋末年为太学之预备学校(亦称外学)外,均为行乡饮、大射或祭祀之礼的地方。 黉(hóng)宫:学宫。 胶序:殷学名序,周学名胶,后即用为学校的通称。

[译文] "成均"、"辟雍",都是国家学府的名号;"黉宫"、"胶序",乃是地方学校的名称。

笑人善忘,曰徙宅忘妻;讥人不谨,曰开门揖盗。

[注释] 徙宅忘妻:搬家忘记携带妻子。形容粗心、健忘。 开门揖盗:

揖盗，向盗贼行礼作揖。谓在危难之时还讲求礼节。比喻不识时宜。

[译文] 嘲笑人家健忘，叫"徙宅忘妻"；讥讽别人办事不谨慎，叫"开门揖盗"。

何楼所市，皆滥恶之物；垄断独登，讥专利之人。

[注释] 何楼：宋代民间俗语。谓虚伪欺诈。宋刘攽《中山诗话》："世语虚伪为何楼。盖国初京师有何家楼，其下卖物，皆行滥者。"

[译文] 宋代京城有个何姓人家的楼下，是个小市场，里面都是些伪劣商品；"垄断独登"，是讥讽那些欺行霸市，只顾自己发财的商人。

荜门、圭窦，系贫士之居；瓮牖、绳枢，皆窘人之室。

[注释] 荜（bì）门：用竹荆编织的门。常指房屋简陋破旧。 圭窦：形状如圭的墙洞。圭形上锐下方。借指微贱之家的门户。亦借指寒微之家。 瓮牖（wèng yǒu）：以破瓮为窗，指贫寒之家。 绳枢：以绳系户枢。形容贫家房舍之陋。枢为门户的转轴。

[译文] 用竹子做门，墙上凿个小洞通气，这是贫穷文人居住的地方；用破缸作窗户，用绳子拴住门轴，这是贫苦百姓居住的地方。

宋寇准真是北门锁钥，檀道济不愧万里长城。

[注释] 北门锁钥：锁钥，喻军事重镇；出入要道。宋王君玉《国老谈苑二》："准曰：'主上以朝廷无事，北门锁钥，非准不可。'" 万里长城：此喻国家所依赖的战将。《南史·檀道济传》："道济见收，愤怒气盛，目光如炬，俄尔间引饮一斛。乃脱帻投地，曰：'乃坏汝万里长城。'"

[译文] 宋朝寇准领天雄军守卫北方的一个关口，契丹国无人敢侵犯，真是国家北门的锁钥。南朝刘宋名将檀道济讨伐南魏时，军中缺粮，他让众军士在夜间高歌量沙到天明，伪装粮食充足，魏军

不敢追。檀道济不愧是卫国的万里长城。

【增】

榱题一建,风雨攸除。

[注释] 榱(cuī)题:屋椽的端头。通常伸出屋檐,因通称出檐。

[译文] 房屋完工,风雨自然就消除了。

百堵皆兴,周邦巩固;重门洞辟,宋殿玲珑。

[注释] 百堵:众多的墙。亦指建筑群。 重门:此谓宫门。 洞辟:大开。

[译文] 盖起的房屋鳞次栉比,象征着周朝的强大巩固;宋朝宫殿的大门重重洞开,人人都能看见宫殿盖得玲珑剔透。

晋公堂下植三槐,相臣地位;靖节门前栽五柳,隐士家风。

[注释] "晋公堂下"二句:《宋史·王旦传》:"祐(旦之父)手植三槐于庭,曰:'吾之后世,必有为三公者,此其所以志也。'"后王旦果为宰相。 "靖节门前"二句:陶渊明曾作《五柳先生传》云:"宅边有五柳树,因以为号焉。"陶渊明,世称靖节先生。

[译文] 宋代王祐在堂前种了三棵槐树,对人说:"我的子孙中必有当宰相的。"后来他的次子王旦果然当了宰相。晋朝陶潜门前载了五棵柳树,号称"五柳先生",这是隐士的家风。

退思岩,是鱼头参政退思时;知妄室,乃半山居士知妄处。

[注释] "退思岩"二句:退思,见《左传·宣公十二年》。后因以指退归思过,事后反省。后人亦常用以自名其居。 "知妄室"二句:宋王安石隐退后居于离江宁城七里的钟山脚下,名其居为半山园,自号半山。为书斋取名叫知妄室。此名取自他自己的一段话:"知妄为妄,即妄是真;认妄为真,虽真亦妄。"见《半山语录》。

[译文]宋代鲁宗道外号"鱼头参政",他建造一室叫"退思岩",退朝后独自在里面思考朝政;王安石自号"半山居士",他建造一室叫"知妄室",常在里面独自思过。

蓂生神尧阶下,竹秀唐帝宫前。

[注释]蓂(míng):即蓂荚。古代传说中的一种瑞草。它每月从初一至十五,每日结一荚;从十六至月终,每日落一荚。所以从荚数多少,可以知道是何日。一名历荚。晋葛洪《抱朴子·对俗》:"唐尧观蓂荚以知月。"

[译文]尧帝的台阶下长有"蓂荚草",唐玄宗的官殿前长满了茂密的竹子。

夹马营中,异香遍达;盘龙斋内,瑞气常臻。

[注释]夹马营:地名。今河南洛阳市东北。相传宋太祖赵匡胤生于此。清顾祖禹《读史方舆纪要·河南府·洛阳县》:"夹马营,在府东北二十里,朱梁开平初,置营于此,宋太祖诞生焉。"　盘龙斋:邹圣脉注:"南朝宋刘裕幼有大志,尝作一小斋,匾曰'盘龙',意取能变化。"

[译文]宋太祖生于夹马营,出生时,此地到处可以闻见一股异常香味;南朝宋刘裕幼时即有大志,他建造的盘龙斋,常有瑞气盘旋。

月榭已成,剩有十分佳景;雪巢既构,应无半点尘埃。

[注释]月榭(xiè):赏月的台榭。　雪巢:邹圣脉注:"宋林景思作庐舍,以雪景成名之曰雪巢。"

[译文]唐朝裴度的府第绿野堂里建成了赏月的亭榭,周围的景致十分雅致;宋朝林景思的庐舍叫"雪巢",里面没有半点尘土。

避风台,妃子扬歌;凌烟阁,功臣列像。

[注释]避风台:相传汉赵飞燕身轻不胜风,成帝为筑七宝避风台。　凌

烟阁：封建王朝为表彰功臣而建筑的绘有功臣图像的高阁。唐太宗贞观十七年画功臣像于凌烟阁事最著。

[译文]"避风台"，是汉成帝为妃子赵飞燕唱歌跳舞建造的台子；"凌烟阁"，是唐太宗为表彰功臣所建的高阁，里面陈列有功臣的肖像。

碧鸡坊里神仙至；朱雀桥边士子游。

[注释]碧鸡坊：街巷名。在今四川省成都市。唐诗妓薛涛曾住此。其地所种海棠特富艳。　朱雀桥：即朱雀桁（háng），朱雀航。六朝都城建康（今江苏南京市），南城门朱雀门外的浮桥，横跨秦淮河上。三国吴时称南津桥，晋改名朱雀桁。

[译文]西汉宣帝建造的碧鸡坊，是神仙也能到达的地方；金陵的朱雀桥，是读书人游览的地方。

浣花溪上草堂，最是杜公乐地；
至道坊间土窟，更为司马胜居。

[注释]"浣花溪"二句：杜甫草堂，也称浣花草堂，为唐杜甫流寓成都时的故居。在今四川省成都市西郊浣花溪畔。　"至道坊"二句：宋王得臣《麈史》卷三："熙宁间，王拱辰即洛之道德坊，营第甚侈，中堂起屋三层，上曰朝元阁。时司马光亦居洛（之至道坊），于私居穿地丈余，作壤室。邵尧夫见富郑公，问新事。尧夫曰：'近有一巢居，一穴处者。'遂以二公对。富大笑。"

[译文]唐朝裴冕为杜甫在成都浣花溪旁所建的草堂，是杜甫最喜欢居住的乐地；宋朝司马光在洛阳至道坊掘地为室，自认为是最好的避暑胜地。

器　用

一人之所需，百工斯为备。

但用则各适其用，而名则每异其名。

[注释] 百工：各种工匠。

[译文] 一个人生活中所用的器物，需要百余个具备各种技能的工匠为他准备。每件物品都有自己的用途，而且名称也各不相同。

管城子、中书君，悉为笔号；石虚中、即墨侯，皆为砚称。

[注释] 管城子、中书君：唐韩愈作寓言《毛颖传》，称毛笔为毛颖。言颖居中山为蒙恬所获，献于秦皇，秦皇封之于管城，号管城子，累拜中书令，与上益狎，上尝呼为中书君。后因以二者为毛笔的别称。 石虚中、即墨侯：游戏寓言文章中以拟人手法给石砚起的姓名。宋苏易简《文房四谱·砚谱》："石虚中，字居默，南越高要人也。隐遁不仕，因采访遇之端溪，因累勋绩，封之即墨侯。"

[译文] "管城子"、"中书君"，都是毛笔的别名；"石虚中"、"即墨侯"，都是砚台的别称。

墨为松使者，纸号楮先生。

[注释] 松使者：墨是用松树的墨烟熏成的，故称松使者。唐玄宗用的墨叫龙香剂，一天看见墨上有像苍蝇那么大的小道士在行走，就呵叱一声，小道士连呼万岁，说："我是墨的精灵，松使者。" 楮（chǔ）先生：唐韩愈《毛颖传》："颖与绛人陈玄、弘农陶泓及会稽楮先生友善，相推致，其出处必偕。"此文将笔、墨、砚、纸拟人化，称纸为楮先生，后遂以楮先生为纸的别称。

[译文] 墨也叫"松使者"，纸也称"楮先生"。

纸曰剡藤，又曰玉版；墨曰陈玄，又曰龙剂。

[注释] 剡（shàn）藤、玉版：剡溪的藤，造出的纸极美，故纸称剡藤；成都浣花溪，造出的纸光滑，称为玉版。 陈玄、龙剂：陈玄，墨的别称。墨色黑，存放年代越陈越佳，故称；龙剂，唐玄宗用的墨。

[译文] 纸又叫"剡藤"、"玉版";墨又叫"陈玄"、"龙剂"。

共笔砚,同窗之谓;付衣钵,传道之称。
[注释] 同窗:同学。 衣钵:详见《师生》。
[译文] "共笔砚",是称同窗学友;"付衣钵",是向弟子传道的别称。

笃志业儒,曰磨穿铁砚;弃文就武,曰安用毛锥。
[注释] 磨穿铁砚:五代时桑维翰因姓与"丧"谐音,屡次应举不中,于是铸了一个铁砚,发誓铁砚磨穿才改业,后来果然中了进士。 毛锥:毛笔。
[译文] 立志发奋钻研儒学,称"磨穿铁砚";弃文就武、投笔从戎,叫"安用毛锥"。

剑有干将镆铘之名,扇有仁风便面之号。
[注释] 干将、镆铘(mò yé):春秋时干将、镆铘夫妇铸剑,三年乃成,雄剑称为干将,雌剑称为镆铘,也称莫邪。 仁风:刘孝标注《世说新语·言语》引《续晋阳秋》:"太傅谢安赏(袁)宏机捷辩速,自吏部郎出为东阳郡,执手将别,顾左右,取一扇而赠之。宏应声答曰:'辄当奉扬仁风,慰彼黎庶。'"后因以"仁风"为扇子的代称。 便面:古代用以遮面的扇状物。
[译文] 宝剑有"干将"、"镆铘"的名称;扇子有"仁风"、"便面"的别号。

何谓箑,亦扇之名;何谓籁,有声之谓。
[注释] 箑(shà):传说古代有一种吉祥草叫箑,叶子自动扇风。后以箑指扇。
[译文] 箑是扇子的称呼,籁是自然界发出的各种声音。

小舟名蚱蜢,巨舰曰艨艟。

卷三 231

[注释] 蚱蜢：即蝗虫。借指极巧而轻便的小船。 艨艟（méng chōng）：大战船。

[译文] 小船叫舴艋，大战船叫艨艟。

金根是皇后之车，菱花乃妇人之镜。

[注释] 金根：用金装饰的车。 菱花：古代镜子背面有菱花图案，故菱花代指镜。

[译文] "金根"，是皇后的坐车；"菱花"，是妇人所用镜子的代称。

银凿落原是酒器，玉参差乃是箫名。

[注释] 凿落：唐代称杯为凿落。 玉参差：镶玉的无底排箫。

[译文] "银凿落"原是指酒器，"玉参差"乃是洞箫的别名。

刻舟求剑，固而不通；胶柱鼓瑟，拘而不化。

[注释] 刻舟求剑：《吕氏春秋·察今》："楚人有涉江者，其剑自舟中坠于水，遽契其舟曰：'是吾剑之所从坠。'舟止，从其所契者入水求之。舟已行矣，而剑不行，求剑若此，不亦惑乎？" 胶柱鼓瑟：鼓瑟时胶住瑟上的弦柱，就不能调节音的高低。

[译文] "刻舟求剑"，是指有的人思想死板不知变通；"胶柱鼓瑟"，是比喻拘泥不化的人。

斗筲言其器小，梁栋谓是大材。

[注释] 斗、筲（shāo）：皆是容器。筲是半斗。

[译文] "斗筲"，形容器量狭小的人；"栋梁"，比喻有大才的人。

铅刀无一割之利，强弓有六石之名。

[注释] 六石之名：晋朝羊祜拉的弓要用六石的力气才能拉得开。古时一石，今之一百斤。

[译文] 铅铸的刀，连一割的锋利也没有；强硬的弓，用六百斤之力才能拉开，所以有"六石"的名称。

杖以鸠名，因鸠喉之不噎；钥同鱼样，取鱼目之常醒。

[注释] 杖以鸠名：手杖称为鸠杖，据说是因为鸠吃东西不会噎着，以提醒老人吃饭慢一点。　钥同鱼样：古代的锁和鱼外形类似，据说是取自鱼常睁着眼，以提醒人们注意的意思。

[译文] 老人的拐杖又叫鸠杖，因为鸠鸟不会噎食，喻示老人身体健康；钥匙做成鱼形，取鱼在水中不会闭眼，能守夜之意。

兜鍪系是头盔，叵罗乃酒器。

[注释] 兜鍪（móu）：古代战士戴的头盔。秦汉以前称胄，后叫兜鍪。　叵罗：西域语音译，当地的一种饮酒器，口敞底浅。亦泛指酒杯。

[译文] "兜鍪"，是武将戴的头盔；"叵罗"，是金属制成的酒器。

短剑名匕首，毡毯曰氍毹。

[注释] 氍毹（qú yú）：一种毛织或毛与其他材料混织的毯子。

[译文] 短剑叫"匕首"，毡毯叫"氍毹"。

琴名绿绮、焦桐，弓号乌号、繁弱。

[注释] 绿绮、焦桐：汉司马相如的琴叫绿绮。汉蔡邕用尾部烧焦的桐木制琴，称焦尾琴。　乌号、繁弱：柘树上常有乌鸦聚集，赶走时乌鸦号呼，用柘树做的弓因此称为乌号。繁弱，古良弓名。

[译文] 琴有"绿绮"、"焦桐"之名，弓有"乌号"、"繁弱"之号。

香炉曰宝鸭，烛台曰烛奴。

[注释] 宝鸭：即香炉。因作鸭形，故称。　烛奴：原为雕刻成人形的烛台。后泛指烛台。

[译文] 香炉形似鸭状，所以又叫"宝鸭"；烛台雕成人形，所以又叫"烛奴"。

龙涎、鸡舌，悉是香名；鹢首、鸭头，别为船号。

[注释] 龙涎：即龙涎香。抹香鲸病胃的分泌物。类似结石，从鲸体内排出，漂浮海面或冲上海岸。为黄、灰乃至黑色的蜡状物质，香气持久，是极名贵的香料。　鸡舌：即丁香。古代尚书上殿奏事，口含此香。　鹢（yì）首：船头。古代画鹢鸟于船头，故称。亦可泛指船。

[译文] "龙涎"是一种珍贵的香料，"鸡舌"是一种香茗，所以它们都是香的名称；古人造船，都要在船头画上鹢鸟，或者把船头做成鸭头状，所以船又称"鹢首"、"鸭头"。

寿光客，是妆台无尘之镜；长明公，是梵堂不灭之灯。

[注释] 寿光客：隋代御史王度有宝镜，有病者照之即痊愈。　梵堂：佛堂。

[译文] "寿光客"是指妇人梳妆台上一尘不染的镜子，"长明公"是指佛堂上长明不灭的灯火。

桔槔是田家之水车，袯襫是农夫之雨具。

[注释] 桔槔（gāo）：井上汲水的工具。在井旁架上设一杠杆，一端系汲器，一端悬、绑石块等重物，用不大的力量即可将灌满水的汲器提起。　袯襫（bó shì）：蓑衣之类的防雨衣。

[译文] "桔槔"是农家汲取井水的工具，"袯襫"是农夫的雨具。

乌金，炭之美誉；忘归，矢之别名。

[注释] 乌金：煤和木炭的别称。　忘归：去而忘返，指箭。

[译文] "乌金"，是煤炭的美称；"忘归"，是箭的别名。

夜可击，朝可炊，军中刁斗；云汉热，北风寒，刘褒画图。

[注释] 刁斗：古代行军用具。斗形有柄，铜质；白天用作炊具，晚上击以巡更。　刘褒画图：汉代刘褒画《云汉图》，观看的人都感到热，又画《北风图》，观看的人都感到凉。

[译文] 古代军营中用铜铸成的锅叫"刁斗"，夜里可以敲击打更，白天可以煮饭；东汉刘褒画《云汉图》，观看者都感到很热，画《北风图》，观看者都感到很冷。

勉人发愤，曰猛著祖鞭；求人宥罪，曰幸开汤网。

[注释] 猛著祖鞭：晋代刘琨与祖逖要好，曾给好友写信：我立志驱除南犯的敌人，只恐您的马鞭打到我前面。　汤网：商汤看见猎人四面用网围住以捕鸟，就说：这是夏桀的做法。于是猎人去掉三面，只留一面。诸侯听说后，赞叹说：商汤的仁慈兼及禽兽，真是德行高尚啊。

[译文] 勉励他人发愤进取，叫"猛著祖鞭"；求人宽恕，叫"幸开汤网"。

拔帜立帜，韩信之计甚奇；楚弓楚得，楚王所见未大。

[注释] 拔帜立帜：韩信打仗时，曾要求部下将敌人阵地的旗帜全部换成自己的旗帜，结果使敌人大败。事具《史记·淮阴侯列传》。后遂用以为偷换取胜或战胜、胜利之典。　楚弓楚得：楚王的弓丢失了，手下人要求去找。楚王说：楚人丢失了弓，还不是楚人拾到了，不用去找。事具刘向《说苑·至公》。后因以比喻虽有所失而利未外溢。

[译文] 拔去赵国的白旗，换上汉军的红旗，造成赵军大败，韩

信的这个计谋算得上奇策；春秋楚共王出游丢了良弓，他说："楚人丢弓，楚人拾，不必去找。"楚王的心胸还不够开阔。

董安于性缓，常佩弦以自急；西门豹性急，常佩韦以自宽。

[注释] 弦：弓弦。 韦：牛皮。弓弦是紧绷的，而牛皮比较柔韧。

[译文] 春秋晋国董安于生性缓慢，所以常佩着弓箭，提醒自己的行动要迅速一点；魏国西门豹生性急躁，所以常佩着牛皮宽带，提醒自己的行动要宽缓一些。

汉孟敏尝堕甑不顾，知其无益；
宋太祖谓犯法有剑，正欲立威。

[注释] 堕甑（zèng）：《后汉书·郭符许列传》："（孟敏）客居太原。荷甑堕地，不顾而去。林宗见而问其意。对曰：'甑以破矣，视之何益？'"后因以"堕甑"比喻事已过去，无法挽回，不必再作无益的回顾。

[译文] 汉朝孟敏曾把挑着的甑掉在地上，他头也不回继续往前走，因为他知道甑已破了，再看也没用。宋太祖曾说过："有人敢犯我的法令，我的剑在此！"他正想以此树立自己的权威。

王衍清谈，常持麈拂；横渠讲《易》，每拥皋比。

[注释] 麈（zhǔ）拂：古人闲谈时执以驱虫、掸尘的一种工具。在细长的木条两边及上端插设兽毛，或直接让兽毛垂露外面，类似马尾松。因古代传说麈迁徙时，以前麈之尾为方向标志，故称。后古人清谈时必执麈尾，相沿成习，为名流雅器，不谈时，亦常执在手。 横渠：宋代张载，号横渠。

[译文] 晋朝王衍喜欢"清谈"，手里常拿着麈拂；宋朝张载每次讲《易经》，都是坐在虎皮褥子上。

尾生抱桥而死，固执不通；楚妃守符而亡，贞信可录。

[注释] 尾生：古代传说中坚守信约的男子。《庄子·盗跖》："尾生与女子期于梁下，女子不来，水至不去，抱梁柱而死。"

[译文] 传说战国时有个叫尾声的，曾和一女子相约在蓝桥幽会，女子没来，突然河水暴涨，尾声不愿离开，固执而不知变通，抱着桥柱被活活淹死。春秋楚昭王出游留妃子贞姜在渐台，相约召她必要见信符。后来楚昭王派使者去召她，使者忘了带信符，贞姜不敢随行，结果河水涌来，渐台崩溃，贞姜被淹死。这样的贞节守信，真可载入史册。

温峤昔燃犀，照见水族之鬼怪；
秦政有方镜，照见世人之邪心。

[注释] 燃犀（xī）：南朝宋刘敬叔《异苑》卷七："晋温峤至牛渚矶，闻水底有音乐之声，水深不可测。传言下多怪物。乃燃犀角而照之。须臾，水族覆火，奇形异状。"后以燃犀为烛照水下鳞介之怪的典实。 方镜：《西京杂记》卷三："（秦始皇）有方镜……人直来照之，影则倒见。以手扪心而来，即见肠胃五脏……始皇常以照宫人，胆张心动者，则杀之。"

[译文] 晋朝温峤有犀牛角，点燃可以照见水中的鬼怪；秦始皇嬴政有一面方镜，能照见人的邪恶之心。

车载斗量之人，不可胜数；南金东箭之品，实是堪奇。

[注释] 车载斗量：形容数量很多。多用以表示不足为奇。《三国志·吴志·吴主传》"遣都尉赵咨使魏"，裴松之注引三国吴韦昭《吴书》："（魏文帝）又曰：'吴如大夫者几人？'咨曰：'聪明特达者八九十人，如臣之比，车载斗量，不可胜数。'" 南金东箭：古时以南方的金石和东方的竹箭为华美贵重之物。后因以比喻优秀杰出的人才。

[译文] 三国魏主曹丕曾问吴王孙权的使者赵咨："吴国像你这样的人有多少？"赵回答："像我这样的人，车载斗量，不可胜数。"南方的金石，东方的竹箭，都是珍贵难得的物品。

传檄可定，极言敌之易破；迎刃而解，甚言事之易为。

[注释] 传檄可定：韩信曾说，三秦地区传一道檄文就可以平定了。　迎刃而解：晋代杜预进攻吴国时说，现在的形势就像劈竹子，破开数节以后，就可以迎刃而解了。

[译文] "传檄可定"，比喻敌人很容易就能攻破；"迎刃而解"，比喻事情很容易做成。

以铜为鉴，可整衣冠；以古为鉴，可知兴替。

[注释] 铜：铜镜。　替：更替。

[译文] 用铜做镜子，可以整衣冠；以古为借鉴，可以知历代兴衰更替。

【增】

侧理为纸别号，玄香乃墨佳名。

[注释] 侧理：侧理纸的省称。纸名。即苔纸。晋王嘉《拾遗记·晋时事》："侧理纸万番，此南越所献。后人言陟理，与侧理相乱。南人以海苔为纸，其理纵横斜侧，因以为名。"　玄香：墨的别名。

[译文] "侧理"是纸的别号，"玄香"是墨的佳称。

砚彩鲜明，公权曾评鸲眼；笔锋劲健，钟繇惯用鼠须。

[注释] 鸲（yù）眼：鸲（qú）鹆眼。《砚谱》："端溪中之砚石有鸲鹆眼，黄黑相间，晶莹可爱，谓之活眼。"鸲鹆，俗称八哥。　鼠须：鼠须笔的省称。

[译文] 砚台光彩鲜明，唐朝柳公权曾评说为"鸲眼"；三国魏钟繇写的字笔锋劲健，是因为他习惯用鼠须制成的毛笔。

秦皇见匕首而惊走，考叔取蜃弧以先登。

[注释]"秦皇"句:事见《史记·刺客列传》。 蝥弧:春秋诸侯郑伯旗名。后借指军旗。

[译文]战国燕荆轲刺秦王,露出卷在燕国地图里的匕首,惊得秦王连忙躲避;春秋时郑国攻打许国,颍考叔举着郑公的蝥弧旗率先登上城墙,降服了对方。

蛇矛龙盾,声雄太乙之坛;紫电青霜,锐比昆吾之剑。

[注释]蛇矛:矛之长者。 龙盾:画有龙的盾牌。 紫电、青霜、昆吾:皆宝剑名。

[译文]古代出师,都要拿着蛇矛龙盾,筑台祭祀太乙神;三国吴孙权的紫电剑,汉高祖的青霜剑都是名剑,他们的冶炼质量都和周穆王的昆吾剑不相上下。

为炊必用土锉,汲井应借辘轳。

[注释]土锉:犹今之砂锅。 辘轳:利用轮轴原理制成的井上汲水的起重装置。

[译文]做饭必须要用土锉,汲取井水应借助辘轳。

睡爱珊瑚枕上凹,人情乃尔;饮怜琥珀杯中滑,我意犹然。

[注释]睡爱珊瑚枕上凹、饮怜琥珀杯中滑:邹圣脉以为唐诗句。其出处未详。

[译文]人都喜欢睡在用珊瑚做成的枕头的凹陷处,这是人之常情;饮酒都爱用光滑的琥珀杯,我也一样。

石季龙坐五香席上,李太白卧七宝床中。

[注释]五香席:《邺中记》:"石季龙作席,以金裹五香,杂以五采线,编蒲皮缘之以锦六采。" 七宝床:唐玄宗以七宝床置之金銮殿中,使李白坐卧,宠遇如此。事具《新唐书》。

[译文] 晋朝石崇家待客的锦缎坐垫里都放有五种香料；唐玄宗召见李白，让他坐卧在用七种珍宝镶嵌的床上。

云绕匡庐，案化葛仙之麂；浪翻雷泽，梭飞陶母之龙。

[注释] "云绕匡庐"二句：《神仙传》："葛仙翁凭桐木几于女几山学道数十年，白日登仙，几化为白麂，三足，时出于山上。" "浪翻雷泽"二句：《太平御览》引《晋书》曰："陶侃少时渔于雷泽，尝网得一织梭，以挂于壁，有顷雷雨至，遂为龙而去。"

[译文] 晋朝葛洪隐居在云烟缭绕的庐山，他用桐木做成的几案，忽然化作白麂而去；晋朝陶潜的母亲把织梭投进雷泽湖中，顿时波浪翻腾，织梭化作飞龙而去。

庾老据胡床谈咏，诸佐皆欢；孔明执羽扇指挥，三军用命。

[注释] 胡床：一种可以折叠的轻便坐具。又称交床。

[译文] 晋朝庾亮镇守武昌，中秋夜坐在胡床上和部下聊天咏诗到天明，大家都很高兴；三国蜀相诸葛亮手里拿着羽扇指挥三军，将士们都听从他的命令。

以圣贤为柱杖，却优于九节苍藤；
以仁义作剑锋，绝胜于七星白刃。

[注释] 以圣贤为柱杖：《新语》："圣人居高处上，则以仁义为巢；乘危履倾，则以圣贤为杖。"

[译文] 把圣贤人当拐杖依靠，的确比神仙用的九节苍藤拐杖还要优越；用仁义作剑锋，绝对胜过镶着七颗珠宝的大刀。

上公膺宠命，已知高坐肩舆；末士少豪雄，可惜倒持手版。

[注释] 肩舆：轿子。 手版：即笏（hù）。古时大臣朝见时，用以指画

或记事的狭长板子。

[译文] 三国魏钟繇为上公，因膝盖有病，皇上特别恩准他坐轿上朝；晋朝大将桓温反叛，召见谢安、王坦之，准备杀害他们。王坦之吓得汗流浃背，连手中的笏板都颠倒了。

珍 宝

山川之精英，每泄为至宝；乾坤之瑞气，恒结为奇珍。
故玉足以庇嘉谷，珠可以御火灾。
[注释] 嘉谷：古以粟为嘉谷，后为五谷的总称。
[译文] 山川之间蕴藏的精华，每每泄露出来就成为至宝；天地间的瑞气，如果凝结起来就成为奇珍。所以宝玉可以庇护五谷，使它免遭灾害；珍珠可以防御火灾。

鱼目岂可混珠，碔砆焉能乱玉。
[注释] 碔砆 (wǔ fū)：似玉之石。
[译文] 鱼目虽然明亮，但怎么可以混同于珍珠呢？碔砆虽然很像玉，但怎么能乱真呢？

黄金生于丽水，白银出自朱提。
[注释] 丽水：金沙江。出产金沙。 朱提：朱提山，在四川西部。出产白银。
[译文] 黄金来自丽水，白银产于朱提山。

曰孔方、曰家兄，俱为钱号；曰青蚨、曰鹅眼，亦是钱名。
[注释] 孔方：钱的谑称。旧时铜钱外圆，中有方孔，故名。 家兄：可

借指金钱。因钱别号孔方兄,故有此称。 青蚨:《搜神记》中记载的一种虫子。据说捉住母虫,子虫就飞来,捉住子虫,母虫就飞来,将母虫和子虫的血涂在八十一文钱上,无论是先用母钱或先用子钱,都会飞回来。 鹅眼:宋代沈庆通家私铸的钱,一千文穿起来还不到三寸长,质地较劣。

[译文]"孔方"、"家兄",都是钱的别号;"青蚨"、"鹅眼",也是钱的名称。

可贵者明月夜光之珠,可珍者璠玙琬琰之玉。
[注释]璠玙(fán yú)、琬琰(wǎn yǎn):皆为美玉的名称。
[译文]最珍贵的是明月珠、夜光珠,最珍奇的是璠玙玉、琬琰玉。

宋人以燕石为玉,什袭缇巾之中;
楚王以凿玉为石,两刖卞和之足。
[注释]什袭:重重包裹,谓郑重珍藏。什,十。 缇(tí)巾:橘红色的丝巾。 刖(yuè):砍掉脚或脚趾。古代酷刑之一。
[译文]宋人得到一块燕石,以为是宝玉,用红色的丝巾层层裹藏起来;卞和得到一块未开凿的宝石,先后献给楚厉王和楚武王,但都被他们认为是假的,厉王砍掉了卞和的左足,武王又砍掉了他的右脚。

惠王之珠,光能照乘;和氏之璧,价重连城。
[注释]惠王:战国时魏惠王。曾吹嘘自己有玉能照亮前后十二乘车。
[译文]战国魏惠王有宝珠,光亮能照见前后十二辆车;赵惠王得到和氏璧,秦昭王愿用十五座城来换取它,真是价值连城。

鲛人泣泪成珠,宋人削玉为楮。

[注释] 鲛（jiāo）人：神话传说中的人鱼。

[译文] 《博物志》上说，居住在海底的人鱼，哭出来的眼泪能变成珠宝；宋国有人将玉削成楮叶形，混在楮叶中，真假难辨。

贤乃国家之宝，儒为席上之珍。

[注释] 儒：谓读书人。

[译文] 贤臣好比国家的瑰宝，读书人好比是宴席上的珍馐。

王者聘贤，束帛加璧；真儒抱道，怀瑾握瑜。

[注释] 束帛：捆为一束的五匹帛。古代用为聘问、馈赠的礼物。 瑾、瑜：都指美玉。

[译文] 君王聘请有贤能的人，送上成束的锦帛，还要加上璧玉；读书人守着自己的为人之道，就如怀揣美玉一样。

雍伯多缘，种玉于蓝田而得美妇；
太公奇遇，钓璜于渭水而遇文王。

[注释] 雍伯：当作伯雍。指晋人杨伯雍。详见《婚姻》。 太公：姜子牙。

[译文] 晋人杨伯雍将仙人送给他的石子种在蓝田，结果得到一块宝玉，他用这块宝玉娶了一个美女作妻子；姜太公在渭水钓到一条鲤鱼，鱼肚里有一块璜玉，上有"周受命，吕佐之"等字样，后来果真遇到了周文王，请他辅政。

剖腹藏珠，爱财而不爱命；缠头作锦，助舞而更助娇。

[注释] 剖腹藏珠：比喻自私或惜物过甚。 缠头：详见《女子》。

[译文] 西域商人得到美珠，剖腹藏在肚子里，真是爱财而不知爱命；用锦缎缠头跳舞，不仅能助舞兴，更能生出许多娇媚之态。

孟尝廉洁,克俾合浦还珠;相如忠勇,能使秦廷归璧。

[注释] 克俾(bǐ):能够使的意思。

[译文] 东汉时广东合浦产玉,只因遇到贪官,这些珠子都跑到别的地方去了。后来孟尝当了合浦太守,廉洁奉公,革除前弊,珠子又都回到了合浦。春秋赵国宰相蔺相如忠勇有谋,能让被秦昭王骗去的和氏璧仍归还赵国。

玉钗作燕飞,汉宫之异事;金钱成蝶舞,唐库之奇传。

[注释] 玉钗作燕飞:汉武帝受两仙女赠玉钗,他送给了宠妾赵婕妤,宫人想打碎玉钗,结果玉钗变成白燕飞天而去。 金钱成蝶舞:唐穆宗时,宫中牡丹花开放,有黄色、白色的蝴蝶数万在花间飞舞,皇帝命令张网捕捉,得到数百只,仔细一看,原来是府库的金钱。

[译文] 玉钗化为燕子飞去,这是汉代宫中的怪事;金钱变作蝴蝶飞舞,这是唐朝国库的传奇。

广钱固可以通神,营利乃为鬼所笑。

[注释] 广钱:很多钱。

[译文] 唐朝张延赏办案,有人送他十万贯钱收买他,他说:"钱十万,可通神,我怕带来灾祸。"于是他把案子停办了。南朝宋刘伯龙,虽在朝廷内外做官,家里仍很清贫,有一次想经营一毛之利的生意,见旁边一个鬼在拍手大笑。他叹息说:"贫穷是命定的,今日的事被鬼取笑了。"

以小致大,谓之抛砖引玉;不知所贵,谓之买椟还珠。

[注释] 抛砖引玉:常用为以浅拙引出高明的谦词。 买椟还珠:楚国有人用精美的木匣装着珍珠卖,郑国有一个人买走了匣子而将匣中的珍珠还给了他。喻舍本逐末,取舍不当。

[译文] 以小的引来大的,叫"抛砖引玉";不知物件的贵重,

取舍不当,叫"买椟还珠"。

贤否罹害,如玉石俱焚;贪婪无厌,虽锱铢必算。
[注释] 罹(lí):遭受。 锱铢(zī zhū):极小的重量单位。
[译文] 好人与坏人一起蒙受祸害,就如同美玉与石头一同被焚毁;贪得无厌的人,连一丝一毫的钱财也要计较。

崔烈以钱买官,人皆恶其铜臭;
秦嫂不敢视叔,自言畏其多金。
[注释] 铜臭(xiù):用来讥讽用钱买官或豪富者。
[译文] 汉朝崔烈是冀州名士,拿钱买了个司徒的官职,他儿子告诉他:"现在人家都嫌你身上有铜臭味。"战国苏秦未当官时,他嫂子不给他做饭吃,当了赵国丞相后,嫂子愧而不敢看他。苏秦问:"嫂子为何前倨傲而后自卑呢?"他嫂子答:"因为你现在位尊而钱多。"

熊衮父亡,天乃雨钱助葬;仲儒家窘,天乃雨金济贫。
[注释] 熊衮:唐代御史大夫,廉洁自律,家无余财,父亡而不能葬,上天降下十万钱,助其葬父。 仲儒:汉朝翁仲儒家贫,上天降下十斛金以周济。
[译文] 熊衮的父亲死了,天上降下钱来帮助他办理丧事;翁仲儒家境窘迫,天上落下金子救济他。

汉杨震畏四知而辞金,唐太宗因惩贪而赐绢。
[注释] 汉杨震畏四知而辞金:汉朝杨震举荐王密为县令,王密深夜送他黄金十斤,说此事夜里无人知。杨震说:"天知地知你知我知,怎么叫无人知呢?"拒绝了王密的馈赠。 唐太宗因惩贪而赐绢:唐太宗时长孙顺德接受他

人贿赂的绢帛，太宗知道后，又赐他绢帛十四。有人问太宗为什么这样做，太宗说："他有人性，得绢帛后感到的耻辱，比受刑还难受。"顺德果然羞愧难当。

[译文] 汉代杨震说天知地知你知我知，不接受别人的贿赂；唐太宗为惩治贪污，故意赐给受贿人绢帛。

晋鲁褒作《钱神论》，尝以钱为孔方兄；
王夷甫口不言钱，乃谓钱为阿堵物。

[注释] 阿堵物：《世说新语·规箴》："王夷甫雅尚玄远，常嫉其妇贪浊，口未尝言钱字。妇欲试之，令婢以钱绕床不得行。夷甫晨起，呼婢曰：'举却阿堵物。'"后遂以阿堵物指钱。

[译文] 晋朝人鲁褒作《钱神论》，称钱为"孔方兄"；王夷甫口中不说钱字，以"阿堵物"代称。

然而床头金尽，壮士无颜；囊内钱空，阮郎羞涩。

[注释] 阮郎羞涩：晋代阮孚带一个布囊游会稽，有人问他包中何物，阮孚说："只有一文钱看包，恐怕它会羞涩。"

[译文] 然而古诗中说："床头黄金尽，壮士无颜色。"真要是身上分文没有，大丈夫脸上也无光彩。晋朝阮孚囊中无钱，略觉羞愧。

但匹夫不可怀璧，人生孰不爱财。

[注释] 匹夫：泛指平民百姓。

[译文] 但是平常百姓不要私藏璧玉，以免引来灾祸；可是人生又有谁不爱财呢？但要取之有道。

【增】

斑斑美玉，瑟瑟灵珠。

[注释] 斑斑：玉名。 瑟瑟：珠名。

[译文] "斑斑"，美玉名；"瑟瑟"，宝珠名。

琉璃瓶，最宜卜相；琥珀盏，尤可酌宾。

[注释] 卜相：占卜看相以断吉凶。

[译文] 琉璃瓶，最适合用来占卜；用琥珀做酒杯，可以招待宾客。

嗣续将盛，鸣鸠化金带之钩；爵禄弥高，飞鹊幻玉纹之印。

[注释] 嗣续：后嗣，子孙。

[译文] 山西张氏世代有阴德，一天有鸠鸟飞入他的杯中，变成一只金带钩。后来他的子孙繁衍，家业逐渐兴盛。唐朝张璟见一只飞鹊坠地变成石头，剖开后得一枚玉印，上有"忠孝侯之印"字样，后来果被封侯。

魏博铁铸错，悔恨已迟；张说记事珠，遗忘可免。

[注释] 魏博铁铸错：五代后梁罗绍威守魏博镇，错杀了部将魏承嗣的士兵。后来罗被朱温所困，对亲信说："就是把魏博六州四十三个县的铁都聚拢起来铸成一个错（锉的谐音，即锉刀），也没有这个错大。" 张说记事珠：唐朝宰相张说有颗能记事的珠子，有事忘记了，只要拨弄珠子，马上就会记起。

[译文] 罗绍威错杀士兵，追悔莫及；张说有颗记事的珠子，可免遗忘。

夏桀乃昏庸主，国有瑶台；郭况是贵戚卿，家多金穴。

[注释] 瑶台：神话传说中神仙所居之地。此谓供夏桀玩乐之地。

[译文] 夏朝桀王是个昏庸君主，建有用美玉砌成的瑶台；东汉

卷三 247

光武帝的内弟郭况是皇亲贵族，家有多处贮金的洞穴。

韩嫣一出，儿童觅绿野之金丸；
汉祖既还，亚夫撞鸿门之玉斗。

[注释] 韩嫣：西汉武帝时，宫中宠臣。　亚夫：范增。追随项羽，为其主要谋士，封历阳侯，享"亚父"之尊。

[译文] 西汉韩嫣生活奢侈，常用金子作弹丸打鸟取乐。每次出门，后面就跟着一群儿童，寻找落在地上的金弹丸。汉高祖赴鸿门宴，席上项羽不忍心，使刘邦设计逃回汉营。范增用剑击碎刘邦送给他的一对玉斗，说："将来夺项王天下者，必沛公也。"

刻岷姬之形以玉，好色惟然；铸范蠡之像以金，尊贤乃尔。

[注释] 岷姬：岷，岷山。姬，美女。　范蠡：春秋末期的政治家、军事家和经济学家。曾辅助越王勾践灭吴。

[译文] 夏桀征伐岷山，岷山君献上琬、琰二美女，桀将二美女的长相刻在玉石上，可见夏桀的好色依然。春秋末越国大夫范蠡泛舟游五湖，不知去向。越王勾践想念他，用黄金铸成人像，可见勾践的尊贤之心就是如此。

珊瑚树，塞满齐奴之室；玛瑙盘，捧来行俭之家。

[注释] 齐奴：西晋石崇的小名。　行俭：唐名臣裴行俭。其家中有个二尺长的玛瑙盘，军吏不慎跌碎，行俭没有责怪。人们很佩服他的气度，同时也说明他家珍宝很多。

[译文] 名贵的珊瑚树，塞满了石崇的居室；稀有的玛瑙盘，能捧出它的是裴行俭的家。

燕昭王之凉珠，炎蒸无暑；扶馀国之火玉，冽冱无寒。

[注释] 洌冱（hù）：寒冷貌。

[译文] 战国燕昭王有黑蚌珠，夏天怀之，遍体清凉，昭王为珠取名"清暑招凉珠"；唐武宗时，扶馀国进贡火玉，冬天放在室内，可驱寒冷。

锦帆锦帐，炫人耳目；金埓金坞，骇我见闻。

[注释] 金埓（liè）：用钱币筑成的界垣。

[译文] 隋炀帝用锦缎做的船帆，晋石崇用锦缎做成的四十里屏障，这都是炫耀自己的富有给人看的；晋朝王济用钱币垒骑射场的矮墙，东汉董卓用黄金筑成金坞，真是骇人听闻。

从吾所好，岂曰富而可求；有命存焉，当以不贪为宝。

[注释] 好：爱好。

[译文] 孔子说过，做事按自己的喜好，难道财富是可以求来的吗？春秋宋国子罕说过，人生是天命所定，应当以不贪为宝。

贫 富

命之修短有数，人之富贵在天。

[注释] 修短：长短。指人的寿命。

[译文] 人的生命长短，是有一定气数的；人的富贵贫贱，在于天命。

惟君子安贫，达人知命。

[注释] 达人：通达事理的人。

[译文] 唯有君子能安于贫困，只有通达事理的人才能了解自己

的命运。

贯朽粟陈，称羡财多之谓；紫标黄榜，封记钱库之名。

[注释] 贯朽：穿钱的绳子朽断。形容积钱多而经久不用。 紫标：紫色标签。 黄榜：黄色标签。《南史·梁临川靖惠王宏传》："宏（萧宏）性爱钱，百万一聚，黄膀标之，千万一库，悬一紫标，如此三十余间……计见钱三亿余万。"

[译文] 穿钱的绳子都腐烂了，粮仓的谷子都陈旧了，这是羡慕人家财多的话；梁武帝萧衍的弟弟生性爱钱，用紫色标示千万钱，用黄色标示百万钱，这都是封闭钱库的标记。

贪爱钱物，谓之钱愚；好置田宅，谓之地癖。

[注释] 钱愚：晋代和峤担任太傅，富比王侯，但是很吝啬，杜预称他为"钱愚"。 地癖：唐李恺善于置办田产，人称"地癖"。

[译文] 贪爱钱物的人，叫"钱愚"；爱置买田宅的人，叫"地癖"。

守钱虏，讥蓄财而不散；落魄夫，谓失业之无依。

[注释] 守钱虏：汉代马援发财后，将其钱财赠予亲朋好友，说："挣了钱，贵在能施舍予人，否则只是守钱虏罢了。"

[译文] "守钱虏"，是讽刺积财却不肯施舍的吝啬鬼；"落魄夫"，是说那些贫困失业，生活无依靠的人。

贫者地无立锥，富者田连阡陌。

[注释] 阡陌：田界。

[译文] 贫穷的人，连锥尖大的土地都没有；富贵的人，田间道路纵横，连成一片。

室如悬磬，言其甚窘；家无儋石，谓其极贫。

[注释] 悬磬：磬，乐器。很光滑。悬磬，形容空无所有，极贫。　儋(dàn)石：儋受一石，故称儋石。儋，通"担"。亦借指少量米粟。

[译文] "室如悬磬"，形容家境极其窘困；"家无儋石"，形容家无积粮，极其贫困。

无米曰在陈，守死曰待毙。

[注释] 在陈：《论语·卫灵公》："（孔子）在陈绝粮，从者病，莫能兴。"后因以"在陈"指饥贫等困境。

[译文] 没有米粮，叫"在陈"；坐着等死，叫"待毙"。

富足曰殷实，命蹇曰数奇。

[注释] 蹇(jiǎn)：六十四卦之一。困苦；困厄。　数奇：指命运不好，遇事多不利。

[译文] 家财富裕充足叫"殷实"，命运不佳、遇事不顺叫"数奇"。

苏涸鲋，乃济人之急；呼庚癸，是乞人之粮。

[注释] 苏涸鲋：使干涸的鲋鱼苏醒。　庚癸：古代军中隐语。谓告贷粮食。

[译文] "苏涸鲋"，是比喻救助身陷困境的人；"呼庚癸"，是乞讨粮食的隐语。

家徒壁立，司马相如之贫；㸑麇为炊，秦百里奚之苦。

[注释] 家徒壁立：家中贫穷，一无所有。《史记·司马相如列传》："文君夜亡奔相如，相如乃与驰归成都。家居徒四壁立。"　㸑麇(yǎn yí)：门闩。《颜氏家训·书证》："古乐府歌《百里奚词》曰：'百里奚，五羊皮。忆别时，烹伏雌，炊㸑麇；今日富贵忘我为！'……然则当时贫困，并以门牡木

作薪炊耳。"

[译文]家中只有四面空壁,没有他物,这是汉朝司马相如贫困时的情况;用牛皮烧火做饭,是指秦国丞相百里奚当初生活极为贫苦。

鹄形菜色,皆穷民饥饿之形;炊骨爨骸,谓军中乏粮之惨。

[注释]鹄形菜色:鹄,天鹅,面瘦颈长。鹄形,枯瘦貌。菜色,营养不良的脸色。 炊骨爨(cuàn)骸:用死人骸骨做饭。爨意同炊。

[译文]脸像鹄鸟一样瘦削,面色像烂菜叶一样青黄,这都是穷人饥饿时的形象;用死人的骸骨烧火做饭,形容军中无粮的惨状。

饿死留君臣之义,伯夷叔齐;资财敌王公之富,陶朱倚顿。

[注释]伯夷叔齐:详注《兄弟》。 陶朱倚顿:陶朱,指范蠡,积财产百万,自号陶朱公。倚顿,山东贫士,听说陶朱公致富,前往请教致富之术,很快致富。

[译文]伯夷、叔齐宁愿饿死也不吃周粟,把君臣大义留在心中;陶朱、倚顿善于经营,资产比得上王公贵族。

石崇杀妓以侑酒,恃富行凶;何曾一食费万钱,奢侈过甚。

[注释]侑(yòu):劝。多用于酒食、宴饮。

[译文]晋朝的石崇请人喝酒,有客人不喝,就杀死两个陪酒的美姬。这是倚仗自己富豪,杀人行凶。晋朝何曾一天吃饭要花费万钱,还说无处下筷,没什么可吃的,这种奢侈生活真是太过分了。

二月卖新丝,五月粜新谷,真是剜肉医疮;

三年耕而有一年之食,九年耕而有三年之食,庶几遇荒有备。

[注释] 剜肉医疮：语本唐聂夷中《伤田家》诗："二月卖新丝，五月粜新谷。医得眼前疮，剜却心头肉。" 庶几：希望；但愿。

[译文] 二月蚕尚未吐丝就要卖掉，五月谷还未熟就要粜出，为的是能预先支用点钱，这真是如同剜去好肉，医治痊伤一样心疼；三年耕作留出一年的粮食，九年耕作就能留有三年的粮食，这是为了防备荒年用的。

贫士之肠习藜苋，富人之口厌膏粱。

[注释] 藜苋：藜和苋。泛指贫者所食之粗劣菜蔬。 膏粱：肥美的食物。

[译文] 贫穷人的肠胃习惯吃藜草苋菜，富贵人的嘴吃腻了肥肉好米。

石崇以蜡代薪，王恺以饴沃釜。

[注释] 沃：荡涤；洗濯。 釜：古炊器。敛口，圆底，或有二耳。

[译文] 晋朝石崇以蜡代替柴薪煮饭，王恺以饴糖来洗锅。

范丹蛙生土灶，破甑生尘；曾子捉襟见肘，纳履决踵。

[注释] 甑（zèng）：蒸食炊器。其底有孔，古用陶制，殷周时代有以青铜制，后多用木制。俗叫甑子。 踵（zhǒng）：脚后跟。

[译文] 东汉范丹做莱芜县令时，家贫经常断粮，土灶里生出青蛙，瓦锅里积满了尘土；孔子门徒曾子穿的衣服破旧，捉住衣襟就能露出胳膊肘，穿的鞋露着脚后跟。

子路衣敝缊袍，与轻裘立，贫不胜言；
韦庄数米而炊，称薪而爨，俭有可鄙。

[注释] 缊（yùn）：新旧混合的绵絮，乱絮。 轻裘：轻暖的皮衣。 爨

(cuàn)：烧火煮饭。

[译文] 子路穿着破旧的棉袍和穿着皮衣的人站在一起，实在是穷得可怜；韦庄生性吝啬，做饭要数米粒下锅，柴薪称了分量方使用，过分的吝啬是会惹人鄙视的。

总之，饱德之士不愿膏粱；闻誉之施奚图文绣？
[注释] 闻誉：语本《孟子·告子上》："令闻广誉施于身，所以不愿人之文绣也。"后因以"闻誉"指到处皆知的好名声。 奚（xī）：疑问词。为何，为什么。 文绣：刺绣华美的丝织品或衣服。

[译文] 总之，满腹仁义道德的人，不愿吃肥肉好米的美餐；有声誉的人，何必贪图锦绣的衣服呢？

【增】
公孙牧豕营业，宁思相位；灌婴贩缯为业，岂意封侯？
[注释] 牧豕（shǐ）：牧，饲养。豕，猪。 缯（zēng）：古代丝织品的总称。

[译文] 汉朝丞相公孙弘本是养猪出身，他怎么会想到将来能居丞相的高位呢？大臣灌婴曾以贩布为业，他哪里会料到日后封侯呢？

郭泰欲为斗筲役，无可奈何；班超更作书写佣，不得已尔。
[注释] 斗筲（shāo）：斗与筲。皆为量小的容器。喻低微、卑贱。

[译文] 汉朝郭泰家贫早孤，去做职位很低的小役，这是无可奈何的事；班超在穷困时，曾做过替人抄书的佣人，这也是不得已的选择。

朱桃椎掷还鹿帻，自知本命合穷；

苏季子破损貂裘,谁意运之能泰?

[注释] 鹿帻(zé):鹿皮制成的头巾。多为隐士所戴。

[译文] 唐朝朱桃椎身穿破衣,他掷还别人送他的鹿巾,这是知道自己命中该是穷人;苏秦到秦国求官,把身上的貂皮大衣都穿破了,谁会想到他以后仕途通达呢?

苦矣卫青作牧,牛背后受主鞭笞;
惜哉栾布为奴,马头前代人奔走。

[注释] 鞭笞(chī):鞭打。

[译文] 最苦的人是汉朝的卫青,曾为人放牛,受到主人的鞭打;最可怜的人是栾布,曾被人卖为奴隶,鞍前马后代人奔走。

扬雄《逐贫赋》,人谓其逐之何迟;
韩愈《送穷文》,我怪其送之不蚤。

[注释] 蚤(zǎo):通"早"。指时间在先的。和"迟"相对。

[译文] 汉朝扬雄写过《逐贫赋》,人们说他"逐"得太迟了;唐朝韩愈写过《送穷文》,我怪他"送"得太晚了。

异宝充盈,王氏都云富窟;佳肴错杂,郇公常列珍厨。

[注释] 富窟:五代王仁裕《开元天宝遗事》卷下:"王元宝,都中巨豪也。常以金银迭为屋,壁上以红泥泥之……又以铜线穿钱,鐅于后园花径中,贵其泥雨不滑也。四方宾客,所至如归。时人呼为'王家富窟'。"后因称豪门华贵的住宅为"富窟"。 珍厨:《渊鉴类函》卷三百十三:"韦陟厨中饮食香味错杂,人入其中,多饱饫而归。时人为之语曰:'人欲不饭筋骨舒,夤缘须入郇公厨。'"唐开元中,韦陟袭郇国公。

[译文] 唐朝王元宝家塞满了金银珠宝,人们都说他家是个"富窟";韦陟家的厨房里摆满了各种美味佳肴,人称他的厨房为"郇

公厨"。

董卓积宝郿中,压残金坞;邓通布钱天下,铸尽铜山。

[注释] 金坞:《山堂肆考》卷一百一十:"董卓筑郿坞,高与长安城埒,积谷为三十年储。云:'事成,雄据天下。不成,守此足以毕老。'及卓死,坞中藏金二三万斤,银九万斤,奇玩杂物山崇阜积,不知其数,因号金坞。" 铜山:蕴藏、出产铜矿的山。《史记·佞幸列传》:"(文帝)于是赐邓通蜀严道铜山,得自铸钱,'邓氏钱'布天下。"

[译文] 东汉董卓把金银财宝都堆积在郿中的金坞,几乎把金坞都压塌了;汉文帝宠爱邓通,赐他一座四川的铜山,任凭他铸造钱币,邓氏钱币遍天下。

象牙床,鱼生太侈;火浣衣,石氏何多。

[注释] 火浣(huàn)衣:用火浣布做成的衣服。火浣布,即石棉布。

[译文] 用象牙造床,梁朝鱼容的生活太奢侈了;用外国进贡的火浣布做衣服,只有皇帝才有,可是晋朝石崇家的奴仆却人人都穿火浣衣,他家的火浣衣何其多也。

妇乳饮豚,畜类翻成人类;儿口承唾,家童充作用壶。

[注释] 豚(tún):小猪。亦泛指猪。

[译文] 晋朝王武子家用人乳喂猪,把牲畜当成了人类;晋朝符郎把家僮当痰盂,跪着张口就接客人吐的痰。

牙樯锦缆,隋炀增远渚之奇;玉凤金龙,元宝侈华堂之胜。

[注释] 渚(zhǔ):水中的小块陆地。

[译文] 隋炀帝用象牙做船桅,用锦缎做缆绳,增加其乘龙舟远游的光彩;唐朝王元宝居室的窗户上有玉雕的凤,金铸的龙,炫耀

其府第的豪华。

疾病死丧

福寿康宁,固人之所同欲;死亡疾病,亦人所不能无。
惟智者能调,达人自玉。

[注释] 福寿康宁:幸福、长寿、健康、安宁。

[译文] 福寿康宁,固然是人们共同的欲望;但死亡疾病,也是人所不能免除的。只有聪明的人才能调理好自己的身体,通达事理的人,才会珍惜自己的身体如玉。

问人病曰贵体违和,自谓疾曰偶沾微恙。

[注释] 违和:身体失于调理而不适。用于称他人患病的婉词。 微恙:小病。

[译文] 问候别人病情,说是"贵体违和";称自己有病,就说"偶沾微恙"。

罹病者,甚为造化小儿所苦;患疾者,岂是实沈台骀为灾。

[注释] 造化小儿:戏称司命之神。 实沈:古代神话谓高辛氏的季子名实沈,是参宿之神。 台骀(tāi):相传上古金天氏少皞的后代昧之子,为汾水之神。实沈、台骀皆可使人生病。

[译文] 被疾病困扰,就说生病的人深受"造化小儿"折磨;患了疾病,难道说是"实沈"、"台骀"作怪吗?

病不可为,曰膏肓;平安无事,曰无恙。

[注释] 膏肓(huāng):古代医学以心尖脂肪为膏,心脏与膈膜之间为

肓。后遂用以称病之难治者。　无恙：没有疾病。

[译文] 疾病已不可治疗，叫"膏肓"；平安无事，叫"无恙"。

采薪之忧，谦言抱病；河鱼之患，系是腹疾。
[注释] 采薪之忧：患病不能打柴。　河鱼之患：鱼腐烂是从内至外，故用河鱼之患指腹泻。

[译文] "采薪之忧"，是有病的谦称；"河鱼之患"，是指腹泻。

可以勿药，喜其病安；厥疾勿瘳，言其病笃。
[注释] 厥：助词。无义。　瘳（chōu）：病愈。

[译文] 可以不吃药了，是庆喜自己病已痊愈；有病不能治愈，是说病得很重。

疟不病君子，病君子政为疟耳；
卜所以决疑，既不疑复何卜哉。
[注释] 卜：古人用火灼龟甲，根据裂纹来预测吉凶，叫卜。后泛称用各种形式（如用铜钱、牙牌等）预测吉凶。

[译文] 疟疾是不会病君子的，而能病君子的正是残暴的虐政；卜卦是为了决断疑惑的事情，既然没有疑惑，又何必去占卜呢？

谢安梦鸡而疾不起，因太岁之在酉；
楚王吞蛭而疾乃瘥，因厚德之及人。
[注释] 谢安梦鸡：晋代谢安梦见乘坐桓温的车走了十六里，看见一只白鸡就停下来了，不知何意。后来谢安接替桓温担任宰相，过了十六年忽然得病，谢安才悟到说：原来十六里意味着十六年，见到白鸡而停止，是意味着酉年，我将一病不起了。不久果然病死了。　楚王吞蛭：楚王吃饭时吃出一条水蛭来，想吐掉又怕厨师因此获罪，就勉强吞吃了而得病。令尹知道了其中的缘故，就对楚王说，大王有这样的德行，此病不会有什么伤害。后来果然好了。

[译文] 谢安梦行十六里遇鸡而止，后悟自己在鸡年将病重不起；楚惠王待人仁厚，虽因吞吃了水蛭而生病，但不久便痊愈了。

将属纩、将易簀，皆言人之将死；
作古人、登鬼录，皆言人之已亡。

[注释] 属纩（kuàng）：谓用新绵置于临死者鼻前，察其是否断气。易簀（zé）：更换寝席。簀，华美的竹席。因称人病重将死为易簀。 鬼录：鬼的名册。

[译文]"将属纩"、"将易簀"，都是说人快死了；"作古人"、"登鬼录"，都是指人已死亡。

亲死则丁忧，居丧则读礼。

[注释] 丁忧：遭逢父母丧事。旧制，父母死后，子女要守丧，三年内不做官，不婚娶，不赴宴，不应考。 读礼：古人守丧在家，读有关丧祭的礼书，因称居丧为读礼。

[译文] 古人父母死亡要丁忧，为父母守丧时要读礼书。

在床谓之尸，在棺谓之柩。

[注释] 柩（jiù）：已装尸体的棺材。

[译文] 死者在床上躺着叫"尸"，殓在棺材里叫"柩"。

报丧书曰讣，慰孝子曰唁。

[注释] 讣（fù）：告丧文书。 唁（yàn）：对丧者家属进行慰问。

[译文] 报丧的书信叫"讣"，慰问丧亲的孝子叫"唁"。

往吊曰匍匐，庐墓曰倚庐。

[注释] 匍匐：爬行。此谓前往吊丧。 倚庐：古人为父母守丧时居住的简陋棚屋。

[译文] 前往死者家里去吊唁叫"匍匐",居丧守墓的小屋叫"倚庐"。

寝苫枕块,哀父母之在土;节哀顺变,劝孝子之惜身。
[注释] 寝苫(shān)枕块:苫,古代居丧时,孝子睡的草垫子。块,此谓土块。
[译文] 睡在草垫上,枕着土块,这是哀悼父母入土,不敢自安;节哀顺变,是劝慰孝子要节制哀思,爱惜身体的话。

男子死曰寿终正寝,女人死曰寿终内寝。
[注释] 寿终正寝、寿终内寝:古代男子将要死时,就移到正厅东首,以候气绝;如果是女子仍然躺在内室。正寝,正厅;内寝,内室。
[译文] 男子死叫"寿终正寝",女人死叫"寿终内寝"。

天子死曰崩,诸侯死曰薨,大夫死曰卒,士人死曰不禄,庶人死曰死,童子死曰殇。
[注释] 薨(hōng):自周代始,人之死亡,有尊卑之分,"薨"以称诸侯之死。 殇(shāng):未至成年而死。
[译文] 天子死了叫"崩",自上坠下;诸侯死了叫"薨",奄然而亡;大夫死了叫"卒",终其人生;士人死了叫"不禄",没了俸禄;平民死了叫"死";儿童死了叫殇,未成年而亡。

自谦父死曰孤子,母死曰哀子,父母俱死曰孤哀子。
[注释] 孤哀子:旧时父丧称孤子,母丧称哀子,父母俱亡,称孤哀子。
[译文] 父亲死了,谦称自己为"孤子";母亲死了,谦称为"哀子";父母都死了谦称为"孤哀子"。

自言父死曰失怙,母死曰失恃,父母俱死曰失怙恃。

[注释] 怙(hù):仰仗。 恃(shì):依靠。

[译文] 自己说父亲死了叫"失怙",母亲死了叫"失恃",父母都死了叫"失怙恃"。

父死何谓考,考者成也,已成事业也;
母死何谓妣,妣者媲也,克媲父美也。

[注释] 妣:音bǐ。 媲(pì):匹配。

[译文] 父亲死了为什么称"考"?考,是成的意思,父亲事业已成了。母亲死了为什么称"妣"?妣当"媲"讲,母亲能媲配父亲的美德。

百日内曰泣血,百日外曰稽颡。

[注释] 泣血:无声痛哭,泪如血涌。形容极度悲伤。 稽颡(sǎng):古代一种跪拜礼,屈膝下拜,以额触地,表示极度的虔诚。

[译文] 父母去世百日内的哭泣叫"泣血",百日外居丧者答谢宾客的跪拜礼节叫"稽颡"。

期年曰小祥,两期曰大祥。

[注释] 小祥:古时父母丧后周年的祭名。祭后可稍改善生活及解除丧服的一部分。 大祥:古时父母丧后两周年的祭礼。

[译文] 父母去世一周年的祭祀叫"小祥",两周年的祭祀叫"大祥"。

不缉曰斩衰,缉之曰齐衰,论丧之有轻重;
九月为大功,五月为小功,言服之有等伦。

[注释] 缉(jī):缝衣边。 斩衰(cuī)、齐(zī)衰、大功、小功:

衰，古代丧服。丧服有五种，即斩衰、齐衰、大功、小功、缌麻，按与死者的不同关系而穿，穿的时间也有长短。

[译文] 用粗麻布作丧服，不缝边的叫"斩衰"，缝边的叫"齐衰"，表示服丧有轻重之分；服丧九个月所穿的丧服叫"大功"，服丧五个月的丧服叫"小功"，表示服丧有等级伦次之分。

三月之服曰缌麻，三年将满曰禫礼。

[注释] 缌（sī）麻：古代丧服名。五服中之最轻者，孝服用细麻布制成，服期三个月。 禫（dàn）礼：除丧服的祭礼。

[译文] 丧服服期三个月的叫"缌麻"，服丧满三年要举行除丧服的祭礼叫"禫礼"。

孙承祖服，嫡孙杖期；长子已死，嫡孙承重。

[注释] 杖期：旧时一种服丧礼制。杖，是居丧时拿的棒。期，是一年之丧。期服用杖的称"杖期"；不用杖的则称"不杖期"。

[译文] 孙子辈为祖父母服丧，嫡孙服丧一年，手中拿着丧杖；祖辈亡时如果长子已死，嫡孙应该承接斩衰三年的重任。

死者之器曰明器，待以神明之道；
孝子之杖曰哀杖，以扶哀痛之躯。

[注释] 明器：即冥器。专为随葬而制作的器物，一般用竹、木或陶土制成。 哀杖：丧礼中，孝子因哀痛不能自持，故必扶杖，其杖称"哀杖"。

[译文] 死者的陪葬器物叫"明器"，用对待神明的态度来对待死者；孝子的丧杖叫"哀杖"，用以扶持他哀痛的身躯。

父之节在外，故杖取乎竹；母之节在内，故杖取乎桐。

[注释] 杖：此谓哀杖。

[译文] 父亲的节操表现在外，所以哀杖要用竹子做；母亲的节

操表现在内，所以哀杖要用桐木做。

以财物助丧家，谓之赙；以车马助丧家，谓之赗；
以衣殓死者之身，谓之襚；以玉实死者之口，谓之琀。

[注释] 赙：音 fù。　赗：音 fèng。　襚：音 suì。　琀：音 hán。

[译文] 用钱物帮助丧家叫"赙"，用车马帮助丧家叫"赗"，给死者穿衣服叫"襚"，在死者口里放一块玉叫"琀"。

送丧曰执绋，出柩曰驾輀。

[注释] 执绋（fú）：谓丧葬时手执牵引灵柩的大绳以助行进。　輀（ér）：载运棺柩的车。

[译文] 送葬时牵引灵柩叫"执绋"，出柩叫"驾輀"。

吉地曰牛眠地，筑坟曰马鬣封。

[注释] 牛眠地：晋代陶侃父死，将下葬时，牛不见了，有老人说："牛睡在前面山间污泥中，如果将死者葬在那里，后代会出将军。"陶侃后来果然当了将军。　马鬣（liè）封：孔子安葬母亲后，坟上的封土像马颈上的长毛。鬣，马颈上的长毛。

[译文] 吉祥的葬地，名为"牛眠地"；坟上的封土像马鬃，叫做"马鬣封"。

墓前石人，原名翁仲；柩前功布，今曰铭旌。

[注释] 翁仲：传说秦始皇初兼天下，有长人见于临洮，其长五丈，足迹六尺，仿写其形，铸金人以象之。后遂称铜像或石像为翁仲。　铭旌：竖在灵柩前标志死者官职和姓名的旗幡。多用绛帛粉书。

[译文] 坟墓前的石人，原型是秦朝的翁仲；灵柩前用来旌表死者功德的绛帛，后来叫做"铭旌"。

挽歌始于田横，墓志创于傅奕。

[注释] 田横：汉代田横死后，其门人唱悲歌哀悼，后来演变成唱挽歌的仪式。　傅奕：汉代人，其将死，作志说："傅奕，青山白云人也，以醉死。"

[译文] 悼念死者的挽歌，始于西汉的田横；记载死者生平事迹的墓志，首创于唐朝的傅奕。

生坟曰寿藏，死墓曰佳城。

[注释] 佳城：喻指墓地。《西京杂记》卷四："滕公驾至东都门，马鸣，踢不肯前，以足刨地久之。滕公使士卒掘马所刨地，入地三尺所，得石椁。滕公以烛照之，有铭焉……曰：'佳城郁郁，三千年见白日。吁嗟滕公居此室！'滕公曰：'嗟乎天也！吾死其即安此乎？'死遂葬焉。"

[译文] 生者给自己预建的墓穴，叫"寿藏"；死者的坟墓，叫"佳城"。

坟曰夜台，圹曰窀穸。

[注释] 窀穸（zhūn xī）：墓穴。

[译文] 坟墓又叫"夜台"，墓穴又叫"窀穸"。

已葬曰瘗玉，致祭曰束刍。

[注释] 瘗（yì）玉：埋玉于坑。　束刍（chú）：用于祭奠的物品。

[译文] 死人已经下葬叫"瘗玉"，前往坟前祭奠叫"束刍"。

春祭曰禴，夏祭曰禘，秋祭曰尝，冬祭曰烝。

[注释] 禴（yuè）、禘（dì）、尝、烝（zhēng）：古代四时的祭名。

[译文] 春祭叫做禴，夏祭叫做禘，秋祭叫做尝，冬祭叫做烝。

饮杯卷而抱痛，母子口泽如存；

读父书以增伤，父之手泽未泯。

[注释] 口泽：谓口饮润泽。 手泽：犹手汗。后多用以称先人或前辈的遗墨、遗物等。

[译文] 用母亲用过的杯子饮水，不免抱杯悲痛，因为母亲口中的津液尚存在上面；读父亲留下的书籍，增加悲伤，因为父亲手上的汗渍还没有泯灭。

子羔悲亲而泣血，子夏哭子而丧明。

[译文] 孔子的门徒子羔伤痛失去双亲，泣血三年；子夏痛失儿子，把眼睛都哭瞎了。

王裒哀父之死，门人因废《蓼莪》诗；
王修哭母之亡，邻里遂停桑柘社。

[注释]《蓼莪（lù é）》：《诗·小雅》篇名。此诗表达了子女追慕双亲抚养之德的情思。

[译文] 晋朝王裒哀伤父亲之死，他的门徒不忍再读《诗经》中追念父母的《蓼莪》篇，怕他听了勾起哀思；魏朝王修痛哭母亲亡于社日，邻里停止了社日的祭祀活动，恐怕引起他的伤心。

树欲静而风不息，子欲养而亲不在，皋鱼增感；
与其椎牛而祭墓，不如鸡豚之逮存，曾子兴思。

[注释] 皋鱼增感：皋鱼曾对孔子说："树欲静而风不止，子欲养而亲不待也。" 曾子兴思：曾子曰："往而不可还者，亲也，故孝欲养而亲不待。是故椎牛而葬，不如鸡豚之逮亲存也。"二者皆详《韩诗外传》。

[译文] 树欲静止而风不停，儿子想奉养双亲但双亲却都不在了，这是春秋时皋鱼对孔子说的伤感话；与其杀牛祭奠父母，不如双亲在世时杀鸡宰猪奉养他们，这是孔子弟子曾子读丧礼时的感叹。

故为人子者,当思木本水源,须重慎终追远。

[注释] 慎终追远:重视安葬,追念逝者。

[译文] 所以做儿子的,应当时刻想到木有所本、水自有源,不忘父母生养之恩,也必须慎重办理父母的丧事,虔诚地追念逝者。

【增】

岁在龙蛇,郑玄算促;舍来鵩鸟,贾谊命倾。

[注释] 鵩(fú)鸟:鸟名。似猫头鹰。不祥之鸟也。

[译文] 汉朝郑玄梦见孔子告诉他,太岁在龙年和蛇年,贤人当终。郑玄知道这是预示自己的命数已到,于是寝疾而卒。贾谊为长沙王太傅,有鵩鸟飞入宅舍,便做《鵩鸟赋》而寿尽。

王令出尘寰,天上俄垂玉榇;沈君开窀穸,地中曾现漆灯。

[注释] 榇(chèn):玉棺。榇,古时指内棺,后泛指棺材。

[译文] 东汉王乔为叶县令,快死的时候,天上降下一个玉棺,王乔入棺而卒;南唐沈彬临下葬时,发现他的墓穴原是一个古墓,里面有漆灯和铜牌,上有文:"佳城今已开,虽开不葬埋。漆灯犹未尽,留待沈彬来。"

箧中存稿,相如上封禅之书;牖下停棺,史鱼表陈尸之谏。

[注释] 箧(qiè):小箱子,藏物之具。 牖(yǒu):窗户。

[译文] 汉朝司马相如死后,他的箱箧里存有文稿,是《上封禅书》;窗下停放棺木,春秋卫国史鱼死后陈尸以谏昏庸的灵公。

梁鸿葬要离冢侧,死后芳邻;郑泉殡陶宅舍旁,生前宿愿。

[注释] 冢(zhǒng):坟墓。 宿愿:素来的愿望;旧日的心愿。

[译文] 东汉梁鸿死后葬在春秋勇士要离的坟侧,人们说因为要

离是烈士，梁鸿清高，可让他们死后成为近邻；三国吴人郑泉生性嗜酒，临死要求葬在制陶人家的旁边，为的是百年之后化为灰土，让制陶人取土作酒壶，这是他生前的夙愿。

数皆前定，少游之诗谶何灵；事可先知，袁淑之卦占偏验。

[注释] 谶（chèn）：迷信的人指将来要应验的预言、预兆。

[译文] 命数都是前世注定的，宋朝秦观有词说："醉卧古藤阴下，了不知南北。"后来果然死于藤州。他诗中的谶言何等灵验。人事可先知，南朝宋袁淑遇见仙人，所占卜的卦语都能应验。

顾雍失爱子，掐掌而流血堪矜；奉倩殒佳人，搁泪而神伤可惜。

[注释] 矜（jīn）：怜悯；同情。

[译文] 晋朝顾雍丧失爱子，悲痛得手指甲把手掌都掐出了血，真值得同情；三国魏荀粲的妻子死了，他虽然忍住了眼泪，但仍很神伤，不久也死了，真是可惜。

仲尼殒而泰山颓，韩相亡而树木稼。

[注释] 颓（tuí）：崩溃；坍塌。

[译文] 孔子的弟子子贡听孔子拄着拐杖在门口唱歌："泰山其颓乎，梁木其坏乎，哲人其萎乎。"就认为夫子快有病了。不久，孔子果然病了七天后死了。宋朝宰相韩琦亡故时，王安石有挽诗说："树稼曾闻达官怕。"高官害怕听说树枝上的雨水冻成冰，这预示着有大官要死。

酹之絮酒，实为佳士高风；殉以刍灵，乃是先人朴典。

[注释] 酹（lèi）：以酒浇地，表示祭奠。　刍：此谓用草扎成的殉葬品。

[译文] 用棉絮蘸酒洒地祭奠死人,这是佳士的高风;用草人殉葬,这是先人朴实的典范。

陈寔之徽猷足录,行吊礼者三万人;
郗超之素行可嘉,行诔文者四十辈。
[注释] 徽猷(yóu):美善之道。 诔(lěi)文:悼念死者的文章。
[译文] 东汉陈寔的美德足已载入史册,他死后前来吊唁的有三万多人;晋朝郗超平时品行高尚,死后为他作诔文的有四十人。

牲牢酒醴,用昭报本之虔;槀秸鸾刀,皆有修古之意。
[注释] 槀秸(jiē):用禾秆编织成的草席。古祭天所用物。秸,禾秆。 鸾刀:刀环有铃的刀。古代祭祀时割牲用。
[译文] 用牲畜和酒祭奠死者,这是报答先人恩德的虔诚举动;槀秸、鸾刀,是用来祭奠死者的器物。

值既降既濡之候,礼无缺于春秋;
呈则存则著之形,情必由于爱悫。
[注释] 悫(què):恭谨;朴实。
[译文] 秋天降霜露时、春天降雨露时的祭礼,是一年中不可缺少的;祭先人时出于爱心、出于诚意,就像亲人在眼前一样,那么亲人的形象就更鲜明显著了。

室事交乎堂事,致斋继乎散斋。
[注释] 事:此谓祭祀之事。 散斋:谓斋戒期满。
[译文] 屋里和厅堂外的祭祀都要举行,先举行致斋再举行散斋。

卷 四

文 事

多才之士,才储八斗;博学之儒,学富五车。

[注释] 八斗:形容文才很多。 五车:形容学问渊博。语本《庄子·天下》:"惠施多方,其书五车。"

[译文] 以才储八斗形容富有才华的人;学问渊博的人,他们读的书有五车之多。

《三坟》、《五典》,乃三皇五帝之书;
《八索》、《九丘》,是八泽九州之志。

[注释] 《三坟》、《五典》:孔颖达疏《左传》引贾逵云:"《三坟》,三王之书;《五典》,五帝之典。" 《八索》、《九丘》:明杨慎《丹铅余录》谓:"九丘,即九州也;八索,即八泽也。见《淮南子》。或以八索为八卦,谬矣。"

[译文] "三坟五典"是三皇五帝写的书;"八索九丘",是记载上古八泽九州的志书。

《书经》载上古唐虞三代之事，故曰《尚书》；

《易经》乃姬周文王周公所系，故曰《周易》。

[注释]《尚书》：孔安国《尚书序》云："以其上古之书，谓之《尚书》。"　《周易》：《周易》六十四卦，每卦下系有卦辞、爻辞。旧有二说：一谓皆周文王所撰；一谓文王撰卦辞，周公撰爻辞。详可参孔颖达《周易正义·卷首》"论卦辞爻辞谁作"。

[译文]《书经》上记载的都是上古、唐尧、虞舜及夏商周三代的史事，所以叫《尚书》。《易经》乃是周文王姬昌、周公姬旦根据伏羲所画的八卦演绎而来，所以又叫《周易》。

二戴曾删《礼记》，故曰《戴礼》；

二毛曾注《诗经》，故曰《毛诗》。

[注释] 二戴：西汉学者戴德和戴圣。　二毛：西汉学者毛亨和毛苌。

[译文] 西汉戴德、戴圣叔侄俩曾删改过《礼记》，所以《礼记》又叫《戴礼》；西汉毛亨、毛苌叔侄俩曾注释过《诗经》，所以现在流传的《诗经》又叫《毛诗》。

孔子作《春秋》，因获麟而绝笔，故曰《麟经》。

[注释] "孔子作《春秋》"三句：旧说《春秋》为孔子所作。《春秋·哀公十四年》："春，西狩获麟。"公羊、穀梁《春秋》皆止于此。杜预注《春秋》云："麟者仁兽，圣王之嘉瑞也。时无明王，出而遇获。仲尼伤周道之不兴，感嘉瑞之无应，故因鲁《春秋》而修中兴之教，绝笔于'获麟'之一句，所感而作，固所以为终也。"后遂称《春秋》为《麟经》。

[译文] 孔子修改鲁国史作《春秋》，因见郊外捕捉到麒麟而觉不祥，就停笔不再写下去了。所以《春秋》又叫《麟经》。

荣于华衮，乃《春秋》一字之褒；

严于斧钺，乃《春秋》一字之贬。

[注释]"荣于华衮"四句：晋范宁《春秋穀梁传序》："一字之褒，宠逾华衮之赠；片言之贬，辱过市朝之挞。"华衮，古代王及上公所穿的富有文彩的礼服，这里形容极高的荣宠。斧钺，兵器名，这里指杀戮之类的刑罚。

[译文]《春秋》上一个字的褒奖，就如同穿上华丽的礼服那样荣耀；而一个字的贬斥，就如同用斧钺惩罚罪犯那样严厉。

缣缃黄卷，总谓经书；雁帛鸾笺，通称简札。

[注释] 缣（jiān）缃：书写用的绢帛。泛指书籍。缣，双丝织的浅黄色细绢；缃，浅黄色的绢帛。 黄卷：《宋景文笔记》卷上："古人写书，尽用黄纸，故谓之黄卷。或曰：古人何须用黄纸？曰：檗染之，可用辟（避）蟫。"泛指书籍。 雁帛：见《汉书·苏武传》。后泛指书信。 鸾笺：彩笺名。

[译文]"缣缃"、"黄卷"，都是指的经书；"雁帛"、"鸾笺"，都是简札的通称。

锦心绣口，李太白之文章；铁画银钩，王羲之之字法。

[注释] 锦心绣口：比喻优美的文思，华丽的词藻。 铁画银钩：比喻运笔刚柔相济，风流多姿。

[译文]"锦心绣口"，是形容李白的诗文辞藻华丽；"铁画银钩"，是比喻王羲之的书法笔力刚健。

雕虫小技，自谦文学之卑；倚马可待，羡人作文之速。

[注释] 倚马可待：形容才思敏捷，写文章很快。南朝宋刘义庆《世说新语·文学》："桓宣武（桓温）北征，袁虎时从，被责免官。会须露布文，唤袁倚马前令作。手不辍笔，俄得七纸，绝可观。"

[译文]"雕虫小技"，是谦称自己写文章的水平不高；"倚马可待"，是羡慕别人写文章速度很快。

称人近来进德,曰士别三日,当刮目相看;
羡人学业精通,曰面壁九年,始有此神悟。

[注释] 士别三日:见《三国志·吴志·吕蒙传》。 面壁九年:佛教称坐禅为面壁,谓面向墙壁,端坐静修。

[译文] 称赞别人近来进步很快,就说:"士别三日,当刮目相看。"羡慕别人学业精通,就说:"面壁九年,始有此神悟。"

五凤楼手,称文字之精奇;七步奇才,羡天才之敏捷。

[注释] 五凤楼:古楼名,在洛阳。 七步奇才:详见《兄弟》。

[译文] "五凤楼手",是称赞别人的文字精奇;"七步奇才",是羡慕别人才思敏捷。

誉才高,曰今之班马;羡诗工,曰压倒元白。

[注释] 班马:指班固和司马迁。 元白:指唐代著名诗人元稹和白居易。五代王定保《唐摭言》卷三:"宝历年中,杨嗣复大宴于新昌里第。时元白俱在,皆赋诗于席上,唯刑部杨汝士侍郎诗后成,元白览之失色……汝士其日大醉,归谓子弟曰:'我今日压倒元白!'"后因称作品造诣超过大家为"压倒元白"。

[译文] 赞誉别人才高,就说他是当今的"班马";羡慕别人作诗工整,就说他可以压倒"元白"。

汉晁错多智,景帝号为智囊;高仁裕多诗,时人谓之诗窖。

[注释] 智囊:指足智多谋的人。《史记·袁盎晁错列传》:"错为人峭直刻深。孝文帝时……以其辩得幸太子,太子家号曰'智囊'。"按此太子即后来的汉景帝。 诗窖:比喻满腹诗才、作诗很多的人。

[译文] 西汉晁错足智多谋,景帝称他为"智囊";后周高仁裕作诗万首,时人称他是"诗窖"。

骚客即是诗人，誉髦乃称美士。

[注释] 骚客：泛指诗人。屈原著《离骚》，作诗者多效法之，故称。誉髦（máo）：有名望的英杰之士。

[译文] "骚客"就是诗人，"誉髦"用来称呼才德好的男子。

自古诗称李杜，至今字仰钟王。

[注释] 钟王：三国魏钟繇与晋王羲之的合称。

[译文] 自古以来诗写得最好的是李白和杜甫，至今书法最受敬仰的是钟繇和王羲之。

白雪阳春，是难和难赓之韵；青钱万选，乃屡试屡中之文。

[注释] 白雪阳春：《阳春》、《白雪》，皆战国时楚国高雅乐曲名。见西汉刘向《新序·杂事》。 赓：接续。 青钱万选：《新唐书·张荐传》："（张鹫（zhuó））调露初登进士第，授岐王府参军。八以制举皆甲科，再调长安尉，迁鸿胪丞。四参选，判策为铨府最。员外郎员半千数为公卿称：'鹫文辞犹青铜钱，万选万中。'时号鹫'青钱学士'。"鹫为荐之祖。

[译文] "白雪阳春"，是最难唱和续写的高雅曲子；唐朝张鹫文才超众，多次考试，多次高中，人称他的文章如"青钱万选"。

惊神泣鬼，皆言词赋之雄豪；遏云绕梁，原是歌音之嘹亮。

[注释] 惊神泣鬼：使鬼神为之惊泣。形容诗文雄豪震撼，感人至深。遏云绕梁：遏云，使云停止不前，形容歌声响亮动听。绕梁，形容歌声高亢回旋，久久不息。

[译文] 惊神泣鬼，这是比喻词赋雄壮豪放；遏云绕梁，这是比喻歌声嘹亮。

涉猎不精，是多学之弊；咿唔呫毕，皆读书之声。

[注释] 咿唔：也作伊吾。象声词。黄庭坚诗："南窗读书声伊吾，北窗

见月歌竹枝。" 呫（chān）毕：即呫（chān）毕。《礼记·学记》："今之教者，呻其呫毕。"后亦泛指诵读。

[译文] 喜欢博览，不求精深，这是学习的弊病；"咿唔"、"呫毕"，都是读书的声音。

连篇累牍，总说多文；寸楮尺素，通称简札。

[注释] 寸楮（chǔ）：很短的信纸。楮皮可以造纸，故称。 尺素：小幅的绢帛。

[译文] 篇幅很长，文辞冗杂，这是比喻长篇大论的文章；"寸楮"、"尺素"，都是文字简短的书信。

以物求文，谓之润笔之赀；因文得钱，乃曰稽古之力。

[注释] 润笔之赀（zī）：指付给作文者的报酬。赀，通"资"。 稽古：考察古事。

[译文] 用钱物去求人家写文章，叫"润笔之资"；因写文章得到钱财，叫"稽古之力"。

文章全美，曰文不加点；文章奇异，曰机杼一家。

[注释] 文不加点：谓文章一气呵成，无须修改。 机杼（zhù）：指织机。

[译文] 文章写得很完美，一气呵成，叫"文不加点"；文章写得很奇异，独具特色，叫"机杼一家"。

应试无文，谓之曳白；书成绣梓，谓之杀青。

[注释] 曳白：交白卷。 绣梓：精细的刻版印刷。雕版以梓木为上，故称。 杀青：西汉刘向校书，每一书校毕，录而奏上，辄言"杀青"，如《战国策序》："其事继春秋以后，讫楚汉之起，二百四十五间之事，皆定以杀青，书可缮写。"后泛指书籍定稿。

[译文] 参加考试的人没在试卷上写一个字，叫"曳白"；书写成后要刊刻印刷，叫"杀青"。

袜线之才，自谦才短；记问之学，自愧学肤。

[注释] 袜线之才：宋孙光宪《北梦琐言》卷五："韩昭仕蜀，至礼部尚书、文思殿大学士。粗有文章，至于琴棋书算射法，悉皆涉猎。以此承恩于后主。时有朝士李台嘏曰：'韩八座事艺，如拆袜线，无一条长。'"后因谓艺多而不精者，亦比喻才学短浅。　记问之学：指为应付他人问难而预为记诵的肤浅之学。《礼记·学记》："记问之学，不足以为人师。"

[译文] 袜线之才，这是谦称自己才学短浅；记问之学，这是惭愧自己的学识肤浅。

裁诗曰推敲，旷学曰作辍。

[注释] 推敲：相传唐代诗人贾岛骑驴赋诗，得"鸟宿池边树，僧敲月下门"之句，初欲用"敲"，又思用"推"，炼之未定，遂于驴上引手作推敲之势，不觉冲撞京尹韩愈，愈问其故，思之良久，谓岛曰："敲字佳矣。"见后蜀何光远《鉴戒录·贾忤旨》。后因称斟酌字句为推敲。　作辍：时作时辍，不能持之以恒。

[译文] 反复斟酌，裁选字句，叫推敲；荒废学业叫作辍。

文章浮薄，何殊月露风云；典籍储藏，皆在兰台石室。

[注释] 月露风云：指辞藻华丽而内容空泛的诗文。　兰台：汉代宫廷藏书处。　石室：亦国家藏书之处。

[译文] 文章写得很浮浅，言之无物，跟月下的露水、风中的浮云有何不同？古代皇家的书籍，都储藏在宫中的兰台、石室中。

秦始皇无道，焚书坑儒；唐太宗好文，开科取士。

[注释] 焚书坑儒：秦始皇三十四年，丞相李斯建议除秦记、医药、卜

筮、种树书外，民间所藏《诗》、《书》和诸子百家书一律焚毁。次年，方士、儒生求仙药不得，卢生等又逃亡，始皇怒，在咸阳坑杀诸生四百六十余人。史称"焚书坑儒"。详见《史记·秦始皇本纪》。 开科取士：指通过科举考试选拔人才，始于隋，唐因其制。详见《新唐书·选举制》。

[译文]秦始皇暴虐无道，焚毁图书坑埋儒生；唐太宗重视文化，开设科考网罗人才。

花样不同，乃谓文章之异；潦草塞责，不求辞语之精。

[注释]潦草塞责：此谓作文敷衍了事。

[译文]花样不同，形容文章风格各异；潦草搪塞，是说作文不求辞语精美，敷衍了事。

邪说曰异端，又曰左道；读书曰肄业，又曰藏修。

[注释]异端：朱熹《论语集注》："异端，非圣人之道，而别为一端。" 左道：邪门旁道。 肄（yì）业：修习学业。 藏修：《礼记·学记》："君子之于学也，藏焉，修焉，息焉，游焉。"后以指专心学习。

[译文]不合正统的学说叫异端，又叫左道；读书叫肄业，又叫藏修。

作文曰染翰操觚，从师曰执经问难。

[注释]染翰：以笔蘸墨。 操觚（gū）：执简。 执经问难：手持经书反复询问，以求解惑。

[译文]古代没有纸，文章写在竹简上，所以作文叫染翰操觚；拜师求学叫执经问难。

求作文，曰乞挥如椽笔；羡高文，曰才是大方家。

[注释]如椽笔：典出《晋书·王珣传》："珣梦人以大笔如椽与之，既觉，语人云：'此当有大手笔事。'俄而帝崩，哀册谥议，皆珣所草。"后以喻

笔力雄健。 大方家：原指深明大道的人，后指精通某种学问或艺术的人。

[译文] 求人写文章，叫乞挥如椽笔；羡慕别人文章写得高超，称其为大方家。

竞尚佳章，曰洛阳纸贵；不嫌问难，曰明镜不疲。

[注释] 洛阳纸贵：晋左思作《三都赋》，构思十年，赋成，不为时人所重。及皇甫谧为作序，张载、刘逵为作注，张华见之，叹为"班、张之流也"，于是豪富之家争相传写，洛阳纸价因之变贵。见《晋书·左思传》。 明镜不疲：《世说新语·言语》："孝武将讲《孝经》，谢公兄弟（谢安、谢石）与诸人私庭讲习。车武子难苦问谢，谓袁羊曰：'不问则德音有遗，多问则重劳二谢。'袁曰：'必无此嫌。'车曰：'何以知尔？'袁曰：'何尝见明镜疲于屡照，清流惮于惠风？'"

[译文] 相争传抄崇尚的文章，叫洛阳纸贵；不以别人请教为烦，叫明镜不疲。

称人书架曰邺架，称人嗜学曰书淫。

[注释] 邺架：韩愈《送诸葛觉往随州读书》诗："邺侯（李泌）家多书，插架三万轴。" 书淫：指嗜书成癖，好学不倦的人。《晋书·皇甫谧传》："（谧）耽玩典籍，忘寝与食，时人谓之'书淫'。"

[译文] 称赞别人藏书的书架，叫邺驾；称赞别人酷爱读书，叫书淫。

白居易生七月，便识"之""无"二字；
唐李贺才七岁，作《高轩过》一篇。

[注释] "白居易生七月"二句：白居易《与元九书》："仆始生六七月时，乳母抱弄于书屏下，有指'无'字、'之'字示仆者，仆虽口未能言，心已默识。后有问此二字者，虽百十其试，而指之不差。" "唐李贺才七岁"二句：李贺年七岁，以诗名动京城。韩愈、皇甫湜览而奇之，及过其家，总角

荷衣而出，二公未之信。因面试一篇，贺援笔而成，自题曰《高轩过》。见王定保《唐摭言》卷十。

[译文] 唐朝白居易出生七个月，便认识"之"、"无"二字；李贺才七岁，就作了《高轩过》一诗，名扬京师。

开卷有益，宋太宗之要语；不学无术，汉霍光之为人。

[注释] 开卷有益：谓打开书本阅读，就会有所收获。 不学无术：《汉书·霍光传赞》："然光不学亡术，暗于大理。"亡，通"无"。本谓霍光不能学古，故所行不合于道术。后泛指缺乏学问、本领。

[译文] 开卷有益，是宋太宗说过的至理名言；不学无术，是汉朝班固对霍光为人的评语。

汉刘向校书于天禄，太乙燃藜；
赵匡胤代位于后周，陶谷出诏。

[注释] 太乙燃藜：见前秦王嘉《拾遗记》卷六。太乙，即太一。 陶谷出诏：宋李焘《续资治通鉴长编》卷一："太祖（赵匡胤）诣崇元殿，行禅代礼，召文武百官就列，至晡，班定，独未有周帝禅代制书。翰林学士承旨新平陶谷出诸袖中，进曰：'制书成矣！'遂用之。"

[译文] 西汉刘向受命在天禄阁校书，太乙真人曾点燃手中的藜木拐杖为他照明；赵匡胤接替后周做皇帝，但未有禅位诏书，有个叫陶谷的翰林拿出了事先写好的诏书。

江淹梦笔生花，文思大进；扬雄梦吐白凤，词赋愈奇。

[注释] 江淹梦笔生花：按此误以李白事属江淹。见南朝梁钟嵘《诗品》。 扬雄梦吐白凤：晋葛洪《西京杂记》卷二："雄著《太玄经》，梦吐凤凰，集《玄》之上，顷而灭。"

[译文] 南朝梁江淹梦见有人送他一支五色笔，从此作文才思大发；东汉扬雄梦见嘴里吐出一只白凤来，再写出的词赋就愈来愈新奇。

李守素通姓氏之学，世南名为人物志；

虞世南晰古今之理，太宗号为行秘书。

[注释] 人物志：唐刘餗（sù）《隋唐嘉话》卷上："秦王府仓曹李守素，尤精谱学，人号为'肉谱'。虞秘书世南曰：'昔任彦升善谈经籍，时称为"五经笥"，宜改仓曹为"人物志"。'" 行秘书：《隋唐嘉话》卷中："太宗尝出行，有司请载副书以从，上曰：'不须。虞世南在此，行秘书也。'"

[译文] 唐朝李守素精通姓氏学，虞世南称他为"人物志"；虞世南通晓古今之理，唐太宗称他为"行秘书"。

茹古含今，皆言学博；咀英嚼华，总曰文新。

[注释] 茹古含今：犹言博古通今。茹，亦含也。 咀英嚼华：本指欣赏、体味诗文的精华。亦可指诗文富有新意，耐人寻味。

[译文] 茹古含今，是说博学多闻，通晓古今；咀英嚼华，是说文富新意，耐人寻味。

文望尊隆，韩退之若泰山北斗；

涵养纯粹，程明道如良玉精金。

[注释] 泰山北斗：详见《人事》。 良玉精金：程颐《明道先生行状》："先生资禀既异，而充养有道，纯粹如精金，温润如良玉。"明道先生，即程颢。

[译文] 唐朝韩愈在文坛名气大、声望高，如泰山北斗；宋朝程颢修养醇正、学识深弘，如良玉精金。

李白才高，咳唾随风生珠玉；孙绰词丽，诗赋掷地作金声。

[注释] "李白才高"二句：李白《妾薄命》诗："汉帝宠阿娇，贮之黄金屋。咳唾落九天，随风生珠玉。" "孙绰词丽"二句：《世说新语·文学》："孙兴公（绰）作《天台赋》成，以示范荣期，云：'卿试掷地，要作

金石声。'范曰：'恐子之金石，非宫商中声。'然每至佳句，辄云：'应是我辈语。'"

[译文] 唐朝李白文才很高，他在诗中有云"咳唾落九天，随风生珠玉"，意思是脱口而出便是珠玉之句；晋朝孙绰的诗赋辞藻华丽，掷于地上能发出金石般的声音。

【增】
萤辉竹素，蠹走芸编。

[注释] 竹素：竹简和白绢，泛指书籍。　蠹（dù）走芸编：沈括《梦溪笔谈·辨证一》："古人藏书辟（避）蠹用芸。芸，香草也，今人谓之'七里香'者是也。"

[译文] 萤火虫发出的光亮在夜晚能照亮书上的文字，芸香草能驱走藏在书里的蠹虫。

道观蓬莱，尽藏简编之所；石渠天禄，悉贮史籍之场。

[注释] 道观蓬莱：指东观，东汉时皇家藏书及修史之所。蓬莱，海中神山，为仙府，幽经秘录并皆在焉。　石渠天禄：石渠阁和天禄阁，西汉时宫中藏书处。

[译文] 汉朝的东观，是皇家藏书之地；汉朝的石渠阁、天禄阁，是贮藏史籍之所。

鲁为鱼，参明不谬；帝作虎，考正无讹。

[注释] 鲁为鱼、帝作虎：唐马总《意林》卷四引晋葛洪《抱朴子》："谚云：'书三写，鱼成鲁，帝成虎。'"后因以"鲁鱼帝虎"称传写刊印中出现的文字错误。

[译文] "鲁"和"鱼"二字相近，要分辨清楚才不会写错；"帝"和"虎"二字易淆，要考证一番才不会出现谬误。

长蛇生马之文,最难措手;硬弩枯藤之字,未易挥毫。

[注释] 长蛇生马之文:唐孙樵《与王霖秀才书》:"譬玉川子《月蚀》诗、杨司城《华山赋》、韩吏部《进学解》、冯常侍《清河壁记》,莫不拔地倚天,句句欲活,读之如赤手捕长蛇,不施控骑生马,急不得暇,莫可捉搦。"生马,未驯之马。 硬弩枯藤之字:唐张彦远《法书要录》卷一载王羲之《题卫夫人笔阵图后》:"昔宋翼常作此书(谓"平直相似,状如算子")。翼是钟繇弟子,繇乃叱之,翼三年不敢见繇,即潜心改迹,每作一戈如百钧之弩发,每作一牵如万岁枯藤。"按,"戈"谓斜钩,"牵"谓竖画。

[译文] 像空手捕长蛇、骑未驯之马那样的神奇文章,最难下笔;钩画像硬弓,竖画像枯藤,这样的字最不容易书写。

借还书籍用双鸱,收贮文章分四库。

[注释] 鸱(chī):盛酒器。 四库:图书分类法之一。

[译文] 古时借书还书,要拿一壶酒表示感谢,所以借还书籍又叫双鸱;古时收藏的图书,要按照经史子集四部分类。

豪吟如郑綮,还从驴背成诗;富学如薛收,偏向马头草檄。

[注释] 驴背成诗:唐郑綮(qǐ)善诗。宋阮阅《诗话总龟》卷二十六引《古今诗话》:"有人问相国(郑綮):'近有新诗否?'曰:'诗在灞桥风雪中驴子上,此中安可得之?'" 马头草檄:《旧唐书·薛收传》:"时太宗专任征伐,檄书露布,多出于收,言辞敏速,还同宿构,马上即成,曾无点窜。"

[译文] 唐朝郑綮豪放的诗句,都是骑在驴背上作成的;唐朝薛收有渊博的学问,倚着马头就能写出檄文。

八行书,言言委曲;三尺法,字字威严。

[注释] 八行书:《后汉书·窦章传》李贤注引马融《与窦伯向(章)书》曰:"孟陵奴来,赐书,见手迹,欢喜何量,见于面也。书虽两纸,纸八行,行七字。"后因以称书信。 三尺法:指法律。《史记·酷吏列传》:"客

有让周（杜周）曰：'君为天子决平，不循三尺法。'"裴骃集解引《汉书音义》："以三尺竹简书法律也。"

[译文] 一页八行的书信，句句都要委婉曲折；三尺竹简上的法律条文，字字都威严可畏。

咳唾成篇，阵马风樯敏捷；精神满腹，云车冰柱清高。

[注释] 阵马风樯：临阵的战马，乘风的帆船。形容行进迅速，气势雄伟。　云车冰柱：李商隐《杂著》："（刘叉）能为歌诗，然恃其故时所为，辄不能俯仰贵人，穿屦、破衣，从寻常人乞丐酒食为活。闻韩愈善接天下士，步行归之，既至，赋《冰柱》、《雪车》二诗，一旦居卢仝、孟郊之上。"旧校："雪，一作'云'。"

[译文] 文章脱口而出，如同上阵的战马、顺风的帆船一样快捷；唐朝诗人刘叉极具文采，他的《云车》、《冰柱》二诗清新高雅。

擅美誉于词场，禹锡诗豪，山谷诗伯；
称耆英于艺圃，伯英草圣，子玉草贤。

[注释] 诗豪：白居易《刘白唱和集解》："彭城刘梦得（禹锡），诗豪者也，其锋森然，少敢当者。"　诗伯：诗坛宗伯，诗坛领袖。宋吕本中作《江西诗社宗派图》，以黄庭坚为祖。山谷，黄庭坚号。　草圣：《晋书·卫恒传》载卫恒《四体书势》："弘农张伯英者，因而转精甚巧。至今世尤宝其书，韦仲将（韦诞）谓之'草圣'。"伯英，张芝字。　草贤：唐张怀瓘《书断》卷一："崔瑗，字子玉。善章草，师于杜度，媚趣过之。王隐谓之'草贤'。"

[译文] 在文坛上享有美誉的，有被称为"诗豪"的刘禹锡和被称为"诗伯"的黄庭坚；书法艺苑中的前辈英杰，有被称为"草圣"的张芝和被称为"草贤"的崔瑗。

谢安石之碎金，悉为异物；陆士衡之积玉，总属奇珍。

[注释] 碎金：比喻精美简短的诗文。《世说新语·文学》："桓公（桓温）见谢安石作简文谥议，看竟，掷与坐上诸客，曰：'此是安石碎金。'"安石，谢安字。　积玉：指精华所聚。《晋书·陆机传》："机天才秀逸，辞藻宏丽。……后葛洪著书，称：'机文犹玄圃之积玉，无非夜光焉。'"陆机，字士衡。

[译文] 晋朝谢安的文章就像细碎的黄金一样非同寻常；晋朝陆机的文章就像白玉堆积成的，可算是珍奇宝物。

少室山集句最佳，片笺片玉；福先寺碑文可诵，一字一缣。

[注释] 片笺片玉：形容诗文秀美华丽。　一字一缣：当作"一字三缣"。见唐高彦休《唐阙史》卷一。

[译文] 唐朝李峤的《少室山记》文辞华美，一页书稿就如同一片白玉；唐朝皇甫湜为福先寺所作的碑文，一个字就值一匹细绢。

陈琳作檄愈头风，足当神针法灸；
子美吟诗除疟鬼，何须妙剂金丹。

[注释] 陈琳作檄愈头风：《三国志·魏志·阮瑀传》："军国书檄，多琳、瑀所作也。"裴松之注引三国魏鱼豢《典略》曰："琳作诸书及檄，草成，呈太祖（曹操）。太祖先苦头风，是日疾发，卧读琳所作，翕然而起曰：'此愈我病。'"　子美吟诗除疟鬼：《唐诗纪事》卷十八引《诗话》云："有病疟者，子美（杜甫）曰：'吾诗可以疗之。'其人诵之，果愈。"

[译文] 三国魏陈琳作了一篇檄文，曹操看了，竟治愈了他的头风病，真如神针法灸；诵读杜甫的诗，能驱除病疟，何须再用灵丹妙药。

真老艺林英，朱夫子且退避三舍；
苏仙文苑隽，欧阳公尚放出一头。

[注释] "真老艺林英"二句：《佩文韵府·入声·陌韵九》"学易"条引《名贤集》："真西山（真德秀）越山新居成，名其斋曰'学易'，帖云：'坐

看吴越两山秀,默契羲文千古心。'朱晦翁(朱熹)见之,曰:'吾且当避此老三舍。'" "苏仙文苑隽"二句:苏仙,指苏轼,字子瞻。苏辙《亡兄子瞻端明墓志铭》:"欧阳文忠公(欧阳修)考试礼部进士,……梅圣俞时与其事,得公《论刑赏》以示文忠,文忠惊喜,以为异人,欲以冠多士。疑曾子固所为,子固,文忠门下士也,乃寘(zhì,放置)公第二,复以《春秋对义》居第一。殿试中乙科,以书谢诸公。文忠见之,以书语圣俞曰:'老夫当避此人,放出一头地。'"

[译文] 宋朝真德秀是艺苑精英,连朱熹见了他的帖子,都说要退避三舍;苏轼是文坛俊杰,欧阳修看了他的文章,叹赏不已,说:"我要避开此人,让他一头地。"

科 第

士人入学曰游泮,又曰采芹;士人登科曰释褐,又曰得隽。

[注释] 游泮:经州县考试录为生员者就读于学宫,即称游泮。 采芹:古时学宫有泮水,入学则可采水中之芹以为菜,故称入学为采芹。 释褐:脱去平民衣服。后亦指进士及第。 得隽:本谓得胜,俘获敌方的猛将勇士。后用来指科举及第。

[译文] 秀才入学读书叫游泮,又叫采芹;读书人考中进士叫释褐,又叫得隽。

宾兴即大比之年,贤书即试录之号。

[注释] 宾兴:周代举贤之法,乡大夫自乡小学荐举贤能而宾礼之,以升入国学。后来举行乡试亦称宾兴。 大比:此谓三年一次的乡试,中式者为举人。 贤书:贤能之书。谓举荐贤能的名录,后因以指考试中式的名榜。

[译文] 宾兴,即三年一次考举人的乡试;贤书,就是应试得中者的题名榜。

鹿鸣宴，款文榜之贤；鹰扬宴，待武科之士。

[注释] 鹿鸣宴：《鹿鸣》，《诗经·小雅》篇名。《诗序》："《鹿鸣》，燕群臣嘉宾也。"在科举时代，乡贡之后，州县长官宴请新举人及考官，礼用《鹿鸣》之诗，故称。 鹰扬宴：《诗经·大雅·大明》："维师尚父，时维鹰扬。"毛传："鹰扬，如鹰之飞扬也。"形容威武的样子，后遂作为武事的代称。在科举制度中，武科乡试放榜后，考官和考中武举者共同参加的宴会，就叫鹰扬宴。

[译文] 鹿鸣宴，是招待文科中榜人的宴会；鹰扬宴，是招待武科中榜人的宴会。

文章入式，有朱衣以点头；经术既明，取青紫如拾芥。

[注释] "文章入式"二句：宋祝穆《古今事文类聚》前集卷二十五引赵令畤《侯鲭录》："欧阳公知贡举日，每遇考试卷，坐后常觉一朱衣人时复点头，然后其文入格，不尔则无复与考。始疑侍史，及回视之，一无所见。因语其事于同列，为之三叹。尝有句云：'唯愿朱衣一点头。'"后因称科举中选为"朱衣点头"。 "经术既明"二句：《汉书·夏侯胜传》："胜每讲授，常谓诸生曰：'士病不明经术。经术苟明，其取青紫如俛拾地芥耳。'"青紫，卿大夫之服也。俛，俯字也。

[译文] 宋朝欧阳修任考官阅卷时，凡看到合格的文章，总觉得有个红衣人在背后点头；精通经书的人，取得官职就像弯腰在地上拾芥草一样容易。

其家初中，谓之破天荒；士人超拔，谓之出头地。

[注释] 破天荒：王定保《唐摭言·海述解送》："荆南解比（解比，即乡试），号天荒。大中四年刘蜕舍人以是府解及第，时崔魏公作镇，以破天荒钱七十万资蜕。蜕谢书略曰：'五十年来，自是人废；一千里外，岂曰天荒！'"

[译文] 家里有人初次中举，叫破天荒；读书人才气超群，出类拔萃，叫出头地。

中状元，曰独占鳌头；中解元，曰名魁虎榜。

[注释] 独占鳌头：据说皇宫石阶前刻有大鳌，状元及第时于此迎榜，故称。 解元：乡试第一名。 虎榜：即龙虎榜。中试者名榜。

[译文] 中了状元，叫独占鳌头；中了解元，叫名魁虎榜。

琼林赐宴，宋太宗之伊始；临轩问策，宋神宗之开端。

[注释] 琼林赐宴：《宋书·选举志》："（太平兴国九年）进士始分三甲。自是锡宴就琼林苑。"后因称黄帝赐宴新进士为"琼林宴"。 临轩问策：《宋史·选举志》："熙宁（宋神宗年号）三年，亲试进士，始专以策。"临轩，皇帝不坐正殿而御前殿。殿前堂陛之间近檐处两边有槛楯，如车之轩，故称。

[译文] 首次在琼林苑宴请新进士的，是宋太宗；首次临轩提问新进士治国之策的，是宋神宗。

同榜之人，皆是同年；取中之官，谓之座主。

[注释] 同年：古代科举考试同科中式者的互称。唐代同榜进士称同年，明清乡试、会试同榜登科者皆称同年。 座主：唐宋时进士称主试官为座主。至明清，举人、进士亦称本科主考官或总裁官为座主。

[译文] 同一榜考中的人，叫同年；主持考试的官员，叫座主。

应试见遗，谓之龙门点额；进士及第，谓之雁塔题名。

[注释] 龙门点额：北魏郦道元《水经注·河水四》："鲔（wěi）出巩穴，三月则上渡龙门，得渡为龙矣，否则点额而还。"后以喻科场落第。 雁塔题名：唐代进士及第，常题名于雁塔。

[译文] 考试没中，叫龙门点额；进士及第，叫雁塔题名。

贺登科,曰荣膺鹗荐;入贡院,曰鏖战棘围。

[注释] 鹗荐:孔融《荐祢衡表》:"鸷鸟累百,不如一鹗,使衡立朝,必有可观。"后以谓举荐贤才。 棘围:指考场。古时试士,以棘围试院以防舞弊,故称。

[译文] 祝贺人家登科及第,叫荣膺鹗荐;进入贡院叫鏖战棘围。

金殿唱名曰传胪,乡会放榜曰撤棘。

[注释] 传胪:《庄子·外物》"大儒胪传"成玄英疏:"从上传语告下曰胪。胪,传也。"后亦特指殿试揭晓唱名的一种仪式。殿试公布名次之日,皇帝至殿宣布,由阁门承接,传于阶下,卫士齐声传名高呼,谓之传胪。参宋赵昇《朝野类要·唱名》。 撤棘:《旧五代史·周书·和凝传》:"贡院旧例,放榜之日,设棘于门及闭院门,以防下第不逞者。凝令彻(同撤)棘启门,是日寂无喧者,所收多才名之士。"后遂以代指放榜。

[译文] 金銮殿上传唱新科进士名次的典礼叫传胪,乡试、会试发榜叫撤棘。

攀仙桂、步青云,皆言荣发;孙山外、红勒帛,总是无名。

[注释] 攀仙桂:《晋书·郤诜传》:"武帝于东堂会送,问诜曰:'卿自以为何如?'诜对曰:'臣举贤良对策,为天下第一,为桂林之一枝。'"后因以折桂、攀桂指科举及第。传说月中有桂树,故称仙桂。 步青云:语本唐曹邺《杏园席上同年》诗:"一旦公道开,青云在平地。"谓境遇突然变好,一下子达到很高的地位。 孙山外:宋曾慥《类说》卷五十五引《文酒清话》:"孙山末缀得解,有同试者托山探得失,山曰:'解名尽处是孙山,君身更在孙山外。'"言考试未中。 红勒帛:宋沈括《梦溪笔谈·人事一》:"士人刘几累为国学第一人,骤为怪险之语,学者翕然效之,遂成风俗。欧阳公深恶之,会公主文,决意痛惩……有一举人论曰:'天地轧,万物茁,圣人发。'公曰:'此必刘几也。'戏续之曰:'秀才剌,试官刷。'乃以大朱笔横抹之,自首至尾,谓之红勒帛,判'大紕

缪'字榜之，既而果几也。"后因指应试不中。

[译文] 攀仙桂、步青云，都是指事业开始荣耀发达；孙山外、红勒帛，都是指应试落榜。

英雄入吾彀，唐太宗喜得佳士；
桃李属春官，刘禹锡贺得门生。

[注释] 英雄入吾彀（gòu）：王定保《唐摭言》卷一："文皇帝（唐太宗）尝私幸端门，见新进士缀行而出，喜曰：'天下英雄入吾彀中矣！'"彀中，指弓箭射程之内。后因以比喻人才入其掌握，被笼络网罗。 桃李属春官：刘禹锡《宣上人远寄和礼部王侍郎放榜后诗因而继和》诗："一日声名遍天下，满城桃李属春官。"后遂以桃李比喻栽培的后辈和所教的门生。《周礼》春官掌邦礼，故用为礼部的别称。

[译文] 唐太宗开设科目选士，指着中选的进士高兴地说："天下的精英都在我掌握之中了。"唐朝刘禹锡在庆贺礼部又喜得一批新门生的诗中，有"桃李属春官"句。

薪，采也；槱，积也。美文王作人之诗，故考士谓之薪槱之典。汇，类也；征，进也。是连类同进之象，故进贤谓之汇征之途。

[注释] 作人：任用和造就人才。 薪槱（yǒu）：《诗·大雅·棫朴》："芃芃棫朴，薪之槱之。"毛传："槱，积也。山木茂盛，万民得而薪之；贤人众多，国家得用蕃兴。"薪，采伐。后因以喻选拔人才。 汇征：《周易·泰卦》初九："拔茅茹，以其汇，征吉。"孔颖达疏："汇，类也，以类相从。征，行也。"后因指引荐人才时连类而进。

[译文] 薪，采伐；槱，堆积。这是《诗经》中以采伐积聚木柴以备使用来赞美周文王网罗培养人才的诗句，所以后来考试选士叫薪槱之典。汇，类聚；征，进取。这是《周易》上连类同进的卦象，所以征召进取之士叫汇征之途。

赚了英雄，慰人下第；傍人门户，怜士无依。

[注释] 赚了英雄：王定保《唐摭言》卷一："进士科始于隋大业中，盛于贞观永徽之际……其艰难，谓之'三十老明经，五十少进士'……其有老死于文场者，亦所无恨。故有诗云：'太宗皇帝真长策，赚得英雄尽白头。'"
　　傍人门户：唐范摅《云溪友议·巢燕词》："（章孝标）元和十三年下第，时辈多为诗以刺主司，独章君为《归燕诗》，留献庾侍郎承宣。……诗曰：'旧累危巢泥已落，今年故向社前归。连云大厦无栖处，更傍谁家门户飞？'"

[译文] 赚了英雄，用来安慰落第考生；傍人门户，是担心以后无依无靠。

虽然，有志者事竟成，伫看荣华之日；成丹者火候到，何惜烹炼之功。

[注释] 伫看：伫立而看。犹言只等着看。

[译文] 虽然这样，有志气者必成大事，早晚会有荣华富贵的一天；但是就像炼仙丹要火候到一样，不能吝惜烹炼的功夫。

【增】

班名玉笋，饼是红绫。

[注释] 班名玉笋：玉笋班。喻英才济济。　饼是红绫：红绫饼，古代一种珍贵的饼饵。以红绫裹之，故名。

[译文] 唐朝李宗闵主持贡举，门生多清秀俊茂，人称玉笋班；唐僖宗赐新进士吃用红绫系着的饼，叫红绫饼。

贡树分香，预卜他年卿相；天街软绣，争看此日郎君。

[注释] 贡树分香：宋叶廷珪《海录碎事》卷十九："贡树分香，相莲擎艳。"原注："于贡籍之桂树分香也。"寓意贡举得中。　天街软绣：旧题宋陶谷《清异录》卷上："本朝以亲王尹开封，谓之判南衙，羽仪散从，灿如图

画,京师人叹曰:'好一条软绣天街!'"软绣,轻软华丽的衣服。

[译文] 考场贡院的树,能发出香味来,预示着来年卿相已有人选;在京城天街上,人们争看穿着锦绣新衣的新科进士。

江东之罗隐何多,淮右之温岐不少。

[注释] 罗隐:《旧五代史·梁书》本传:"罗隐,余杭人。诗名于天下,尤长于咏史,然多所讥讽,以故不中第。" 温岐:见《旧唐书》本传。

[译文] 在江东,像罗隐那样屡试不中的人何其多?在淮右,和温庭筠一样总是不及第的人也不少。

狗从窦出,莫非登第休征;鼠以经衔,却是命题吉兆。

[注释] 狗从窦出:事详唐张鷟《朝野佥载》卷三。 鼠以经衔:事详宋曾巩《隆平集·杜镐传》。

[译文] 北魏裴元直考进士前,梦见一只狗从洞里窜出来,他弯弓射箭,可是都射偏了。第二天请人解梦说:"'狗'与'苟'同音,是'第'的头;弓是'第'的身;箭是'第'的竖画,加撇就合成'第'了,这是中举的征兆。"后来果然及第;宋朝杜镐登第前,一只老鼠衔一本《孝经疏》放到他的床前,次日考试,试题果然出自《孝经》,这是命题的吉祥预兆。

不欺之语,有可书绅;忠孝之求,真难副上。

[注释] "不欺之语"二句:见宋邵伯温《闻见录》卷八。 "忠孝之求"二句:见宋王得臣《麈史》卷二。

[译文] 唯有不欺二字,可以写在腰间的大带上,以示不忘;只有尽忠尽孝的臣民,才能符合皇帝的心愿。

孙宋则兄弟俱贵,梁张则乔梓皆荣。

[注释] 孙宋则兄弟俱贵：孙，谓孙何、孙仅兄弟。二人皆举进士甲科，见《宋史》本传。宋，谓宋庠（原名宋郊，仁宗命改"郊"为"庠"）、宋祁兄弟。　梁张则乔梓皆荣：梁，指梁灏、梁固父子；张，指张去华、张师德父子。四人亦俱中甲科，见《宋史》本传。

[译文] 宋朝的孙何和孙仅、宋郊和宋祁都是兄弟，也都中了状元；梁灏和梁固、张去华和张师德都是父子，也都是进士，儿子还都是状元。

得云雨而扬鬐，岂是池中之物；
挟风雷而烧尾，终非海底之鱼。

[注释] 扬鬐（qí）：鱼龙扬起脊鳍。　烧尾：宋孔平仲《谈苑》卷四："士人初登第，必展欢宴，谓之烧尾。说者云：虎化为人，惟尾不化，须为烧去，乃得成人。又说：新羊入群，诸羊抵触，不相亲附，烧其尾乃定。又说：鱼跃龙门，化龙时，必须雷电为烧其尾乃化。"

[译文] 云雨来了扬鳍从水中腾空而飞，这怎么会是池中之物呢？风雷来了烧掉尾巴化而为龙，这并非海底普通之鱼。

遍历名园，熟作探花之使；同观竞渡，谁为夺锦之人。

[注释] "遍历名园"二句：详见宋朱胜非《绀珠集》卷十引唐李绰《秦中岁时记》。　"同观竞渡"二句：详见王定保《唐摭言》卷三。

[译文] 新进士在杏园聚会叫探花宴，要选两位少年英俊进士为探花使，遍游名园寻名花，哪两位能当选呢？卢肇和黄颇都是宜春人，同举进士，郡守独宴请黄颇，不请卢肇。第二年卢肇中了状元，在和郡守通观龙舟竞渡时，问郡守究竟谁是夺锦标的人，郡守惭愧不已。

此日羽毛，伫看振翮；昔年辛苦，莫负初心。

[注释] 振翮（hé）：犹言展翅高飞。翮，鸟的翅膀。

[译文] 今日的羽毛，早晚会展翅高飞；多年的辛苦，不要辜负当初的决心。

莫存温饱之志，还辞贵戚之婚。

[注释] 莫存温饱之志：事见宋魏泰《东轩笔录》卷十四。　还辞贵戚之婚：宋张镃《仕学规范》卷五引《哲宗朝名臣传》："冯文简公京登第时，张尧佐倚外戚欲妻以女，使卒拥入其家。顷之，中人以酒殽至，且示以奁具甚厚。京固辞曰：'老母已议王氏。'终弗就。"

[译文] 人的一生不要心存只求温饱的志向，这是宋朝王曾中状元时说的；士子高中，还辞去贵戚的婚事，这是宋朝冯京的故事。

邹子为书，明月空遭按剑；高公未第，秋江自怨芙蓉。

[注释] "邹子为书"二句：详注《人事》。邹子，即邹阳。　"高公未第"二句：唐高蟾《下第后上永崇高侍郎》诗："天上碧桃和露种，日边红杏倚云栽。芙蓉生在秋江上，不向东风怨未开。"

[译文] 汉朝邹阳在狱中上书梁王说，在黑夜里对无缘无故来到身旁的明珠和美玉，不能不拔剑提防；唐朝高蟾未及第，写有两句诗："芙蓉生在秋江上，不向春风怨未开。"意思是此事不怨别人。

青衫则岁岁堪怜，金线则年年自笑。

[注释] 青衫：古时学子之服。　金线：金丝线。唐秦韬玉《贫女》诗："苦恨年年压金线，为他人作嫁衣裳。"

[译文] 身着青衫的学子，实在令人可怜；年年压金线为他人做嫁衣，自己也感到可笑。

制　作

上古结绳记事，仓颉制字代绳。

[注释] 结绳：上古无文字，结绳以记事。 仓颉：史皇氏，河南南乐县人。黄帝时期造字的史官，被尊为"造字圣人"。

[译文] 上古时代人们用在绳子上打结的方法记事，后来是仓颉创造文字代替了结绳。

龙马负图，伏羲因画八卦；洛龟呈瑞，大禹因列九畴。

[注释] 龙马：古代传说中龙头马身的神兽。 洛龟：指传说中大禹治水时，自洛水而出、背负洛书的神龟。 九畴：指传说中天帝赐给禹治理天下的九类大法，即《洛书》。畴，类。 "龙、洛"四句：古代儒家关于《周易》卦形来源，及《尚书·洪范》"九畴"创作过程的传说。

[译文] 伏羲因龙马背着图像出现在黄河，而画了八卦；大禹因背上有文字的神龟出现在洛水，而列出了九畴。

历日是神农所为，甲子乃大挠所作。

[注释] 历日：历法。 甲子：借指天干地支。 大挠：传说为黄帝之史官。

[译文] 历法是神农氏所创，天干地支是大挠所作。

算数作于隶首，律吕造自伶伦。

[注释] 隶首：传说为黄帝之史官，算数（计数；算术）的创造者。 伶伦：传说为黄帝时的乐官，古以为律吕（乐律）的创造者。

[译文] 算数是隶首所作，律吕是伶伦所造。

甲胄舟车，系轩辕之创始；权量衡度，亦轩辕之立规。

[注释] 甲胄舟车：甲胄，铠甲和头盔。舟车，船和车。 权量衡度：权，秤锤。衡，秤杆。二者都是测量重量的工具。量，测量容积的工具。度，测量长度的工具。

[译文] 盔甲战袍、船只车辆，都是黄帝攻打蚩尤时创造的；度

量衡的器具、规矩，也是黄帝所立。

伏羲氏造网罟，教佃渔以赡民用；
唐太宗造册籍，编里甲以税田粮。

[注释] 网罟（gǔ）：网也。罟，网的总称。 佃渔：狩猎，捕鱼。 册籍：户籍。 里甲：一种基层组织制度，这里指唐代前期实行的用以按丁计征的户籍制度。

[译文] 伏羲氏创造了网，教百姓狩猎捕鱼以供食用；唐太宗造名册户籍，按丁收取田粮赋税、摊派工役。

兴贸易，制耒耜，皆由炎帝；造琴瑟，教嫁娶，乃是伏羲。

[注释] 耒耜（lěi sì）：古代耕地翻土的农具。耒是耒耜的柄，耜是耒耜下端的起土部分。

[译文] 兴起货物交易，制造耕田农具，这些都是炎帝所创；制造琴、瑟等乐器，教人婚嫁礼仪，这些都是伏羲所为。

冠冕衣裳，至黄帝而始备；桑麻蚕织，自元妃而始兴。

[注释] 元妃：黄帝的正妻嫘祖。

[译文] 冠冕衣服，这些都是到了黄帝时才齐备的；采桑绩麻、养蚕纺织，这是嫘祖始倡的。

神农尝百草，医药有方；后稷播百谷，粒食攸赖。

[注释] 神农：传说中的太古帝王名。始教民为耒耜，务农业，故称神农氏。又传他曾尝百草，发现药材，教人治病。 后稷：虞舜命为农官，教民耕稼，称为"后稷"。

[译文] 神农氏遍尝百草，才有了医治疾病的药方；舜帝的臣子后稷播种百谷，百姓才开始依赖粮食而不再忍受饥饿。

燧人氏钻木取火，烹饪初兴；有巢氏构木为巢，宫室始创。

[注释] 燧人氏：传说中的古帝王。钻木取火的发明者。 有巢氏：传说中巢居的发明人。

[译文] 燧人氏发明钻木取火，人类开始有了烹饪、吃熟食的习惯；有巢氏用木料筑巢，从此才有了房屋。

夏禹欲通神祇，因铸镛钟于郊庙；
汉明尊崇佛教，始立寺观于中朝。

[注释] 神祇：天神与地神。泛指神灵。 中朝：中原王朝。

[译文] 夏禹想与神灵沟通，铸了一口大钟置于郊祭的庙里；汉明帝尊崇佛教，开始在中国建造寺院。

周公作指南车，罗盘是其遗制；
钱乐作浑天仪，历家始有所宗。

[注释] 指南车：我国古代用来指示方向的车。有创于黄帝说，有创于周公说。 罗盘：测定方向的仪器。由有方位刻度的圆盘和装在中间的指南针构成。 浑天仪：我国古代观测天体位置的仪器。

[译文] 周朝周公旦发明指南车，后来的罗盘就是根据它的原理制成的；南朝宋钱乐作浑天仪，后来的历法家们才有了制定历法的依据。

育王得疾，因造无量宝塔；秦政防胡，特筑万里长城。

[注释] 育王：即阿育王。梵语。意为无忧王。为古印度名王旃（zhān）陀罗笈多之孙，初奉婆罗门教，后皈依佛教，崇佛教为国教。

[译文] 古印度阿育王得了疾病，大力推广佛教，修筑宝塔成千上万；秦始皇嬴政为了防备北方胡人的侵扰，筑起了万里长城。

叔孙通制立朝仪,魏曹丕秩序官品。

[注释] 朝仪:朝廷的礼仪。 官品:官职的品第等级。三国魏开始将官职分为九品。

[译文] 汉高祖初定天下,令大臣叔孙通制定了朝廷的礼仪;三国魏文帝曹丕登位后,制定了九品官位的等级制度。

周公独制礼乐,萧何造立律条。

[注释] 礼乐:礼节和音乐。古代帝王常以兴礼乐为手段,达到尊卑有序、远近和合的统治目的。 律条:法律条文。

[译文] 周公旦亲自制定了周朝的礼乐,萧何主持制定了汉朝法令。

尧帝作围棋,以教丹朱;武王作象棋,以象战斗。

[注释] 围棋:棋类的一种,传为尧作。 象棋:古代弈之一种,亦曰象戏。不同于今日象棋。传为武王所作。

[译文] 尧帝制作围棋,教给儿子丹朱;周武王制作象棋,以研究进退攻守的战术。

文章取士,兴于赵宋;应制以诗,起于李唐。

[注释] 应制:应诏,应皇帝之命。

[译文] 以文章作为选拔人才的依据,始于赵氏的宋朝;应皇帝之命而作诗,起于唐朝李氏。

梨园子弟,乃唐明皇作始;《资治通鉴》,乃司马光所编。

[注释] 梨园:因唐玄宗时于梨园教习艺人,后因以泛指戏班或演戏之所。

[译文] 梨园子弟,是从唐明皇开始对艺人的称呼;《资治通鉴》,是宋朝司马光主持修纂的编年体史书。

笔乃蒙恬所造，纸乃蔡伦所为。

[注释] 笔乃蒙恬所造：事实上，出土的文物已证明，毛笔远在蒙恬造笔之前就有了。但蒙恬作为毛笔制作工艺的改良者，其功亦不可没。据说，蒙恬是在出产最好兔毫的赵国中山地区，取其上好的秋兔之毫制笔的。 纸乃蔡伦所为：详见《后汉书·宦者传·蔡伦》。

[译文] 毛笔是秦朝大将蒙恬所造，造纸术乃是东汉蔡伦发明的。

凡今人之利用，皆古圣之前民。

[注释] 前民：谓引导人民。

[译文] 凡是现在人们所用的器物，都是古代圣人的发明创造，开了民用之先。

【增】

钥因鱼目，取鱼目之常醒；杖以鸠名，重鸠喉之不噎。

[注释] 钥：锁。宋丁用晦《芝田录》卷二："门钥必以鱼，取其不瞑目守夜之义。"

[译文] 钥别名鱼目，取鱼在水中不闭眼睛，日夜长醒之意；老人的拐杖头刻成鸠形，是因为看重鸠鸟吃食不噎，取长寿之意。

飞舲是轻车别号；纨箑为素扇佳名。

[注释] 舲（líng）：有窗户的小船。 箑（shà）：扇子。

[译文] 飞舲是轻便车子的别名，纨箑是扇子的美称。

翠华旗光摇汉苑，白玉管响彻唐宫。

[注释] 翠华旗：天子仪仗中以翠羽为饰的旗帜。

[译文] 翠华旗在汉宫林苑飘扬，光彩照人；安禄山送给唐明皇

的白玉箫管，声音响彻皇宫。

米家书画船，足怡素志；齐子班兰物，可壮生平。

[注释] 书画船：北宋书画家米芾曾任江淮发运，于船上揭牌，称"米家书画船"。语出宋黄庭坚《戏赠米元章》诗之一。　班兰物：此谓刻有花纹的木剑。班兰，色彩错杂灿烂貌。事见《南史·张敬儿传》。

[译文] 宋代画家米芾，在船上竖起一块"米家书画船"的大牌，足以说明平素的志向。南朝齐张敬儿说："我虽贫穷，但身边还有班兰物。"可壮英雄生平气概。

毡氍毹，美人旧赠；金屈戌，良匠新成。

[注释] 氍毹（qú yú）：一种毛织或毛与其他材料混织的毯子。可用作地毯、帘幕等。　屈戌：门窗、橱柜等的环纽、搭扣。

[译文] 毡氍毹，是过去美人的赠品；金屈戌，是巧匠新制成的装饰。

乌金热炭厚贻，翠羽编帘异制。

[注释] 乌金：煤的别称。　贻：赠送；给予。

[译文] 乌金、热炭，是寒冷时送人的厚礼；用翠鸟羽毛编织的帘子，是宫中特有的制器。

笭箵收于渔父，卷去夕阳；襏襫荷于农人，披来朝雨。

[注释] 笭箵（líng xīng）：渔具的总称。亦可指贮鱼的竹笼。笭，古代船舱中放器物的床形衬板。箵，渔人盛鱼用的竹器。　襏襫（bó shì）：蓑衣之类的防雨衣。

[译文] 渔夫收起装鱼的竹笼，也卷走了一片夕阳；农夫穿着蓑衣下地，身上披着清晨的雨水。

技 艺

医士业岐轩之术,称曰国手;地师习青乌之书,号曰堪舆。

[注释] 岐轩:岐,即岐伯,相传为黄帝时的名医。轩,轩辕,即黄帝。其居于轩辕之丘,故以为名。今所传《黄帝内经》,即战国秦汉时医家托名黄帝与岐伯论医之作。 地师:指旧时看风水好坏的人。 青乌:指青乌子。传说中的古代堪舆家。堪舆,风水。指住宅基地或墓地的形势。亦指相宅相墓之法。

[译文] 医生要学岐伯和轩辕黄帝的医术,被称为"国手";风水师要学青乌子所著的书,被称为"堪舆"。

卢医扁鹊,古之名医;郑虔崔白,古之名画。

[注释] 扁鹊:战国时名医。原名秦越人,渤海郡鄚(今河北省任丘市北)人。一说家于卢国(今山东省长清县南),故又称卢医。 郑虔:郑州荥阳人。尝自写其诗并画以献上,帝大署其尾曰"郑虔三绝"。事见《新唐书·郑虔传》。 崔白:字子西。濠梁(今安徽凤阳)人。活跃于宋神宗前后。擅花竹、翎毛,亦长于佛道壁画,开北宋宫廷绘画之新风。有《双喜图》、《寒雀图》、《竹鸥图》等传世。

[译文] 战国时卢国医生扁鹊是古代的名医,唐朝郑虔和宋朝崔白是古代的名画师。

晋郭璞得《青囊经》,故善卜筮地理;
孙思邈得龙宫方,能医虎口龙鳞。

[注释] 晋郭璞得《青囊经》:事详《晋书·郭璞传》。 孙思邈得龙宫方:事详唐段成式《酉阳杂俎》卷二。

[译文] 晋郭璞得到仙人郭公的《青囊经》九卷,所以精通天文

地理以及堪舆之术；唐孙思邈得到三十个龙宫药方，曾为病龙点鳞，从虎口取出误吞的金钗。

善卜者，是君平、詹尹之流；善相者，即唐举、子卿之亚。

[注释] 相（xiàng）：旧时迷信，用观察面貌、形体来推测人的命运。

[译文] 善于占卜者，是西汉的严遵（字君平）、战国楚的郑詹尹之流；善于看相者，是战国梁人唐举和春秋郑国的子卿之辈。

推命之人曰星士，绘画之士曰丹青。

[注释] 星士：以星命术为人推算命运的术士。　丹青：丹砂和青䩱（wò），可作颜料。喻指画像、图画之士。

[译文] 算命的人叫星士，绘画的人叫丹青。

大风鉴，相士之称；大工师，木匠之誉。

[注释] 风鉴：相面术。指以谈相论命为职业的人。　工师：古官名。专掌营建工程和管教百工等事。

[译文] 大风鉴是称赞相士的称呼，大工师是赞美木匠的称呼。

若王良、若造父，皆善御之人；
东方朔、淳于髡，系滑稽之辈。

[注释] 御：驾驭车马。　滑稽：谓能言善辩，言辞流利。

[译文] 像春秋晋国的王良和西周穆公时的造父，都是善于驾驭车马的人；西汉的东方朔和战国时齐国的淳于髡（kūn），都是善于以滑稽之法劝帝王行使善政的人。

称善卜卦者，曰今之鬼谷；称善记怪者，曰鬼之董狐。

[注释] 鬼谷：鬼谷子。姓王名诩，一说为春秋时代卫国（今河南鹤壁市

淇县）人；一说为战国时代卫国人。　董狐：春秋晋国太史，亦称史狐。因董督典籍，故姓董氏。

[译文] 称呼善于卜卦的高手，叫当今的鬼谷子；称呼善于记录奇异怪事的人，叫过去的董狐。

称诹日之人曰太史；称书算之人曰掌文。

[注释] 诹（zōu）日：商量选择吉日。　书算：记账，计算。

[译文] 称呼选取黄道吉日的人叫太史，称呼书写推算的人叫掌文。

樗蒲之戏，乃曰双陆；橘中之乐，是说围棋。

[注释] 樗（chū）蒲：樗，即臭椿。蒲，即水杨。古代一种博戏，后世借指赌博。　双陆：详见《人事》。　橘中：即橘中戏。传说古时有一巴邛（qióng）人家橘园，霜后两橘大如三斗盎。剖开，有二老叟相对象戏，谈笑自若。一叟曰："橘中之乐不减商山。"事见唐牛僧孺《玄怪录·巴邛人》。后遂称象棋游戏为"橘中戏"。此以橘中之乐指围棋，疑误。

[译文] 樗蒲这种赌博游戏就是后来的双陆，橘中之乐是有关围棋的传说。

掷骰者，喝雉呼卢；善射者，穿杨贯虱。

[注释] 骰（tóu）：赌具。多以兽骨制成，为正方块。六面分刻一二三四五六点，一、四涂以红色，为雉；馀涂黑色，为卢。掷之视所见点数或颜色为胜负，故又称投子、色子。相传为三国魏曹植创制。　穿杨贯虱：战国人养由基射箭能百步穿杨，纪昌射箭能正中虱心。事见《战国策·西周策》和《列子·汤问》。

[译文] 掷骰子赌博的人，喜欢大声吆喝雉卢；善于射箭的人，能射中百步外的柳叶和虱子。

陈平作傀儡，解汉高白登之围；
孔明造木牛，辅蜀军运粮之计。

[注释] 傀儡：用土木制成的偶像。　木牛：古代一种运载工具。即独轮车。

[译文] 汉高祖被匈奴围困在白登城，陈平制作木偶美人舞于城上，匈奴首领的妻子怕城破后夫收美人为妾，就催促撤兵，解了高祖之围；诸葛亮为运送蜀军粮草，制造了木牛、流马。

公输子削木鸢，飞天至三日而不下；
张僧繇画壁龙，点睛则雷电而飞腾。

[注释] 公输子：即春秋时的公输班，常谓之鲁班。　木鸢：形状像鸢的木制飞行器。鸢，俗称老鹰。　张僧繇：南朝梁画家。

[译文] 鲁班用木料制成鸢鸟，在天上飞了三日而不落。张僧繇在南京安乐寺的影壁上画了两条龙，不肯点睛，说如果点了就会飞走，人们以为他狂妄。结果他点了一条龙的眼睛，顿时雷电大作，龙腾空飞去，剩下那条未点睛的龙。

然奇技似无益于人，而百艺则有济于用。

[注释] 奇技：奇特的技能。　百艺：诸种普通技艺。

[译文] 然而奇巧的技能看起来对人用处不大，而诸种普通的技艺则是很有用处的。

【增】

青囊春暖，丹灶烟浮。

[注释] 青囊：古代医家存放医书的布袋。

[译文] 医术高明的大夫的布囊中，装满回春方剂；道家炼丹的炉灶上，有香烟飘拂。

膝里痒生，华佗有出蛇之妙术；

背间痈溃，伯宗具徙柳之神功。

[注释] 痈（yōng）：肿疡。一种皮肤和皮下组织化脓性的炎症，多发于颈、背，常伴有寒热等全身症状。

[译文] 东汉河内太守刘勋的女儿左膝长了一个疮，奇痒不止。华佗从疮口里取出了一条蛇来，这真是神妙的医术；南朝公孙泰背上生了一个烂痈，薛伯宗能把痈毒转移到门外柳树上，人愈树枯，这的确是神奇的功夫。

陆宣公既活国又活人，范文正等为医于为相。

[注释] 宣公：唐宰相陆贽谥号。 文正：北宋名臣范仲淹谥号。

[译文] 唐朝陆贽既在德宗时当过宰相，又在晚年留心医术，救活了不少人；宋朝范仲淹少年时曾说过，我如不能做良相，必定要做良医。因为医术同样可以救百姓于水火。

一枝铁笔分休咎，三个金钱定吉凶。

[注释] 休咎（jiù）：吉凶；善恶。咎，灾祸，不幸之事。与"休"相对。

[译文] 算卦人的笔如刀，一笔能分祸与福；用三个铜钱占卜，能判定事情的凶与吉。

折蓰获奴，应让杜生术善；破墙得妇，当推管辂神通。

[注释] 折蓰（zōng）获奴：详见《新唐书·方技传·杜生传》。 破墙得妇：见《三国志·魏书·方技传·管辂》。

[译文] 折蓰获奴，这是杜生善于预测；破墙得妇，这是管辂料事通神。

新雨行来，言从季主；琼茅索得，且问灵氛。

[注释] 季主：汉代卜筮者司马季主。　琼茅索得，且问灵氛：《楚辞·离骚》："索琼茅以筳篿（tíng zhuān）兮，命灵氛为余占之。"王逸注："索，取也。琼茅，灵草也。筳，小折竹也。楚人名结草折竹以卜曰篿。灵氛，古明占吉凶者。"

[译文] 汉朝司马季主雨中在长安街上算卦，宋忠和贾谊冒雨向他请教卜卦的学问；屈原在诗中说，要找琼茅等卜筮工具向善卜者问卦。

燕颔虎头，识是封侯之略；龙瞳凤颈，知为王者之征。

[注释] 燕颔虎头：详见《武职》。　龙瞳凤颈：《新唐书·方技传·袁天纲》："后（武则天）最幼，姆抱以见，绐以男，天纲视其步与目，惊曰：'龙瞳凤颈，极贵验也。若为女，当作天子。'"

[译文] 燕颔虎头，这是封侯的相貌；龙瞳凤颈，这是帝王的特征。

识英布之封侯，果然不谬；知亚夫之当饿，真个无讹。

[注释] 英布：汉初名将。因受秦律被黥，又称黥布。　亚夫：即周亚夫，西汉文帝时名将。

[译文] 英布少年时，有个看相的人说他先受刑后封侯。后果因犯法脸上刺字，终被汉高祖封为九江王。看相人说的真是不错。周亚夫守河内时，有个看相的人说他日后要饿死。后来果然被诬陷谋反，绝食五天而死。看相人说的确实不假。

道士能知吉壤，竹策丛生；闽僧善觅佳城，湖灯呵护。

[注释] 道士能知吉壤：见《太平广记》卷一百三十八。　闽僧善觅佳城：邹圣脉注："宋尤袤父时亨，与闽僧相友善。僧精于风鉴，觅得一吉壤于吴塘之山，以嘱公曰：'百岁后必葬此，发福二百馀年。'及卒，子袤如僧言

葬之，遂庐于墓。始葬十日，月夜忽见湖中有红灯万盏，叱声振地，公惧隐乔松之下。闻空中曰：'此地发福三百年，彼人子何德而畀之？速令发去。'又闻空中应曰：'尤时亨累世积德，袞又纯孝子也。'空中又曰：'世德纯孝可当此地矣，其善护之。'湖灯应声而灭。"

[译文] 唐朝有个道士所选的墓地上竹子丛生，宋朝福建有个和尚所选的墓地有湖灯呵护。

孙钟孝而致三仙，龙图酷而梦二使。

[注释] 孙钟：三国吴孙权的祖父。　龙图：唐代酷吏李龙图。

[译文] 孙钟孝顺父母，感动天地，有三个神仙告诉他一块好墓地，其后代历为吴帝；有人送给李龙图一块好墓地安葬父亲，可夜里梦见两个小鬼在呵斥他，便不敢使用那块墓地了。

动静方圆，还符四象；纵横阖辟，止争一先。

[注释] 四象：指春夏秋冬四时。体现于卦上，则指少阳、老阳、少阴、老阴四种爻象。　阖辟：闭合与开启。

[译文] 围棋着法"动静方圆"，符合四种爻象；棋子纵横，阵势开合，胜负只争一先。

飞两奁之黑白，争一纸之雌雄。

[注释] 两奁（lián）：奁，此谓盛围棋子的器具。每人执一，故有两奁。　一纸：此谓棋盘。棋盘画在纸上，故称。

[译文] 棋盒中的黑白子运行如飞，为争一盘棋的输赢胜败。

讼　狱

世人惟不平则鸣，圣人以无讼为贵。

[注释] 讼：诉讼；控告。

[译文] 世人遇到不公平的事，就要发出不满的呼声；圣人认为，世间没有官司可打是最珍贵的。

上有恤刑之主，桁杨雨润；下无冤枉之民，肺石风清。

[注释] 桁（háng）杨：加在脚上或颈上的刑具。亦泛指刑具。 肺石：古时设于朝廷门外的赤石。民有不平，得击石鸣冤。石形如肺，故名。

[译文] 上有慎用刑罚的君主，用刑如雨润万物，使罪犯受感化而向善；下无被冤枉的百姓，用来喊冤的肺石则冷冷清清。

虽囹圄便是福堂，而画地亦可为狱。

[注释] 囹圄（líng yǔ）：监狱。

[译文] 虽然在牢房里，如能改过自新，牢房亦是福堂；古代民风淳朴，在地上画个圈，就可以当关犯人的监狱了。

与人构讼，曰鼠牙雀角之争；罪人诉冤，有抢地吁天之惨。

[注释] 鼠牙雀角：《诗·召南·行露》："谁谓雀无角，何以穿我屋？谁谓女无家，何以速我狱？谁谓鼠无牙，何以穿我墉？谁谓女无家，何以速我讼？"强暴侵凌，引起争讼。 抢地吁天：以头撞地向天呼冤。

[译文] 和别人打官司，叫鼠牙雀角之争；罪人申诉冤情，有着呼天抢地的惨状。

狴犴猛大而能守，故狱门画狴犴之形；
棘木外刺而里直，故听讼在棘木之下。

[注释] 狴犴（bì àn）：又名宪章。传说中的兽名，形似虎。传说狴犴不仅急公好义，仗义执言，而且明辨是非，秉公而断。 棘木：酸枣树。

[译文] 狴犴体大凶猛，能看守门户，所以牢门上都画有它的图形；棘木外面有刺而里面平直，所以古代的法官大多在棘木下审案。

乡亭之系有岸,朝廷之系有狱,谁敢作奸犯科;
死者不可复生,刑者不可复赎,上当原情定罪。

[注释] 岸:通"犴"。古代乡亭的牢狱。 原情:推究本情。

[译文] 乡亭的监牢叫岸,朝廷的监牢叫狱,谁还敢触犯法律呢?人死不能复生,服刑不能赎回,所以法官应据本情定罪。

囹圄是周狱,羑里是商牢。

[注释] 羑(yǒu)里:殷代监狱名。今河南汤阴县城北,尚有商纣囚禁周文王的羑里城。

[译文] 囹圄是周朝的监狱,羑里是商代的牢房。

桎梏之设,乃拘罪人之具;缧绁之中,岂无贤者之冤。

[注释] 桎梏(zhì gù):刑具。桎,脚镣。梏,手铐。 缧绁(léi xiè):捆绑犯人的绳索。引申为牢狱。

[译文] 设置脚镣手铐,是用来拘捕犯人的刑具;牢狱之中,难道就没有被冤枉的好人吗?

两争不放,谓之鹬蚌相持;无辜牵连,谓之池鱼受害。

[注释] 鹬蚌(yù bàng)相持:详见《战国策·燕策二》。 池鱼受害:相传春秋时,宋国池仲鱼所居近城门,一次城门失火,延及其家,仲鱼烧死。一说宋城门失火,因汲水灭火,池水干涸,鱼皆枯死。后喻无端受牵连而遭祸害。详见《艺文类聚》卷九十六。

[译文] 双方互不相让,叫鹬蚌相持;无辜而受牵连,叫池鱼受害。

请公入瓮,周兴自作其孽;下车泣罪,夏禹深痛其民。

[注释] 请公入瓮:详见《太平广记》卷一二一引唐张鷟《朝野佥载·周

卷四 307

兴》。　下车泣罪：汉刘向《说苑·君道》："禹出见罪人，下车问而泣之。左右曰：'夫罪人不顺道，故使然焉，君王何为痛之至于此也？'禹曰：'尧舜之人皆以尧舜之心为心，今寡人为君也，百姓各自以其心为心，是以痛之也。'"

[译文]　请君入瓮，是唐代周兴自作自受；下车泣罪，是大禹对百姓的怜悯。

好讼曰健讼，累及曰株连。

[注释]　健讼：好打官司。　　株连：一人有罪而牵连多人。

[译文]　好打官司叫健讼，无辜受牵连叫株连。

为人解讼，谓之释纷；被人栽冤，谓之嫁祸。

[注释]　释纷：解除纠纷。　　嫁祸：移祸他人。

[译文]　替别人排解官司叫释纷，被人栽赃陷害叫嫁祸。

徒配曰城旦，遣戍是问军。

[注释]　城旦：古代刑罚。一种筑城四年的劳役。　　问军：古代刑罚。充军。

[译文]　发配做苦役叫城旦，流放去戍边叫问军。

三尺乃朝廷之法，三木是罪人之刑。

[注释]　三尺：指法律。《史记·酷吏列传》："周曰：'三尺安出哉？'"裴骃集解引《汉书音义》："以三尺竹简书法律也。"　　三木：古代加在犯人颈、手、足上的三件刑具。

[译文]　三尺竹简上写的是朝廷的法律，三木是加在犯人身上的三种刑具。

古人五刑，墨、劓、剕、宫、大辟；
今之律例，笞、杖、死罪、徒、流。

[注释] 墨：以刀刺面，染黑为记。　劓（yì）：割鼻。　剕（fèi）：断足。　宫：阉割男子生殖器，破坏妇女生殖机能（一说将妇女禁闭宫中为奴）。　大辟：死刑。　笞（chī）：用荆条或竹板敲打臀、腿或背。　杖：用荆条或大竹板拷打犯人。　死罪：死刑。　徒：将罪犯拘禁于一定场所，强制其劳动。　流：把犯人遣送到边远的地方服劳役。

[译文] 古代的五种刑罚是：墨、劓、剕、宫、大辟；如今（隋唐以后）的刑法是：笞、杖、徒、流、死罪。

上古时削木为吏，今日之淳风安在；
唐太宗纵囚归狱，古人之诚信可嘉。

[注释] 削木为吏：相传古民风淳朴，用木头刻成官吏放在犯人的家里，到了审理案件的时间，不用人去捉拿，自己抱着木吏到公堂受审。　纵囚归狱：唐太宗把判死刑的犯人放回家，与家人团聚，约定归狱就刑的时间，犯人们果然都如期返回。

[译文] 上古时可削木为吏，如今这种淳朴的民风还存在吗？唐太宗可纵囚归狱，古人这种诚实守信的精神实在可嘉。

花落讼庭闲，草生囹圄静，歌何易治民之简；
吏从冰上立，人在镜中行，颂卢奂折狱之清。

[注释] 何易：邹圣脉注："唐时益昌令，有仁政，人皆息讼。民歌曰：'花落讼庭闲，草生囹圄静。'"　卢奂：仕唐，宰相卢怀慎长子。清白廉明，有政绩。为南郡太守时，民颂曰："抱案吏从冰上立，诉冤人在镜中行。"亦详邹圣脉注。

[译文] 花落讼庭闲，草生囹圄静，这是歌颂何易治民有方的；吏从冰上立，人在镜中行，这是歌颂卢奂断案公正的。

可见治乱之药石，刑罚为重；兴平之粱肉，德教为先。

[注释] 药石：药剂和砭石。泛指药物。　粱肉：以粱为饭，以肉为肴。

谓精美的膳食。

[译文] 由此可见，治理乱世以刑法为重，好比治病的良药；振兴太平以德教为先，如同强身的美食。

【增】
乌台定律，象魏悬书。
[注释] 乌台：御史台。汉御史台院中多柏树，上多乌鸦，故称乌台。象魏：古代天子、诸侯宫门外的一对高建筑，亦叫"阙"或"观"，为悬示教令的地方。
[译文] 乌台是制定法律的地方，象魏是悬挂教令的地方。

惟忠信慈惠之师，有折狱致刑之实。
[注释] 折狱：判决诉讼案件。
[译文] 唯有忠信慈惠的官吏，才能根据事实断案判刑。

失入宁失出，须当念切于无辜；
过义宁过仁，务必心存其不忍。
[注释] 失入：轻罪重判或不当判刑而判刑。失出，意者相反。 过义：过于按照正义的标准。
[译文] 宁可重罪轻判，而不可轻罪重判，时刻想到不要滥罚无辜；宁可过于仁厚，而不可过于严厉，务必存有一颗不忍之心。

察五声而审克，应尔精详；讯三刺以简孚，宜乎谨慎。
[注释] 五声：五听。《周礼·秋官·小司寇》："以五声听狱讼，求民情。一曰辞听，二曰色听，三曰气听，四曰耳听，五曰目听。"孙诒让正义："此五声亦谓之五听。" 三刺：周代治理重案，必依次与群臣、群吏和百姓三等人反复计议，然后定罪判决，以示审慎。
[译文] 问案应当明察五声，这样才能精细详尽；判案要征询三

种人的意见，谨慎从事。

蒿满圜扉之宅，人怀天保初年；
鹊巢大理之庭，世誉玄宗即位。

[注释] 圜（yuán）扉：狱门。借指牢狱。 大理：掌刑法的官。秦为廷尉，汉景帝六年更名大理，武帝建元四年复为廷尉，北齐为大理卿，隋唐以后沿之。

[译文] 蓬蒿长满了牢房门前，人们总在怀念北齐天保初年大赦天下的情景；喜鹊在大理寺庭院筑巢，世人都称颂唐玄宗即位时宽法省刑的做法。

赭衣满道，何其酷烈难堪；玄铋罗门，未免摧戕太甚。

[注释] 赭（zhě）衣：古代囚衣。以赤土染成赭色，故称。亦可借指囚犯。 玄铋：古代铁制斧形兵器。 戕（qiāng）：残害，杀害。

[译文] 穿着红色囚服的犯人站满了道路，秦朝酷虐的刑罚令人不堪忍受；刑具布满牢房，这样摧残犯人未免太过分了。

门有沸汤之势，抚念不安；巢无完卵之存，扪心何忍。

[注释] 沸汤：滚开的水。 完卵：完好的禽蛋。

[译文] 门前人们情绪激昂如沸汤，这是唐朝李义府因获罪被满门抄斩的情景，每忆此事令人不安；巢穴捣毁，必无完卵存在，这是汉朝孔融被捕时他儿子说的话，扪心自问，怎么忍心呢？

虽辟以止辟，还刑期无刑。

[注释] 辟：死罪。 刑：惩罚。

[译文] 虽有死罪，是防止后人再犯死罪；虽有刑罚，是期望后人不再犯法。

《周礼》有三宥之词,千秋可法;
虞廷有肆赦之典,万古常称。

[注释] 三宥(yòu):指古代对犯罪者可从轻处理的三种情况。宥,宽恕;赦免。《周礼·秋官·司刺》:"司刺掌三刺、三宥、三赦之法。……壹宥曰不识,再宥曰过失,三宥曰遗忘。" 肆赦:犹缓刑,赦免。

[译文]《周礼》中有对不知法、因过失、因遗忘而获罪者可以宽宥,这是千年都可效法的;虞舜时有对幼弱、老迈、愚蠢之人犯罪可赦免的制度,这种做法万古称颂。

蝇集笔端,识赦书之已就;乌啼宵夜,知恩诏之将颁。

[注释] 蝇集笔端:见《晋书·苻坚载纪》。 乌啼宵夜:见《旧唐书·音乐志二》。

[译文] 蝇集笔端,是说苍蝇早知大赦诏书已经写成;乌啼宵夜,是说乌鸦已知降恩诏书马上颁发。

无赦而刑必平,文中之论,夫岂全诬;
多赦则民不敬,管子之言,亦非尽谬。

[注释] 文中:隋王通,字仲淹,号文中子。

[译文] 无赦之国,使用刑罚必须平缓,这是隋朝王通说的,并非全错;赦免太多,百姓便会放肆轻法,这是齐国管仲说的,并非全谬。

孔明治蜀,所以不行;吴汉临终,于焉致嘱。

[注释] 不行:此谓诸葛亮不妄下赦令。 吴汉:后汉大将。临终,语光武帝曰:"臣愚无所知,唯愿陛下慎无赦而已。"详见《后汉书·吴汉列传》。

[译文] 诸葛亮治理蜀国二十余年,从不妄下赦令;吴汉临终嘱咐皇帝,不要轻易赦免犯人。

释道鬼神

如来释迦,即是牟尼,原系成佛之祖;
老聃李耳,即是道君,乃为道教之宗。

[注释] 如来、释迦:即释迦牟尼,意为"释迦族的圣人"。因父为释迦族,故成道后被尊为释迦牟尼。 老聃、李耳:即老子。道教创始人。

[译文] 如来释迦,就是释迦牟尼,佛教的始祖;老聃本名李耳,就是太上道君,道教的始祖。

鹫岭祇园,皆属佛国;交梨火枣,尽是仙丹。

[注释] 鹫岭:指灵鹫山。在古印度摩揭陀国王舍城之东北,山中多鹫,故名。或云形似鹫头而得名。如来曾在此讲《法华》等经,故佛教以为圣地。又简称灵山或鹫峰。 祇园:释迦牟尼去舍卫国说法时,与僧徒停居之处。 交梨、火枣:道教所称的仙果。

[译文] 鹫岭、祇园,都是佛祖说法之地;交梨、火枣,都是道家的仙丹。

沙门称释,始于晋道安;中国有佛,始于汉明帝。

[注释] 沙门:梵语的译音。原为古印度反婆罗门教思潮各个派别出家者的通称,佛教盛行后专指佛教僧侣。

[译文] 沙门中人以释为姓,始于东晋僧人道安;中国有佛教出现,始于东汉明帝时期。

篯铿即是彭祖,八百高年;许逊原宰旌阳,一家超举。

[注释] 篯铿(jiān kēng):人名,即彭祖。相传古之长寿者,尧时封于彭城。传说他善养生,有导引之术,活到八百高龄。事见汉刘向《列仙传·

彭祖》。 许逊：传说中的仙人。相传为晋道士，汝南人，学道于吴猛，后举孝廉，曾为旌阳令。感晋室棼（fén）乱，弃官东归，周游江湖。东晋孝武帝太康二年八月一日，于洪州西山，举家四十二口拔宅飞升。世称许真君或许旌阳。事见《太平广记》卷十四引唐无名氏《十二真君传·许真君》。

[译文] 钱铿就是彭祖，他活了八百岁；许逊原是旌阳县令，弃官学道，一家人都升了天。

波罗犹云彼岸，紫府即是仙宫。

[注释] 波罗：梵语音译。意为到彼岸，即由此岸（生死岸）度人到彼岸（涅槃、寂灭）。　紫府：道教以为仙人所居。

[译文] 释家语"波罗"，是到达彼岸的意思；道家以为"紫府"是仙人所居之处。

曰上方，曰梵刹，总是佛场；曰真宇，曰蕊珠，皆称仙境。

[注释] 上方：住持僧居住的内室。可借指佛寺。　梵刹：泛指佛寺。　真宇：真人所居庭宇。　蕊珠：即蕊珠宫。道教经典中的仙宫。

[译文] 上方、梵刹都是佛场，真宇、蕊珠都是仙境。

伊蒲馔，可以斋僧；青精饭，亦堪供佛。

[注释] 伊蒲馔：伊兰、菖蒲所制斋饭。　青精饭：即立夏吃的乌米饭。相传首为道家太极真人所制，服之延年。后佛教徒亦多于阴历四月八日造此饭以供佛。

[译文] 伊蒲馔，可供僧人食用；青精饭，可供奉于佛祖。

香积厨，僧家所备；仙麟脯，仙子所飧。

[注释] 香积厨：僧家的厨房。香积，佛号。　仙麟脯：干麒麟肉。

[译文] 香积厨是僧家厨房，仙麟脯是神仙所食。

佛图澄显神通，咒莲生钵；葛仙翁作戏术，吐饭成蜂。

[注释] 佛图澄：晋时来到中国的西域高僧。 葛仙翁：三国吴葛玄，善道。

[译文] 佛图澄显示神通，念咒语能使盛水的瓦钵中生出莲花；葛玄戏作法术，口中吐出的米饭能变成蜜蜂，复能把蜜蜂吞下再变为饭。

达摩一苇渡江，栾巴噀酒灭火。

[注释] 达摩：菩提达摩的省称，天竺高僧，本名菩提多罗。于南朝梁普通元年入中国，梁武帝迎至建康。后渡江往北魏，止嵩山少林寺，面壁九年而化。达摩为中华禅宗初祖。 栾巴：字叔元，东汉魏郡内黄人也，生平喜道。 噀（xùn）：含在口中而喷出。

[译文] 达摩北上，踏着一根芦苇就渡过了长江；汉桓帝赐栾巴喝酒，他喷酒向西南方，说此向有火灾，故喷酒灭之，后果应验。

吴猛画江成路，麻姑掷米成珠。

[注释] 吴猛：晋代人。传说曾用扇子在江上画出一条路，自己走过去就消失了。 麻姑：道教神话人物。自谓："接侍以来，已见东海三为桑田。"又能掷米成珠，为种种变化之术。

[译文] 吴猛能用扇子划开江水变出道路，麻姑能将撒在地上的米变成珍珠。

飞锡挂锡，谓僧人之行止；导引胎息，谓道士之修持。

[注释] 飞锡、挂锡：僧人行脚必携锡杖，行则执锡杖飞行，谓之飞锡；止宿则挂于壁上，谓之挂锡。 导引胎息：道家养生术。是一种呼吸和躯体运动相结合的健身之法。

[译文] 飞锡挂锡，是说僧人的行和止；导引胎息，是说道士修身养性的方法。

和尚拜礼曰和南，道士拜礼曰稽首。

[注释] 和南：僧人合掌问礼。　稽首：道士举一手向人行礼。

[译文] 和尚行礼叫和南，道士行礼叫稽首。

曰圆寂，曰荼毗，皆言和尚之死；
曰羽化，曰尸解，悉言道士之亡。

[注释] 圆寂：诸德圆满、诸恶寂灭，以此为佛教修行的最终目的。　荼毗：僧人死后将尸体火化。　羽化：用作道士死亡的婉辞。　尸解：谓道士遗其形骸而去。

[译文] 圆寂、荼毗，都是说和尚已死；羽化、尸解，都是说道士已亡。

女道曰巫，男道曰觋，自古攸分；
男僧曰僧，女僧曰尼，从来有别。

[注释] 巫：以装神弄鬼，搞迷信活动为职业的女人。　觋（xí）：为人祷祝鬼神的男巫。后亦泛指巫师。

[译文] 女道士叫巫，男道士叫觋，自古以来就是这样划分的；男僧人叫僧，女僧人叫尼，从来就是这样区别。

羽客黄冠，皆称道士；上人比丘，并美僧人。

[注释] 羽客：道士能飞升成仙，故称。　黄冠：道士束发之冠颜色多黄，故称。　上人：南朝宋后对僧人的尊称。　比丘：少年出家初受戒，称为沙弥。二十岁受具足戒，称比丘。

[译文] 羽客、黄冠，都是对道士的称呼；上人、比丘，都是对僧人的美称。

檀越檀那，僧家称施主；烧丹炼汞，道士学神仙。

[注释] 檀越、檀那：梵语音译。都是施主的意思。施主，佛道对布施者的敬称。

[译文] 檀越、檀那，是僧人对施主的称呼；烧丹、炼汞，是道士学做神仙的法术。

和尚自谦，谓之空桑子；道士诵经，谓之步虚声。

[注释] 空桑子：和尚出家，舍弃父母，成了佛家的儿子，而佛家又称沙门，沙门也叫桑门，教义本空，故而和尚自称空桑子。 步虚声：传说中神仙于空中的诵经声。后指道士育经礼赞的一种腔调。

[译文] 和尚谦称自己叫空桑子，道士诵经叫步虚声。

菩者普也，萨者济也，尊称神祇，故有菩萨之誉；

水行龙力大，陆行象力大，负荷佛法，故有龙象之称。

[注释] 菩萨：佛教名词。梵文菩提萨埵之省，原为释迦牟尼修行而未成佛时的称号，后泛用为对大乘思想实行者的称呼。 龙象：水中龙力大，陆上象力大，故佛氏用以喻诸罗汉中修行勇猛有最大能力者。

[译文] 菩，普遍；萨，周济。所以菩萨的美誉，是对神灵的尊称。在水里，龙的力量最大；陆地上，象的力量最大。故以龙象的称呼，来比喻僧人身负之佛法无边。

儒家谓之世，释家谓之劫，道家谓之尘，俱谓俗缘之未脱；

儒家曰精一，释家曰三昧，道家曰贞一，总言奥义之无穷。

[注释] 精一：道德修养的精粹纯一。 三昧：梵语音译。屏除杂念，心不散乱，专注一境。 贞一：守正专一。

[译文] 儒家所说的世俗，释家所说的劫数，道家所说的凡尘，都是指还没有摆脱世俗羁绊；儒家所说的精一，释家所说的三昧，道家所说的贞一，都是指深奥的道理没有穷尽。

达摩死后,手携只履西归;王乔朝君,舄化双凫下降。

[注释] 王乔:详见《衣服》。

[译文] 达摩死后,有人看到他手里拿着一只鞋回归西天;东汉王乔朝见皇帝不坐车马,脚上的鞋化作两只野鸭从天而降。

辟谷绝粒,神仙能服气炼形;不灭不生,释氏惟明心见性。

[注释] 辟谷绝粒:不吃五谷饭粒。 不灭不生:佛家超脱生死的境界。

[译文] 不食谷粮,神仙吐纳气息修炼身体;超脱生死,释家则心境明亮佛性尽显。

梁高僧谈经入妙,可使岩石点头,天花坠地;

张虚靖炼丹既成,能令龙虎并伏,鸡犬俱升。

[注释] 岩石点头:语本《莲社高贤传·道生法师》:"师被摈,南还,入虎丘山,聚石为徒。讲《涅盘经》,至阐提处,则说有佛性,且曰:'如我所说,契佛心否?'群石皆为点头,旬日学众云集。" 天花坠地:佛教传说。佛祖讲经,感动天神,诸天各色香花,纷纷下坠。 龙虎并伏,鸡犬俱升:据《列仙传》,东汉张天师道陵七世孙张虚靖学长生之术,遍游名山,炼丹既成,龙降虎伏,白日升天。临去,药器置于庭,鸡犬舐之,皆得升矣。

[译文] 南朝梁道生法师讲经至奥妙处,可令顽石点头、天花坠地;东汉张虚靖炼丹既成,可令龙降虎伏、鸡犬升天。

藏世界于一粟,佛法何其大;贮乾坤于一壶,道法何其玄。

[注释] 一粟、一壶:喻极小。

[译文] 把世界藏在一粒粟中,佛法何其宏大;把天地贮于一把壶中,道法何其玄妙。

妄谈之言,载鬼一车;高明之家,鬼瞰其室。

[注释] 载鬼一车：《易·睽》："上九，睽孤见豕负涂，载鬼一车，先张之弧，后说之弧。"高亨注："爻辞所言乃一古代故事。有一睽孤（离家在外之孤子）夜行，见豕伏于道中，更有一车，众鬼乘之。睽孤先开其弓欲射之，后放下其弓而不射。盖详察之，非鬼也，乃人也；非寇贼也，乃婚姻也。"瞰（kàn）：窥视。

[译文] 无稽之谈就好像说能装来一车鬼怪，富贵人家能招来鬼怪窥其家室。

《无鬼论》作于晋之阮瞻；《搜神记》撰于晋之干宝。

[注释] 阮瞻：晋阮咸子。性清虚寡欲，自得于怀，素执无鬼论，物莫能难。事具《晋书》本传。 干宝：字令升。祖籍河南新蔡。事具《晋书》本传。

[译文] 《无鬼论》是晋人阮瞻所作，《搜神记》是晋人干宝所撰。

颜子渊、卜子商，死为地下修文郎；韩擒虎、寇莱公，死作阴司阎罗王。

[注释] 修文郎：传说晋苏韶死后现形，对他的兄弟说："颜渊、卜商，今见在为修文郎，修文郎凡有八人，鬼之圣者。"见《太平广记》卷三一九引晋王隐《晋书》。后因以为阴曹掌著作之官。 阎罗王：佛教称主管地狱的神。

[译文] 孔子弟子颜渊、卜商，死后成为阴间掌著作之官；隋朝的韩擒虎和宋朝的寇准，死后作了阴间的阎王。

至若土谷之神曰社稷，干旱之鬼曰旱魃。

[注释] 社稷：古代帝王、诸侯所祭的土神和谷神。 旱魃（bá）：传说中引起旱灾的怪物。

[译文] 主管土地禾谷的神叫社稷，使人间干旱的鬼叫旱魃。

魑魅魍魉，山川之祟；神荼郁垒，啖鬼之神。

[注释] 魑魅魍魉（chī mèi wǎng liǎng）：魑魅，古谓能害人的山泽之怪。魍魉，古代传说中的山川精怪。害人鬼怪的统称。 神荼郁垒：传说能制服恶鬼的两位神人，后世遂以为门神。

[译文] 魑魅、魍魉，都是山川的鬼怪；神荼、郁垒，都是吃鬼的神灵。

仕途偃蹇，鬼神亦为之揶揄；心地光明，吉神自为之呵护。

[注释] 偃蹇（jiǎn）：艰难。蹇，阻塞，不流利。 揶揄（yé yú）：嘲笑；戏弄。

[译文] 仕途坎坷，鬼神都在暗中嘲笑；心地光明，自有吉神在暗中呵护。

【增】

菩提无树，明镜非台。

[注释] "菩提"二句：禅宗六世祖慧能（南宗）曾作一首诗："菩提本无树，明镜亦非台。本来无一物，何处惹尘埃。"因这首诗，禅宗之五祖弘忍授衣钵于慧能，慧能另开南宗一派。

[译文] 菩提本无树，明镜亦非台，这是禅宗万物皆空的一种境界。

光明拳打破痴迷膜，爱欲海济渡大愿船。

[注释] 光明拳：佛门无上神功，为少林七十二艺之首，据说创自如来。佛经上曾说，如来举金色臂，屈五轮指，为光明拳。 爱欲海：比喻爱欲蔽心之明，其深如海也。 大愿船：释家以其本愿力，救济众生，度生死海，送至彼岸之净土。犹如船筏之运载旅人到达彼岸，故以"大愿船"喻之。

[译文] 光明拳能打破罩在世人面前的痴迷膜；生死情欲如大

海，只有大愿船方能引渡众生。

白足清癯，谁个未知禅味；赤髭碧眼，何人不是梵宗。

[注释] 白足：指白足和尚。后秦鸠摩罗什弟子昙始，足白于面，虽涉泥淖而未尝污湿，时称白足和尚。　清癯（qú）：禅宗二世祖慧可清瘦，时号"瘦权"。此以清癯借指。　赤髭（zī）：指佛陀耶舍，善解《毗婆沙》，时人号曰赤髭毗婆沙。髭，胡子。　碧眼：借指达摩，人称达摩"碧眼胡僧"。

[译文] 昙始、慧可，哪个不通禅理？耶舍、达摩，哪个不是佛教宗师？

**法喜为妻，智度为母，无烦询骨肉是谁；
慈悲作室，通慧作门，不须问宅居何在。**

[注释] 法喜：闻见、参悟佛法而产生的喜悦。　智度：大智慧到彼岸。　通慧：通达聪慧。

[译文] 法喜为妻，智度为母，无须自寻烦恼去询问骨肉是谁；慈悲作室，通慧作门，不必再问家居何处。

孙居士大啸一声，山鸣谷应；陈先生长眠数觉，物换星移。

[注释] 物换星移：物换，景物变幻；星移，星辰移位。比喻时间的变化。

[译文] 晋朝孙登得仙术，长啸一声，山谷应和；唐宋间道士陈抟隐于华山，常大睡不醒，经历了不同朝代。

岩下清风，黑虎卖董仙丹杏；山间明月，彩鸾栖张叟绿筇。

[注释] 黑虎卖董仙丹杏：相传三国吴董奉隐居庐山，为人治病不取钱，但使重病愈者植杏五株，轻者一株，积年蔚然成林。董奉曾虎喉取鲠，虎报恩而守杏林。杏熟时，买杏者以谷一石换杏一石，凡多拿者有黑虎来驱赶。事具晋葛洪《神仙传·董奉》。　彩鸾栖张叟绿筇：张虚靖天师缘龙虎山结庐而

处,有彩鸾栖鸣其上,作诗云:"结庐高处无人到,夜半彩鸾栖绿筠。"此具邹圣脉注。筠,竹子。

[译文] 岩下清风徐来,有黑虎帮董奉守护杏林;山间明月辉映,张虚靖作诗云:"结庐高处无人到,夜半彩鸾栖绿筠。"

赵惠宗火中化鹤,岂避烽炎;左真人盆里引鲈,不须烟浪。

[注释] 赵惠宗火中化鹤:赵惠宗,唐代人。天宝末,忽积薪自焚,坐火中,诵度人经。火既烬,其下草犹绿。事见《玉芝堂谈荟》。化鹤,谓成仙。

左真人盆里引鲈:左真人,左慈,三国时人。少有神道,铜盘中为曹操钓得鲈鱼。事见《后汉书·左慈传》。

[译文] 赵惠宗自焚化鹤而去,不在乎火焰熊熊;左慈于盆中钓得鲈鱼,无须至于烟波之水。

萧子曾餐芝似肉,安期更食枣如瓜。

[注释] 萧子曾餐芝似肉:汉萧静之掘得一物,类人手,肥润而红。烹而食之,齿发更生,力壮貌少。道士顾静之曰:"所食者,肉芝也。寿等龟鹤矣。" 安期更食枣如瓜:《史记·封禅书》:"臣(李少君)尝游海上,见安期生,安期生食巨枣大如瓜。"

[译文] 萧静之曾吃似肉的灵芝,安期生吃的枣像瓜一样大。

夏郊有异神,祀处却转凶为吉;
黎丘多奇鬼,惑时必以伪害真。

[注释] 夏郊:相传尧杀鲧,鲧在此地变为黄熊之神。 黎丘:是魏国都城大梁以北地方。

[译文] 春秋时晋平公得病,子产告诉他夏郊有黄熊之神,需要祭祀它,平公从之,果然转危为安;黎丘一地多鬼怪,这些鬼怪能以假乱真害人。

唐时花月妖，畏见狄梁公之面；
晋代枌榆社，愁逢阮宣子之柯。

[注释] 枌榆：木名。泛指故乡。　柯：斧柄。

[译文] 唐朝武三思有美妾素娥，自称花月之妖，不敢与狄仁杰见面，因为狄仁杰是正人君子。晋朝阮宣子要砍家乡祭土地神的大树，有人劝阻，阮宣子说："大树既然是土地神，伐树不过是给土地神搬家，有何害处？"谁也拦不住他。

曾闻大手入窗，贞夫举笔；翻忆舌长吐地，壮士吹灯。

[注释] 翻忆：回忆。

[译文] 听说晋朝马贞夫夜间读书，有鬼从窗户伸进一只大手，贞夫便在其上写一红字，鬼苦苦哀求手不得出。直到天明，擦掉此字，鬼方叩谢而去。又想到晋朝嵇康在灯下弹琴，有鬼伸着七八尺长的舌头进来，嵇康把灯吹灭，耻与鬼怪争光。

邹德润徙项王祠，莫须有也；牛僧孺宿薄后庙，岂其然乎。

[注释] 莫须有：恐怕有；也许有。

[译文] 梁朝吴兴太守邹德润把占公堂一半的项羽祠堂迁往别处，说："生不能与刘邦争中原，死了占据公堂干什么？"这是莫须有的事情。唐朝牛僧孺落第，夜归迷路，有火光引导他到汉文帝母薄太后之庙，与薄太后、王昭君、杨贵妃等相聚。哪里会有这种事情呢？

鸟　兽

麟为毛虫之长，虎乃兽中之王。

[注释] 毛虫：指兽类。《大戴礼记·曾子天圆》："毛虫之精者曰麟，羽虫之精者曰凤。"

[译文] 麒麟是毛虫之长，老虎是百兽之王。

麟凤龟龙，谓之四灵；犬豕与鸡，谓之三物。

[注释] 四灵：《礼记·礼运》："何谓四灵？麟、凤、龟、龙谓之四灵。"孔颖达疏："以此四兽皆有神灵，异于他物，故谓之灵。" 三物：《诗·小雅·何人斯》毛传："三物，豕、犬、鸡也。"

[译文] 麟凤龟龙，称作四灵；狗猪和鸡，称作三物。

骒駬骅骝，良马之号；太牢大武，乃牛之称。

[注释] 骒駬（lù ěr）：良马名。周穆王八骏之一。 骅骝（huá liú）：亦周穆王八骏之一。 太牢：古代祭祀，牛羊豕三牲具备谓之太牢。亦有专指牛为太牢者。《大戴礼记·曾子天圆》："诸侯之祭，牛曰太牢。" 大武：称牛。《礼记·曲礼下》："凡祭宗庙之礼，牛曰一元大武。"

[译文] 骒駬、骅骝，是良马的称号；太牢、大武，是对牛的称呼。

羊曰柔毛，又曰长髯主簿；豕名刚鬣，又曰乌喙将军。

[注释] 柔毛：古代祭祀所用之羊的别称。《礼记·曲礼下》："凡祭宗庙之礼，牛曰一元大武，豕曰刚鬣，豚曰腯肥，羊曰柔毛。"孔颖达疏："若羊肥，则毛细而柔弱。" 长髯主簿：羊的别称。《初学记》卷二九引晋崔豹《古今注》："羊一名长髯主簿。" 刚鬣（liè）：古代祭祀所用猪的专称。鬣，长而硬的胡须。 乌喙（huì）将军：猪的别称。

[译文] 羊别名柔毛，又叫长髯主簿；猪别名刚鬣，又叫乌喙将军。

鹅名舒雁，鸭号家凫。

[注释] 舒雁：《礼记·内则》："舒雁翠，鹄鸮胖。"郑玄注："舒雁，鹅也。"

[译文] 鹅别名舒雁，鸭别名家凫。

鸡有五德，故称之为德禽；雁性随阳，因名之曰阳鸟。

[注释] 五德：比喻物的五种特征。《韩诗外传》卷二："君独不见夫鸡乎？首戴冠者，文也；足傅距者，武也；敌在前敢斗，勇也；得食相告，仁也；守夜不失时，信也。" 随阳：跟着太阳运行。指候鸟依季节而定行止。

[译文] 鸡有五德，所以称为德禽；大雁喜阳，所以叫做阳鸟。

家狸乌圆，乃猫之誉；韩卢楚犴，皆犬之名。

[注释] 乌圆：猫的别称。唐段成式《酉阳杂俎续集·支动》："猫一名蒙贵，一名乌员。" 韩卢、楚犴：韩国之卢、楚国之犴、晋国之獒、宋国之鹊，皆古之良犬。

[译文] 家狸、乌圆，都是猫的称呼；韩卢、楚犴，都是狗的名称。

麒麟驺虞，皆好仁之兽；螟螣蟊贼，皆害苗之虫。

[注释] 驺虞：《诗·召南·驺虞》毛传："驺虞，义兽也。白虎，黑文，不食生物，有至信之德则应之。" 螟螣（míng tè）：螟，螟蛾的幼虫，食苗心。螣，食苗叶。 蟊（máo）贼：食苗根的两种害虫。

[译文] 麒麟、驺虞，都是仁义之兽；螟、螣、蟊、贼，都是害苗之虫。

无肠公子，螃蟹之名；绿衣使者，鹦鹉之号。

[注释] 无肠公子：晋葛洪《抱朴子·登涉》："称无肠公子者，蟹也。"
绿衣使者：唐明皇封鹦鹉为绿衣使者。详见五代王仁裕《开元天宝遗事·鹦鹉告事》。

[译文] 无肠公子，是螃蟹的名称；绿衣使者，是鹦鹉的名号。

狐假虎威，谓借势而为恶；养虎贻患，谓留祸之在身。

[注释] 狐假虎威：见《战国策·楚策一》。　养虎贻患：《史记·项羽本纪》："汉欲西归，张良、陈平说曰：'汉有天下太半，而诸侯皆附之。楚兵罢食尽，此天亡楚之时也，不如因其机而遂取之。今释弗击，此所谓养虎自遗患也。'汉王听之。"

[译文] 狐假虎威，比喻借助别人的威势做坏事；养虎贻患，比喻纵容敌人给自己留下祸害。

犹豫多疑，喻人之不决；狼狈相倚，比人之颠连。

[注释] 狼狈：二兽名。狈是传说中一种似狼的野兽。狼似犬，前二足长，后二足短。狈前二足短，后二足长。狼无狈不立，狈无狼不行，若相离则进退不得矣。　颠连：困苦不堪。

[译文] 犹豫多疑，是说人遇事不够果断；狼狈相倚，比喻人生活没有依靠。

胜负未分，不知鹿死谁手；基业易主，正如燕入他家。

[注释] 鹿死谁手：以追逐野鹿喻争夺政权，意谓天下当为何人所得。　燕入他家：刘禹锡《乌衣巷诗》："旧时王谢堂前燕，飞入寻常百姓家。"东晋王导、谢安等豪门贵族曾住乌衣巷，而诗人在写这首诗时，已物换星移。

[译文] 胜负未曾分晓，不知鹿死谁手；家业换了主人，故燕又飞到别人家。

**雁到南方，先至为主，后至为宾；
雉名陈宝，得雄则王，得雌则霸。**

[注释] 陈宝：古代传说中的神名。见《史记·秦本纪》。

[译文] 传说大雁飞到南方，中秋节前先到的是主人，节后到的

是宾客；雉又叫陈宝，得到雄雉可以称王，得到雌雉可以称霸。

刻鹄类鹜，为学初成；画虎类犬，弄巧成拙。
[注释] 刻鹄类鹜：比喻仿效虽不逼真，但还相似。 画虎类犬：比喻仿效失真，不伦不类。
[译文] 刻鹄像鹜，形容学业初见成效；画虎类犬，形容弄巧成拙不伦不类。

美恶不称，谓之狗尾续貂；贪图不足，谓之蛇欲吞象。
[注释] 狗尾续貂：比喻以坏续好，前后不相称。 蛇欲吞象：《山海经·海内南经》："巴蛇食象，三岁而出其骨。"形容贪婪之甚。
[译文] 前后美丑不称，称为狗尾续貂；贪得无厌，称为蛇欲吞象。

祸去祸又至，曰前门拒虎，后门进狼；
除凶不畏凶，曰不入虎穴，焉得虎子。
[注释] 前门拒虎，后门进狼：后汉和帝时，外戚窦氏专权，和帝与宦官谋杀窦氏，但过分信任宦官，又导致宦官专权。 不入虎穴，焉得虎子：《后汉书·班超传》："超曰：'不入虎穴，不得虎子。当今之计，独有因夜以火攻虏，使彼不知我多少，必大震怖，可殄尽也。'"
[译文] 灾祸方消又遭灾祸，叫"前门拒虎，后门进狼"；除凶不能畏凶，叫"不入虎穴，焉得虎子"。

鄙众趋利，曰群蚁附膻；谦己爱儿，曰老牛舐犊。
[注释] 群蚁附膻：《庄子·徐无鬼》："羊肉不慕蚁，蚁慕羊肉，羊肉膻也。" 老牛舐（shì）犊：《后汉书·杨彪传》："子修（杨修）为曹操所杀，操见彪问曰：'公何瘦之甚？'对曰：'愧无日䃅先见之明，犹怀老牛舐犊之爱。'"舐，舔。

[译文] 鄙视小人趋附财利,就说群蚁附膻;谦称自己疼爱儿子,就说老牛舐犊。

无中生有,曰画蛇添足;进退两难,曰羝羊触藩。

[注释] 画蛇添足:见《战国策·齐策二》。 羝(dī)羊触藩:公羊角钩在篱笆上。《易·大壮》:"羝羊触藩,不能退,不能遂。"

[译文] 无中生有,叫画蛇添足;进退两难,叫羝羊触藩。

杯弓蛇影,自起猜疑;塞翁失马,难分祸福。

[注释] 杯弓蛇影:见汉应劭《风俗通·怪神·世间多有见怪惊怖以自伤者》。《晋书·乐广传》等亦有类似记述。 塞翁失马:见《淮南子·人间训》。

[译文] 杯弓蛇影,这是自生猜疑;塞翁失马,难分是祸是福。

龙驹凤雏,晋闵鸿夸吴中陆士龙之异;
伏龙凤雏,司马徽称孔明庞士元之奇。

[注释] 龙驹凤雏:见《晋书·陆云传》。 伏龙凤雏:见《三国志·蜀志·诸葛亮传》裴松之注引晋习凿齿《襄阳记》。

[译文] 龙驹凤雏,这是晋朝闵鸿夸奖吴中陆云有异才的话;伏龙凤雏,这是东汉司马徽称赞诸葛亮、庞统有奇才的话。

吕后断戚夫人手足,号曰人彘;
胡人腌契丹王尸骸,谓之帝羓。

[注释] 人彘(zhì):汉高祖宠幸戚夫人,高祖死,吕后断戚夫人手足,去眼,辉(灼烧)耳,饮喑药(哑药),使居厕中,名曰"人彘"。事见《史记·吕太后本纪》。彘,猪。 帝羓(bā):辽太宗耶律德光死后,依契丹旧俗制成干尸,人称之为帝羓。事见《旧五代史·契丹传》。羓,腌肉。

[译文] 吕雉砍断戚夫人手足,名为人彘;辽太宗耶律德光死

后,依旧俗制成干尸,称为帝杷。

人之狠恶,同于梼杌;人之凶暴,类于穷奇。

[注释] 梼杌（táo wù）：传说中的凶兽名。《神异经·西荒经》："西方荒中有兽焉，其状如虎而犬毛，长二尺，人面虎足，猪口牙，尾长一丈八尺，搅乱荒中，名梼杌，一名傲狠，一名难训。" 穷奇：传说中的兽名。《山海经·西山经》："邽山其上有兽焉，其状如牛，猬毛，名曰穷奇，音如獆狗，是食人。"

[译文] 狠毒的人如同古代传说中的凶兽梼杌，残暴的人如同古代传说中的猛兽穷奇。

王猛见桓温，扪虱而谈当世之务；
宁戚遇齐桓，扣角而取卿相之荣。

[注释] 扪虱而谈当世之务：事具《晋书·王猛传》。后以"扪虱"形容放达从容，侃侃而谈。 扣角而取卿相之荣：事见汉刘向《新序·杂事五》。后以"扣角"为求仕的典故。

[译文] 王猛去见恒温，一边捉着身上的虱子，一边谈论时事；宁戚遇到齐桓公，敲击牛角而歌，桓公听见，以为奇才，拜为上卿。

楚王轼怒蛙，以昆虫之敢死；丙吉问牛喘，恐阴阳之失时。

[注释] 楚王轼怒蛙：见《韩非子·内储说上》。 丙吉问牛喘：汉丞相丙吉关心农事的典故。

[译文] 春秋时楚王讨伐吴国，在路上看见一只鼓足气的青蛙，便扶着战车的横木向它致敬，说："昆虫也有必死之心。"以此鼓励军队的士气。汉朝宰相丙吉在郊外看见牛在喘气，忙问原因，恐怕阴阳失调。

以十人而制千虎，比言事之难胜；

走韩卢而搏蹇兔，喻言敌之易摧。

[注释] 以十人而制千虎：《宋史·常爱民传》："猛虎负嵎，莫之敢撄，而卒为人所胜者，人众而虎寡也。故以十人而制一虎则人胜，以一人而制十虎则虎胜，奈何以数十人而制千虎乎？" 走韩卢而搏蹇兔：《战国策·秦策三》范雎语秦王："以秦卒之勇、车骑之多以当诸侯，譬若驰韩卢而逐蹇兔也，霸王之业可致。" 韩卢，良犬。详前注。蹇兔，跛足的兔子。

[译文] 让十个人去制服一千只老虎，这是说事情难以办到；用良犬去搏击跛足的兔子，这是比喻敌人容易摧垮。

兄弟似鹡鸰之相亲，夫妇如鸾凤之配偶。

[注释] 鹡鸰：详见《兄弟》。 鸾凤：鸾鸟与凤凰相应鸣叫，声音和悦。借喻夫妻和美。

[译文] 兄弟应像鹡鸰一样相亲相爱，夫妇应像鸾凤相应鸣叫一样和谐。

有势莫能为，曰虽鞭之长不及马腹；

制小不用大，曰割鸡之小焉用牛刀。

[注释] 虽鞭之长不及马腹：语本《左传·宣公十五年》。谓鞭子虽长，但是不能打到马肚子上。喻力所不能及。 割鸡之小焉用牛刀：语本《论语·阳货》。喻不必小题大做。

[译文] 有权不能用，叫虽鞭之长不及马腹；处理小事不用花大力气，叫割鸡之小焉用牛刀。

鸟食母者曰枭，兽食父者曰獍。

[注释] 枭（xiāo）：猫头鹰一类的鸟。旧传枭食母。 獍（jìng）：传说中的恶兽名。又称破镜。

[译文] 鸟类中食其母者叫枭，兽类中食其父者叫獍。

苛政猛于虎,壮士气如虹。

[注释] 苛政:残酷压迫剥削人民的政策。

[译文] 严苛的政令,比老虎还要凶猛;壮士的豪气,如同天上的彩虹。

腰缠十万贯,骑鹤上扬州,谓仙人而兼富贵;
盲人骑瞎马,夜半临深池,是险语之逼人闻。

[注释] 腰缠十万贯,骑鹤上扬州:见南朝梁殷芸《小说》卷六。 盲人骑瞎马,夜半临深池:见南朝宋刘义庆《世说新语·排调》。

[译文] "腰缠十万贯,骑鹤上扬州",这是说有人既想成仙,又想富贵;"盲人骑瞎马,夜半临深池",语境颇险,也逼人太甚。

黔驴之技,技止此耳;鼯鼠之技,技亦穷乎。

[注释] 黔驴之技:见唐柳宗元《三戒·黔之驴》。 鼯(wú)鼠之技:语出《荀子·劝学》。鼯鼠有五种技能:能飞却不能上屋,能攀却不能上树,能游却不能渡涧,能挖但不能藏身,能跑但不能超人。谓多能而不精一技。

[译文] 黔驴之技,比喻技艺有限;鼯鼠之技,比喻杂而不精。

强兼并者曰鲸吞,为小贼者曰狗盗。

[注释] 鲸吞:被鲸鱼吞食,犹兼并。 狗盗:伪装成狗进行偷盗。语出《史记·孟尝君列传》。

[译文] 强行兼并的行为,叫鲸吞;小偷小摸的窃贼,叫狗贼。

养恶人如养虎,当饱其肉,不饱则噬;
养恶人如养鹰,饥之则附,饱之则飏。

[注释] "养恶人如养虎"六句:《三国志·魏书·张邈传》:"(吕)布因(陈)登求徐州牧,登还,布怒,拔戟斫几曰:'卿父劝吾协同曹公,绝婚公

路（袁术，字公路）。今吾所求无一获，而卿父子并显重，为卿所卖耳。卿为吾言，其说云何？'登不为动容，徐喻之曰：'登见曹公言：待将军譬如养虎，当饱其肉，不饱则将噬人。公曰：不如卿言也。譬如养鹰，饥则为用，饱则扬去。'布意乃解。"飏（yáng）：飞。

[译文] 养恶人就如养虎，应让它吃饱肉，否则就会吃人；养恶人又像养鹰，饿的时候他它依附你，饱了便飞走了。

隋珠弹雀，谓得少而失多；投鼠忌器，恐因甲而害乙。

[注释] 隋珠弹雀：亦作"随珠弹雀"。用夜明珠去弹鸟雀。《庄子·让王》："今且有人于此，以随侯之珠，弹千仞之雀，世必笑之。是何也？则其所用者重，而所要者轻也。" 投鼠忌器：语本汉贾谊《治安策》："里谚曰：'欲投鼠而忌器。'此善谕也。鼠近于器，尚惮不投，恐伤其器，况于贵臣之近主乎！"

[译文] 隋珠弹雀，比喻得不偿失；投鼠忌器，比喻做事有所顾忌。

事多曰猬集，利小曰蝇头。

[注释] 猬集：比喻事情繁多，像刺猬的硬刺那样聚在一起。 蝇头：此谓微小的名利。

[译文] 事情太多叫猬集，利益太小叫蝇头。

心惑似狐疑，人喜如雀跃。

[注释] 狐疑：狐性多疑，每渡冰河，且听且渡。 雀跃：如雀之跳跃。表示欣喜之极。

[译文] 心有疑惑，就像狐疑；欣喜之极，好似雀跃。

爱屋及乌，谓因此而惜彼；轻鸡爱鹜，谓舍此而图他。

[注释] 爱屋及乌：谓爱其人而推爱及与之有关的人或物。语出《尚书大

传》卷三。　轻鸡爱鹜（wù）：谓贵远贱近。语出晋何法盛《晋中兴书》卷七。鹜，此谓野鸭。

[译文] 爱屋及乌，说的是因爱此而及彼；轻鸡爱鹜，说的是舍此而取彼。

唆恶为非，曰教猱升木；受恩不报，曰得鱼忘筌。
[注释] 教猱（náo）升木：教猴子爬树。语出《诗·小雅·角弓》。后以比喻教唆坏人为恶。　得鱼忘筌（quán）：捕到了鱼，忘掉了筌。语出《庄子·外物》。比喻已达目的，即忘其凭借。筌，捕鱼用的竹器。

[译文] 唆使恶人去做坏事，叫教猱升木；受人恩惠不去报答，叫得鱼忘筌。

倚势害人，真似城狐社鼠；空存无用，何殊陶犬瓦鸡。
[注释] 城狐社鼠：城墙洞中的狐狸，社坛里的老鼠。语出《晏子春秋·问上九》。比喻有所凭依而为非作歹的人。　陶犬瓦鸡：陶土做的狗，泥土塑的鸡。语出南朝梁元帝《金楼子·立言上》。比喻徒具形式而无实用。

[译文] 倚仗权势害人，真像是城狐社鼠；毫无用处之物，不异于陶犬瓦鸡。

势弱难敌，谓之螳臂当辕；人生易死，乃曰蜉蝣在世。
[注释] 螳臂当辕：语出《庄子·人间世》。比喻自不量力。　蜉蝣（fú yóu）在世：比喻生命短暂。蜉蝣，虫名。生存期极短，朝生夕死。

[译文] 势力微弱难以抵挡，叫螳臂当辕；人生短暂容易死亡，叫蜉蝣在世。

小难制大，如越鸡难伏鹄卵；贱反轻贵，似鸒鸠反笑大鹏。
[注释] 越鸡难伏鹄卵：《庄子·庚桑楚》："越鸡不能伏鹄卵，鲁鸡固能矣。"越鸡，越地所产的鸡，形体较小。鹄卵，天鹅之卵，形体较大。　鸒

(xué)鸠反笑大鹏：比喻小人轻视高才。鸴鸠，即斑鸠。大鹏，传说中的大鸟。

[译文] 小的很难控制大的，就像越国的小鸡难以孵化天鹅所产之蛋；低贱的反而轻视高贵的，就像不能远飞的斑鸠反而讥笑翱翔九天的大鹏。

小人不知君子之心，曰燕雀岂知鸿鹄志；
君子不受小人之侮，曰虎豹岂受犬羊欺。

[注释] 鸿鹄：天鹅。

[译文] 目光短浅者瞧不起志向远大者，叫燕雀岂知鸿鹄志；君子不受小人之辱，叫虎豹岂受犬羊欺。

跖犬吠尧，吠非其主；鸠居鹊巢，安享其成。

[注释] 跖（zhí）犬吠尧：比喻各为其主。跖，古人名，指盗跖。　鸠居鹊巢：比喻强占他人之物。

[译文] 盗跖的狗对着尧帝吠叫，并不是尧帝不好，而是因为尧帝不是它的主人；鸠鸟不筑巢而居住在喜鹊的巢里，这是在说心安理得地享受别人的成果。

缘木求鱼，极言难得；按图索骥，甚言失真。

[注释] 缘木求鱼：爬上树去捉鱼。比喻行动与目的相反，劳而无功。按图索骥：按照图像寻找良马。比喻做事拘泥成法。

[译文] 缘木求鱼，是说做事劳而无功；按图索骥，是说做事太过拘泥。

恶人借势，曰如虎负嵎；穷人无归，曰如鱼失水。

[注释] 负嵎：倚仗险要的地势。嵎，山势曲折险峻处。

[译文] 恶人凭借他人的势力，叫如虎负嵎；穷人没有归宿，叫如鱼失水。

九尾狐，讥陈彭年素性谄而又奸；
独眼龙，夸李克用一目眇而有勇。

[注释] 九尾狐：喻奸诈善媚惑的人。宋田况《儒林公议》卷上："陈彭年被章圣（宋真宗）深遇，时人目为九尾狐，言其非国祥而媚惑多歧也。"独眼龙：谓一目失明者。《旧五代史·唐书·武皇纪上》："武皇（李克用）既收长安，军势甚雄，诸侯之师皆畏之。武皇一目微眇，故其时号为'独眼龙'。" 眇（miǎo）：一目失明。

[译文] 九尾狐，是讽刺宋朝陈彭年生性谄媚奸险；独龙眼，是夸奖后唐李克用虽一目失明但作战勇敢。

指鹿为马，秦赵高之欺主；叱石成羊，黄初平之得仙。

[注释] 指鹿为马：见《史记·秦始皇本纪》。比喻有意颠倒黑白，混淆是非。 叱石成羊：《艺文类聚》卷九四引晋葛洪《神仙传》："皇（或作"黄"）初平牧羊，为一道士引至金华山石室中，四十余年未归。其兄初起寻访至山，问羊何在，答云：'在山东。'兄往视，但见白石，不见羊。平曰：'羊在耳，兄自不见。'平乃往，言：'叱！叱！羊起！'于是白石皆起成羊数万头。"

[译文] 指鹿为马，是赵高专权欺主；叱石成羊，是黄初平得授仙术。

卞庄勇能刺两虎，高骈一矢贯双雕。

[注释] 卞庄勇能刺两虎：见《史记·张仪列传》。 高骈一矢贯双雕：《新唐书·高骈传》："（高骈）事朱叔明为司马，有二雕并飞，骈曰：'我且贵，当中之。'一发贯二雕焉。"后因以"一箭双雕"比喻一举两得。

[译文] 卞庄勇猛，一人能抓获两只老虎；高骈善射，一箭能射

中双雕。

司马懿畏蜀如虎,诸葛亮辅汉如龙。

[注释] 司马懿畏蜀如虎:《三国志·蜀书·诸葛亮传》裴注引《汉晋春秋》:"宣王(司马懿)不从,故寻亮。既至,又登山掘营,不肯战。贾栩、魏平数请战,因曰:'公畏蜀如虎,奈天下笑何。'"

[译文] 三国魏司马懿惧怕蜀国军队如虎;诸葛亮鞠躬尽瘁辅助蜀国,如飞龙在天。

鹪鹩巢林,不过一枝;鼹鼠饮河,不过满腹。

[注释] 鹪鹩:详见《人事》。 鼹(yǎn)鼠:哺乳动物。体矮胖,长10余厘米,毛黑褐色,嘴尖。《庄子·逍遥游》:"鹪鹩巢于深林,不过一枝;鼹鼠饮河,不过满腹。"

[译文] 鹪鹩树上筑巢,不过占据一根树枝;鼹鼠渴饮河水,不过喝饱肚子而已。

弃人甚易,曰孤雏腐鼠;文名共仰,曰起凤腾蛟。

[注释] 孤雏腐鼠:孤独的鸟雏,腐烂的老鼠。比喻微贱不足道的人或物。 起凤腾蛟:宛如蛟龙腾跃,凤凰展翅高飞。比喻人才活跃,景象壮观。

[译文] 抛弃一个人很容易,就像抛弃孤雏腐鼠一样;文坛有名望的人,如同起凤腾蛟。

为公乎,为私乎,惠帝问虾蟇;
欲左左,欲右右,汤德及禽兽。

[注释] 惠帝问虾蟇(má,同蟆):北魏郦道元《水经注·谷水》:"《晋中州记》曰:惠帝为太子,出闻虾蟇声,问人为是官虾蟇、私虾蟇。"虾蟇,青蛙和蟾蜍的统称。

[译文] 昏庸的晋惠帝听到虾蟆的叫声,问左右臣僚:他是为了

公事，还是为了私事？贤明的商汤王网开三面，让罩住的鸟想左飞就左飞，想右飞就右飞，他的仁德惠及鸟兽。

鱼游于釜中，虽生不久；燕巢于幕上，栖身不安。

[注释] 鱼游釜中：东汉顺帝时，有个叫张婴的人聚众杀了残暴的广陵太守、刺史以后叛乱。张纲负责征讨，改过去镇压的手段为抚慰，张婴深受感动而投降。张婴说："由于我不能忍受刺史、太守的残暴压榨而起义，我知道这样做后就像鱼在锅里游不能久活（若鱼游釜中，喘息须臾间耳）！"详见《后汉书·张纲传》。 燕巢幕上：见《左传·襄公二十九年》。比喻处境非常危险。

[译文] 鱼在锅中游水，虽活着也不会长久；燕筑巢于帷幕上，虽能栖息但不安全。

妄自称奇，谓之辽东豕；其见甚小，譬如井底蛙。

[注释] 辽东豕：《后汉书·朱浮传》："往时辽东有豕，生子白头，异而献之，行至河东，见群豕皆白，怀惭而还。"后因以喻知识浅薄，少见多怪。 井底蛙：《庄子·秋水》："井蛙不可以语于海者，拘于虚也。"比喻见闻狭隘，目光短浅的人。

[译文] 妄自称奇的人，称为辽东豕；目光狭隘的人，就像井底蛙。

父恶子贤，谓是犁牛之子；父谦子拙，谓是豚犬之儿。

[注释] 犁牛之子：详见《论语·雍也》。 豚犬之儿：谦称自己的儿子。《旧五代史·唐书·庄宗纪一》："梁祖闻其败也，既惧而叹曰：'生子当如是，李氏不亡矣！吾家诸子乃豚犬尔。'"

[译文] 父亲无才儿子贤能，叫犁牛之子；父亲谦称儿子笨拙，叫豚犬之子。

出人群而独异，如鹤立鸡群；非配偶以相从，如雉求牡匹。

[注释] 鹤立鸡群：刘义庆《世说新语·容止》："有人语王戎曰：'嵇延祖（嵇绍，嵇康之子）卓卓如野鹤之在鸡群。'" 雉求牡匹：雉鸟之雌求走兽之雄相配。《诗·邶风·匏有苦叶》："雉鸣求其牡。"飞禽曰雌雄，走兽曰牝牡。此喻淫乱。

[译文] 才能超群与众不同，就像鹤立鸡群；不是配偶互相跟随，就像雉求牡匹。

天上石麟，夸小儿之迈众；人中骐骥，比君子之超凡。

[注释] 天上石麟：对幼儿的美称。《陈书·徐陵传》："时宝志上人者，世称其有道。陵年数岁，家人携以候之；宝志手摩其顶，曰：'天上石麒麟也。'" 人中骐骥：《南史·徐勉传》："此所谓人中骐骥，必能致千里。"这是族人赞叹徐勉的话。骐骥，骏马。

[译文] 天上石麟，是夸奖小儿出众的话；人中骐骥，比喻出类拔萃的君子。

怡堂燕雀，不知后灾；瓮里醯鸡，安有广见。

[注释] 怡堂燕雀：详见《孔丛子·论势第十六》。 瓮里醯（xī）鸡：《庄子·田子方》："孔子出，以告颜回曰：'丘之于道也，其犹醯鸡与！微夫子之发吾覆也，吾不知天地之大全也。'"醯鸡，酒瓮中生的一种小虫。比喻见闻狭隘的人。

[译文] 在厅堂安居的燕雀，不知将有灾难来临；酒瓮中的醯鸡，哪里会有广博的见识呢？

马牛襟裾，骂人不识礼仪；沐猴而冠，笑人见不恢宏。

[注释] 马牛襟裾：穿衣服的马牛。讥人不明道理、不识礼仪。唐韩愈《符读书城南》诗："人不通古今，马牛而襟裾。" 沐猴而冠：猕猴戴帽子。比喻外表虽装扮得很像样，但本质却掩盖不了。《汉书·项籍传》："人谓楚人

沐猴而冠耳，果然。"颜师古注："言虽着人衣冠，其心不类人也。"

[译文] 马牛襟裾，这是骂人不知礼仪；沐猴而冠，这是笑人见识不广徒有仪表。

羊质虎皮，讥其有文无实；守株待兔，言其守拙无能。

[注释] 羊质虎皮：比喻外强内弱，虚有其表。汉扬雄《法言·吾子》："羊质虎皮，见草而悦，见豺而战，忘其皮之虎也。" 守株待兔：比喻死守狭隘经验，不知变通。《韩非子·五蠹》："宋人有耕田者，田中有株，兔走，触柱折颈而死，因释其耒而守株，冀复得兔，兔不可复得，而身为宋国笑。"

[译文] 羊质虎皮，这是讥笑虚有其表的人；守株待兔，这是讽刺拘泥不化的人。

恶人如虎生翼，势必择人而食；
志士如鹰在笼，自是凌霄有志。

[注释] 如虎生翼：喻增加新助力，强者愈强，恶者愈恶。 如鹰在笼：喻有志不得伸展。

[译文] 恶人得到强助，就会选择作为食物的对象；有志者虽然受到束缚，然而志气不会磨灭。

鲋鱼困涸辙，难待西江水，比人之甚窘；
蛟龙得云雨，终非池中物，比人大有为。

[注释] 鲋（fù）鱼困涸辙，难待西江水：详见《庄子·外物》。 蛟龙得云雨，终非池中物：详见《武职》。

[译文] 鲋鱼被困在干涸的车辙里，很难等到西江的水，这是比喻人处在困境之中；蛟龙得到云雨，终究不是池中之物，这是比喻有抱负的人总有一天会施展才华。

执牛耳为人主盟；附骥尾望人引带。

[注释] 执牛耳：指主持盟会的人。古代诸侯会盟，割牛耳，以敦盛血，以珠盘盛牛耳。主盟者执盘，使与盟会者以血涂口，以示诚信不渝。　附骥尾：蚊蝇附在马的尾巴上，可以远行千里。比喻依附先辈或名人而成名。

[译文] 主持盟会的人，称作"执牛耳"；希望别人提携，称为"附骥尾"。

鸿雁哀鸣，比小民之失所；狡兔三窟，诮贪人之巧营。

[注释] 狡兔三窟：详见《人事》。

[译文] 鸿雁哀鸣，比喻百姓流离失所；狡兔三窟，讥诮人之巧于经营。

风马牛势不相及，常山蛇首尾相应。

[注释] 风马牛不相及：详见《左传·僖公四年》。后以喻事物之间毫不相干。　常山蛇首尾相应：《孙子·九地》："故善用兵者，譬如率然。率然者，常山之蛇也。击其首则尾至，击其尾则首至，击其中则首尾俱至。"常山蛇，传说中一种能首尾互救的蛇。

[译文] 风马牛，比喻事物之间毫不相干；常山蛇，比喻受到攻击时能首尾呼应。

百足之虫，死而不僵，以其扶之者众；
千岁之龟，死而留甲，因其卜之者灵。

[注释] 百足之虫，死而不僵：典出何处，未详。诸书引用时，多云"故语"、"俗语"。较早引用者为《三国志·魏书·广平哀王俨传》裴注所引《魏氏春秋》。　千岁之龟，死而留甲：典出《庄子·秋水》："庄子持竿不顾，曰：'吾闻楚有神龟，死已三千岁矣，王巾笥而藏之庙堂之上。此龟者，宁其死为留骨而贵乎？宁其生而曳尾于涂中乎？'二大夫曰：'宁生而曳尾涂中。'"涂，污泥。比喻与其显身扬名于庙堂之上而毁身灭性，不如过贫贱的隐居生活

而得逍遥全身。

[译文] 百足之虫,死而不僵,因为它有众多支撑者;千岁之龟,死而留甲,因为用它来占卜十分灵验。

大丈夫宁为鸡口,毋为牛后;士君子岂甘雌伏,定要雄飞。

[注释] 宁为鸡口,毋为牛后:宁愿做小而洁的鸡嘴,而不愿做大则臭的牛肛门。后喻为宁可小范围内作主,而不在大范围内听人摆布。 雌伏:屈居下位,无所作为。 雄飞:奋发有为。

[译文] 大丈夫宁肯做啄食的鸡嘴,也不做大则臭的牛肛门;士君子怎么甘心做伏在巢中的雌鸟,一定要像雄鸟那样展翅高飞。

毋局促如辕下驹,毋委靡如牛马走。

[注释] 辕下驹:车辕下不惯驾车之幼马。比喻少见世面器局不大之人。 牛马走:谓像牛马般奔波劳碌。旧时自谦之辞。

[译文] 不要像驾车的小马驹那样局促不安,不要像供人驱使的牛马那样萎靡不振。

猩猩能言不离走兽,鹦鹉能言不离飞鸟。

[注释] "猩猩"二句:《礼记·曲礼上》:"鹦鹉能言,不离飞鸟;猩猩能言,不离禽兽。"

[译文] 猩猩能学人说话,但它仍属兽类;鹦鹉能学人说话,但它仍是飞禽。

人惟有礼,庶可免相鼠之刺;若徒能言,夫何异禽兽之心。

[注释] 相鼠:《诗·鄘风》篇名。《诗》序谓:"《相鼠》,刺无礼也。"古人常以之讽刺无礼。 "若徒"二句:语出《礼记·曲礼上》:"今人而无礼,虽能言,不亦禽兽之心乎?"

[译文] 人只有讲礼仪,才能避免不如老鼠这样的讽刺;如果只

会说话而不懂礼节,那么和禽兽有什么区别呢?

【增】

百鸟鹞称悍,众禽鹤独胎。

[注释] 鹞(yào):猛禽名。似鹰而较小。背灰褐色,腹白带赤。

[译文] 百鸟中鹞鹰称得上凶猛强悍,飞禽中唯独鹤是胎生。

提壶提壶,定是村中有酒;脱袴脱袴,必然身上无寒。

[注释] 提壶:鸟名。即鹈鹕。 脱袴:布谷鸟的别称。因鸣声而得名。

[译文] 提壶即是鹈鹕鸟,听见它叫,一定是村中有酒;脱袴即是布谷鸟,听见它叫,天热的时候就到了。

百舌五更头,学尽众禽之语;鹓雏九霄外,顿空诸鸟之群。

[注释] 百舌:鸟名。能易其舌效百鸟之声,故称。喻人虽多言无益于事也。 鹓(yuān)雏:传说中与鸾凤同类的鸟。喻有才望的年青人。

[译文] 百舌能五次变换头的位置,学众多飞禽的叫声;鹓雏能飞到九霄云外,高于诸鸟之上。

瓮中鸲鹆巧于人,江上白鸥闲似我。

[注释] 鸲鹆(qú yù):俗称八哥。善学人语。

[译文] 八哥学不像瓮鼻人(鼻子不通气的人)的声音,于是把头钻入瓮中去学,这真比人还灵巧;江上白鸥真是比人还悠闲。

莺呼金衣公子,鹢号锦带功曹。

[注释] 鹢(yì):绶鸟,又名吐绶鸟。咽下有囊如小绶,五色彪炳,又名锦带功曹。

[译文] 黄莺的别名叫金衣公子,鹢鸟的别名叫锦带功曹。

鹘入鸦群，雄威岂敌；鸭去鸡队，气类不侔。

[注释] 鹘（hú）：鸟类的一科。翅膀窄而尖，嘴短而宽，上嘴弯曲并有齿状突起。飞得很快，善于袭击其他鸟类。也叫隼。 侔（móu）：齐等；相当。

[译文] 鹘鸟飞到乌鸦群里，哪能抵得上鸦群的雄威；鸭子到了鸡群里，气势长相都不一样。

彪著羊，彪雄而羊败；罴敌犬，罴寡而犬强。

[注释] 彪著羊，彪雄而羊败：详见《唐会要》卷七十四。 罴敌犬，罴寡而犬强：晋人以五犬逐一罴，罴败，犬杀之。夫罴而受制于犬，遇非其敌，而困于群也。诗云"忧心悄悄，愠于群小"，此之谓也。详见宋陈师道《后山集》卷十七《罴说》。

[译文] 彪去追逐羊，羊怎么能不败呢？熊比狗厉害，但是几条狗与一头熊争斗，狗胜于熊。

猿献玉环，孙恪自峡山失妇；鹿随丹毂，郑弘从汉室封公。

[注释] 丹毂：犹丹轮。指华贵的车。

[译文] 晋朝孙恪娶袁姓女为妻，路过端州游峡山寺，其妻把一只碧玉环送给老僧，忽然有一群猿猴把恪妻迎接走了。老僧说，这只玉环原来系在猿颈上，已有二十年不见了，你的妻子是猿猴变的。汉朝郑弘任临淮太守时，他的车旁有两只鹿随行，有个主薄祝贺他说："三公的车上画有双鹿，你要拜相位了。"后来郑弘果然当了太尉。

蛩蛩之皮，有可辟除疬瘴；
狨狨之尾，殊堪却退烟岚。

[注释] 蛩（qióng）蛩：传说中的一种异兽，状如马。 狨（zōng）狨：形状如犬，有六足，尾长丈余。

[译文] 蛩蛩的皮可以辟除瘟疫和瘴气，㺉㺉的尾巴可以防御毒雾。

李愬设谋平蔡，藉声于鸭队鹅群；
卢公觅句迁官，得力于猫儿狗子。

[注释] 愬：音 sù。　藉：音 jiè。

[译文] 唐朝李愬平定蔡州，雪夜教人乱打池塘里的鸭鹅群，以发出喧闹声掩盖自己的军事行动，袭击获得成功；五代蜀国卢延逊有诗句："饥猫临鼠穴，馋犬舐鱼砧。"被蜀王赏识，提升他为给事，延逊说自己升官没想到得力于猫狗。

长乐宫中有鹿，衔残妃子榻前花；
午桥庄外多羊，点缀小儿坡上草。

[注释] 长乐宫中有鹿：《古今事文类聚后集》卷三十引《青琐高议》："明皇时，民间贡牡丹花，面一尺高数寸，帝未及赏，为鹿衔去。有佞人奏云：'释氏有鹿衔花以献金仙。'帝私曰：'野鹿游宫中，非嘉兆也。'殊不知应禄山之乱。"　午桥庄外多羊：《记纂渊海》卷九十四引《穷幽记》："午桥庄小儿坡，茂草盈里，晋公（唐裴度，封晋国公）每使数群白羊散于坡上，曰：'芳草多情，赖此妆点。'"

[译文] 唐明皇长乐宫中之鹿，衔走了妃子床前牡丹；裴度午桥庄外的白羊，点缀于小儿坡绿草之间。

羊舌氏虽为佳话，马头娘未是美谭。

[注释] 羊舌氏：见《左传·闵公二年》孔疏。　马头娘：中国神话中的蚕神。相传是马首人身的少女，故名。

[译文] 春秋晋国有人偷了羊，把羊头送给叔向的母亲，她没吃，把羊头埋在了地下。后来失主追究此事，她又把羊头挖了出

来，肉已经腐烂，只剩下羊舌，国人称她为"羊舌氏"。这成了一段佳话。上古蜀地有人被盗贼掳走，他的妻子说谁能救回丈夫，就把女儿嫁给他。有匹马将其丈夫驮回，丈夫说诺言对人不能对马，就把马杀了，剥去了皮。忽然那马皮把他的女儿卷上了桑树，化而为蚕，人称"马头娘"。这恐怕就不是一段美谈了。

辕门传号令，李将军椎飨士之牛；
邑士起讴歌，时令尹留去之犊。

[注释] 飨（xiǎng）：泛指宴请，以酒食犒劳、招待。

[译文] 汉朝李广镇守雁门，从辕门里传出号令，宰牛犒劳将士，将士们拼命杀敌，每战必胜。三国魏时苗任寿春县令，为政清廉，以牝牛驾车。后来牝牛生下小牛犊，时苗离任时说，小牛犊是在这里产下的，就留在此地。百姓取名"时公犊"，当地许多人颂扬时公的美德。

花 木

植物非一，故有万卉之名；谷种甚多，故有百谷之号。

[注释] 万卉、百谷：皆举成数而言，谓众多。

[译文] 植物的品种并非只有一种，所以有"万卉"的称呼；谷物的种类也有很多，所以有"百谷"的名号。

如茨如梁，谓禾稼之蕃；惟夭惟乔，谓草木之茂。

[注释] 如茨（cí）如梁：《诗·小雅·甫田之什》："曾孙之稼，如茨如梁。"毛传："茨，积也。梁，车梁也。"郑笺："茨，屋盖也。"孔疏："笺以茨为屋盖，传言茨积，非训茨为积也，言其积聚高大如屋茨耳。其意与笺同

也。梁谓水上横桥。桥有广狭，得容车渡，则高广者也，故以比禾积。" 惟夭惟乔：语出《书·禹贡》："厥草惟夭，厥木惟乔。"夭，茂盛貌。乔，高耸貌。

[译文] 如茨如梁，是形容庄稼又密又壮；惟夭惟乔，是形容草木丰茂。

莲乃花中君子，海棠花内神仙。

[注释] 花中君子：语出周敦颐《爱莲说》。 花内神仙：语出唐贾耽《百花谱》。

[译文] 莲花是花中的君子，海棠是花中的神仙。

国色天香，乃牡丹之富贵；冰肌玉骨，乃梅萼之清奇。

[注释] 国色天香：本谓牡丹花香色不凡。后多用以形容女子之美。 冰肌玉骨：本谓梅花晶莹。后形容女子洁美的体肤。

[译文] 国色天香，形容牡丹花的富贵；冰肌玉骨，形容梅花的清秀俊奇。

兰为王者之香，菊同隐逸之士。

[注释] 兰为王者之香：诸书皆以孔子《猗兰操》谓："兰为王者香。"

[译文] 兰花幽香飘逸，有王者的雅号；菊花傲寒斗霜，如隐居的士人。

竹称君子，松号大夫。

[注释] 松号大夫：秦始皇二十八年封禅泰山，风雨暴至，避于树下，因此树护驾有功，按秦官爵封为五大夫。事见《史记·秦始皇本纪》。有人不明"五大夫"为秦官，以为秦始皇封了五棵松树。

[译文] 明朝王守仁说竹子有君子之道，秦始皇曾在泰山封松树为五大夫。

萱草可忘忧，屈轶能指佞。

[注释] 萱草：俗称金针菜、黄花菜。古人以为种植此草，可以使人忘忧，因称忘忧草。　屈轶：古代传说中一种草，谓能指识佞人，故又名指佞草。

[译文] 萱草能使人忘记忧愁，屈轶能辨认奸人。

筼筜，竹之别号；木樨，桂之别名。

[注释] 筼筜（yún dāng）：一种皮薄、节长而竿高的竹子。　樨：音 xī。

[译文] 筼筜是竹子的别号，木樨是桂树的别名。

明日黄花，过时之物；岁寒松柏，有节之称。

[注释] 明日黄花：明日，指重阳节后；黄花，菊花。喻已失去应时作用的事物。　岁寒松柏：喻在逆境中能保持节操的人。

[译文] 明日黄花，指已过时的事物，古人过重阳节有"明日黄花蝶也愁"的诗句；岁寒松柏，是对有气节人的赞美，孔子说过：寒冬腊月，方知松柏长青，不会凋枯。

樗栎乃无用之散材，楩楠胜大用之良木。

[注释] 樗栎（chū lì）：喻不才之人。樗，即臭椿。其材粗硬，不耐水湿。栎，落叶乔木。木理斜曲，古代多作炭薪。　楩（pián）楠：喻栋梁之才。楩，南方大木，质地坚密，为建筑良材。楠，木材坚密芳香，为贵重的建筑材料，亦可供古时造船用。

[译文] 樗树、栎树，是没什么用处的木材；楩树、楠树，是能派上大用的木材。

玉版，笋之异号；蹲鸱，芋之别名。

[注释] 蹲鸱（chī）：鸱，猫头鹰的一种。大芋状如蹲鸱。

[译文] 玉版，是笋的别号；蹲鸱，是芋头的别名。

瓜田李下，事避嫌疑；秋菊春桃，时来尚早。
[注释] 瓜田李下：即"瓜田纳履，李下整冠"。经过瓜田不可弯腰提鞋子，走过李树下不要举手端正帽子。有被怀疑为盗窃的可能。
[译文] 瓜田李下，不要提鞋整冠，以避免嫌疑；秋天菊花开，春天桃花开，这是季节变化时来早晚的缘故。

南枝先，北枝后，庾岭之梅；朔而生，望而落，尧阶蓂荚。
[注释] 庾岭：即梅岭。在江西、广东交界处。古时岭上多植梅，故名。 蓂(míng)荚：古代传说中的一种瑞草。它每月从初一至十五，每日结一荚；从十六至月终，每日落一荚。所以从荚数多少，可以知道是何日。
[译文] 庾岭的梅花，朝南的枝先开，朝北的枝后开，这是因为南阳北阴的缘故；尧帝庭阶前的蓂荚草，每月朔日后日生一叶，望日后日落一叶。

苾刍背阴向阳，比僧人之有德；
木槿朝开暮落，比荣华之不长。
[注释] 苾刍（bì chú）：本西域草名，梵语以喻出家的佛弟子。为受具足戒者之通称。唐玄奘《大唐西域记·僧诃补罗国》："大者谓苾刍，小者称沙弥。"其有五性：一体性柔软，二引蔓旁布，三馨香远闻，四能疗疼痛，五不背日光。 木槿：夏秋开花，朝开暮落。
[译文] 苾刍草背阴向阳，比喻有德行的僧人；木槿花朝开暮落，比喻荣华不会长久。

芒刺在背，言恐惧不安；薰莸异器，犹贤否有别。
[注释] 芒刺在背：如同有芒刺扎在背上。形容极度不安。芒刺，指植物茎叶、果壳上的小刺。 薰莸（yóu）：薰，香草；莸，臭草。

[译文] 背上有芒刺，比喻恐惧不安；薰草莸草，一香一臭，比喻贤人和坏人自有区别。

桃李不言，下自成蹊；道旁苦李，为人所弃。
[注释] 桃李不言，下自成蹊：古谚语。原意是桃树李树不招引人，但因它有花和果实，人们在它下面走来走去，踩出了一条小路。比喻实至名归。
[译文] 桃子和李子成熟时，虽不会说话，但因味美，来摘取的人已在树下踩出了一条小路；若是苦李，即使长在路边，也会被人丢弃。

老人娶少妇，曰枯杨生稊；国家进多贤，曰拔茅连茹。
[注释] 枯杨生稊（tí）：枯老的杨树复生嫩芽。比喻老夫娶少妻。《易·大过》："九二，枯杨生稊，老夫得其女妻。" 拔茅连茹：茅，白茅，一种多年生的草。茹，植物根部互相牵连的样子。比喻递相推荐引进。《易·泰》："拔茅茹以其汇。"
[译文] 老人娶少妇，叫枯杨生稊；国家任用贤士很多，叫拔茅连茹。

蒲柳之姿，未秋先槁；姜桂之性，愈老愈辛。
[注释] 蒲柳：即水杨。入秋即凋零。 姜桂：生姜和肉桂。其性愈久愈辣。
[译文] 蒲柳的姿容，未到秋天就已枯槁；姜桂的特性，愈老味道愈辛辣。

王者之兵，势如破竹；七雄之国，地若瓜分。
[注释] 势如破竹：《晋书·杜预传》："今兵威已振，譬如破竹，数节之后，皆迎刃而解。"后因以比喻作战或工作节节胜利，毫无阻碍。 七雄：齐、楚、燕、韩、赵、魏、秦。

[译文]行王道之师，摧敌势如破竹；战国时期，天下被七雄所瓜分。

苻坚望阵，疑草木皆是晋兵；索靖知亡，叹铜驼会在荆棘。

[注释]草木皆兵：事见《晋书·苻坚载记下》。 铜驼荆棘：形容国土沦陷后残破的景象。《晋书·索靖传》："靖有先识远量，知天下将乱，指洛阳宫门铜驼，叹曰：'会见汝在荆棘中耳。'"铜驼，铜铸的骆驼。多置于宫门寝殿之前。

[译文]前秦苻坚在淝水打了败仗，远望草木在风中晃动，就怀疑是晋兵；晋朝关内侯索靖眼看晋国将亡，指着宫门前的铜骆驼感叹说：你将会立在荆棘丛中。

王祐知子必贵，手植三槐；窦钧五子齐荣，人称五桂。

[注释]三槐：详注《宫室》。 五桂：旧称进士登第为折桂。五桂，对亲族五人相继登科的美称。宋窦禹钧之子仪、俨、侃、偁、僖，相继登科，冯道尝赠诗美之云："灵椿一株老，丹桂五枝芳。"事见《宋史·窦仪传》。

[译文]宋朝王祐知道儿子将位至三公，就在庭前栽了三棵槐树；五代后周窦禹钧的五个儿子都做了大官，人称燕山五桂。

钼麂触槐，不忍贼民之主；越王尝蓼，必欲复吴之仇。

[注释]钼麂（chú ní）：春秋时晋国力士。 蓼：一年生或多年生草本。味辛，又名辛菜。

[译文]春秋时有个刺客叫钼麂，荒淫无道的晋灵公派他去刺杀贤大夫赵盾，钼麂不忍行刺，撞到槐树上自杀了；春秋时越王勾践败于吴国，他睡柴薪、吃苦蓼，以示不忘国耻，立志复仇。

修母画荻以教子，谁不称贤；廉颇负荆以请罪，善能悔过。

[注释]画荻（dí）以教子：宋欧阳修四岁而孤，家贫，母郑氏以荻管画

地写字，教其读书。详见《宋史·欧阳修传》。荻，与芦苇同类。　负荆以请罪：详见《人事》。

[译文] 欧阳修的母亲用荻草在地上教他写字，哪一个不称赞他母亲贤惠？战国赵大将廉颇向蔺相如负荆请罪，这是善于悔过的表现。

弥子瑕常恃宠，将余桃以啖君；
秦商鞅欲行令，使徙木以立信。

[注释] 啖：给吃。　徙：迁移。

[译文] 春秋卫国臣子弥子瑕倚仗卫灵公对他的宠爱，把自己吃剩的半个桃子让灵公吃。秦国商鞅实行新法，为取得百姓的信任，就在南门竖立一个巨木，说有谁能将巨木移至北门，赏黄金五十两，果然有人移木而得赏。商鞅从此树立了威信。

王戎卖李钻核，不胜鄙吝；成王剪桐封弟，因无戏言。

[注释] 卖李钻核：语出《晋书·王戎传》。　剪桐封弟：语出《吕氏春秋·重言》。

[译文] 晋朝王戎家的李子树结的果实很甜，他卖李子营利，又怕别人得到树种，就先在李核上钻个孔再卖。这种人真是卑鄙到家了。周成王将桐树叶剪成圭形封给弟弟叔虞，周公说君无戏言，果真把叔虞封在尧帝的故墟为唐侯。

齐景公以二桃杀三士，杨再思谓莲花似六郎。

[注释] 二桃杀三士：春秋时，公孙接、田开疆、古冶子三人臣事齐景公，均以勇力闻。齐相晏婴谋去之，请齐景公以二桃赐予三人，论功而食，结果三人弃桃而自杀。事见《晏子春秋·谏下二》。　莲花似六郎：唐杨再思称赞张宗昌美貌。事见《旧唐书·杨再思传》。张昌宗行六，故云六郎。

[译文] 二桃杀三士，是指春秋齐景公要杀掉手下三个勇士的计

谋；莲花似六郎，是唐朝武后的内史杨再思献媚宠臣张宗昌的话。

倒啖蔗，渐入佳境；蒸哀梨，大失本真。

[注释] 倒啖蔗：形容初时乏味而以后渐入佳境的状况。 蒸哀梨：哀梨，即哀家梨。相传汉秣陵哀仲家种梨，实大而味美，时人称为"哀家梨"。蒸吃，将失其味。

[译文] 甘蔗的味道是根甜于梢，如果从梢部吃到根部，会越吃越甜，渐渐进入佳境。汉金陵哀仲家种的梨脆甜，吃到嘴里都化了。但如果蒸着吃，反倒失去了原来的味道。

煮豆燃萁，比兄残弟；破竹遮笋，弃旧怜新。

[注释] 煮豆燃萁：详见《兄弟》。 破竹遮笋：用旧竹子遮盖新笋。

[译文] 煮豆燃萁，比喻兄弟相残；破竹遮笋，比喻弃旧怜新。

元素致江陵之柑，吴刚伐月中之桂。

[注释] "元素"句：事见《述异记》。

[译文] 唐朝董元素有仙术，宣宗想吃江陵的柑橘，他便放一只盒子在御榻前，顷刻盒里装满了柑橘，宣宗惊叹不已；传说吴刚被玉帝惩罚，在月宫砍伐桂树，树高五百丈，随砍随合，永远也砍不断。

捐资济贫，当效尧夫之助麦；以物申敬，聊效野人之献芹。

[注释] 献芹：详见《人事》。

[译文] 捐资救济穷人，应当效仿宋相范仲淹的儿子范尧夫，他把收租得来的一船麦子都送给了处于困境的石延年，助他北归葬父；用物品表达敬意，自谦只是效仿田野村夫的"献芹"之举而已。

冒雨剪韭，郭林宗款友情殷；踏雪寻梅，孟浩然自娱兴雅。

[注释] 踏雪寻梅：形容文人雅士赏爱风景苦心作诗的情致。

[译文] 冒雨到菜园去割韭菜，这是汉朝郭太为了款待深夜来访的友人范逵；冒雪骑驴寻访梅花，这是唐朝孟浩然自寻娱乐的雅兴。

商太戊能修德，祥桑自死；寇莱公有深仁，枯竹复生。

[注释] 祥桑：妖桑，不吉祥之桑。

[译文] 商王太戊初立时，宫中有一棵桑树一夜间长有两人合围那么粗，宰相伊陟说："恐怕是君主施政有误。"后来太戊努力修行德政，桑树自己枯死了。宋朝寇准有仁德，枯竹都能重新复活。

王母蟠桃，三千年开花，三千年结子，故人借以祝寿诞；
上古大椿，八千岁为春，八千岁为秋，故人托以比严君。

[注释] 大椿：古寓言中的木名，以一万六千岁为一年。

[译文] 王母娘娘的蟠桃树，三千年开花，三千年结果，所以人们常借蟠桃来庆贺别人的寿诞；上古时有棵大椿树，八千年为一春，八千年为一秋，所以人们常借它来比喻自己父亲长寿。

去稂莠正以植嘉禾，沃枝叶不如培根本。

[注释] 稂莠：对禾苗有害的杂草。

[译文] 除掉田里的杂草，是为了禾苗长势更好；要想枝叶茂盛，不如养护树根。

世路之蓁芜当剔，人心之茅塞须开。

[注释] 蓁（zhēn）芜：杂草丛生。

[译文] 人生道路上的杂草，应当铲除掉；人心迷惑如有茅草阻

塞,必须使之通畅。

【增】

姚黄魏紫,牡丹颜色得人怜;雪魄冰姿,茉莉芬芳随我爱。

[注释] 姚黄魏紫:姚黄,千叶黄花牡丹,出于姚氏民家;魏紫,千叶肉红牡丹,出于魏仁溥家。宋代洛阳两种名贵的牡丹品种。

[译文] 宋朝姚氏民家有黄牡丹,魏仁溥家有紫牡丹,这些品种的牡丹颜色令人爱怜;雪白的花体,冰洁的姿容,茉莉花的芬芳任我喜爱。

雪梅乍放,月明魂梦美人来;玉蕊齐开,风动佩环仙子至。

[注释] 玉蕊:玉蕊花。即琼花。

[译文] 雪天的梅花初放,梦见月光下有美人来到面前,这是隋朝赵师雄在大庾岭罗浮酒肆上遇到的事情;唐朝长安唐昌观的玉蕊花齐放,犹如身挂玉佩、手戴玉环的仙女在风中从远处飘来。

尼父试弹琴,发泗水坛前之杏;

渔郎频鼓枻,寻武陵源里之桃。

[注释] 鼓枻(yì):划桨。谓泛舟。

[译文] 孔子在泗水边弹琴,催发了杏坛前的杏花开放;晋朝有个渔翁误入武陵桃花源,见两岸的桃花盛开,便用力划桨,欲寻觅桃花的源头。

九烈君原为异柳,支离叟必属乔松。

[注释] 九烈君:柳神之称。 支离叟:松的别称。

[译文] 唐朝李固言走到一棵与众不同的柳树下,听见柳树自称是柳神"九烈君";元朝鲜于伯机得到一棵怪松,种在书斋前,称

呼它"支离叟"。

丈夫进学骎骎，弗效黄杨厄闰；
男子为人卓卓，必如老桧参天。

[注释] 骎（qīn）骎：马疾速奔驰貌。　黄杨厄闰：厄，困苦；闰，闰年。旧时传说，黄杨木难长，遇到闰年，非但不长，反而会缩短。比喻境遇困难。

[译文] 大丈夫学习应当如骏马前行，不要像黄杨生长那样忽进忽退；男子汉为人要节操高尚，像老桧树一样耸入云天。

龙刍茂时，周穆王备供马料；水萍聚处，樊千里用作鸭茵。

[注释] 龙刍：即龙须草。可作马料。　茵：衬垫；褥子。

[译文] 龙刍草长得茂盛时，周穆王有了充足的草料，喂养了八匹骏马；唐朝樊千里的花园里，水池上的浮萍聚合在一起，成了鸭子栖息的茵褥。

灵运诗成，已入西堂之梦；江淹赋就，更闻南浦之歌。

[注释] 西堂：泛指西边的堂屋。《南史·谢惠连传》："（灵运）尝于永嘉西堂思诗，竟日不就。"　南浦：南面的水边。后常用称送别之地。南朝梁江淹《别赋》："春草碧色，春水渌波，送君南浦，伤如之何。"

[译文] 南朝宋谢灵运《登池上楼》这首诗，是在永嘉西堂的梦中写成的；南朝梁江淹的《别赋》中有"送君南浦"一句，听了让人伤感。

生成钩弋之拳，西山嫩蕨；剖出庄姜之齿，北苑佳瓠。

[注释] 钩弋之拳：汉刘向《列仙传·钩翼夫人》："钩翼夫人者，齐人也。姓赵，少时好清净，病卧六年，右手拳屈，姿色甚伟。武帝披其手，得一玉钩，而手寻展，遂幸而生昭帝，后武帝害之。昭帝即位，更葬之，棺内但有

丝履，故名其宫曰钩翼，后避讳改为弋。"

[译文] 汉武帝之妃钩弋夫人的手，如同西山极嫩的蕨菜；春秋卫庄公夫人庄姜的牙齿洁白秀美，就像北苑瓠瓜的籽一样。

曾言水藻绿于蓝，始信山菰红似血。

[注释] 蓝：草本。有多种，如蓼蓝、松蓝、木蓝、马蓝等，叶可制蓝色染料。 菰（gū）：草本。生长在池沼里，地下茎白色，地上茎直立，开紫红色小花。

[译文] 曾听说绿色的水藻胜过蓝草，如今才相信山上的菰草赤红如血。

元修蚕豆，自古称佳；诸葛蔓菁，至今犹赖。

[注释] 蔓菁：俗称大头菜。

[译文] 苏东坡的朋友元修，爱吃东坡家乡的蚕豆，东坡为这种蚕豆取名"元修菜"，自古以来都是蔬菜中的佳品；诸葛亮在屯军的地方曾种蔓菁供士兵食用，这种菜至今仍是人们常吃的蔬菜。

生姜盗母荽留子，尽付园丁；芦菔生儿芥有孙，频充鼎味。

[注释] 荽：芫荽。 芦菔：萝卜。 芥：芥菜。

[译文] 栽种生姜需有母本，老芫荽的籽要留着，以待来年再种，这些事儿应交给园丁去做；萝卜、芥菜成熟后都会结子儿，这些蔬菜为菜锅不断增添着美味。

钱元龙《幼学须知·序》

《幼学》一书，西昌程允升先生作也。门分类别，比事属辞，经史子集，纷批腕下。如入五都之市，百货充牣。挟所求而来者，无弗如其意以去。重以锡山黄君为笺注，句索其解，字求其故。又不啻溯方流以穷玉水，沿圆折而讨璇源也。余垂髫时，尝受而读之。越今周甲，偶于家塾检孙辈课本，如遇故人。独惜焉马陶阴，袭讹承谬，漫漶处墨墨如蚀镜，盖风行之日久矣。昔陶靖节读书不求甚解，能得其意也。童子非其人，聪明方启，枵然一无所有。若居室然，铢铢寸寸必待渐积。以是书方之刘《略》、班《艺》、虞《志》、荀《录》，固几等东郭之南都。而自童蒙得之，已称速富。若任其乖舛错略，致相沿习，据为先人，微特蹲鸱之惠，弄獐之贺，异时必形诸赠答。即此苟简溷沌之心，已非父兄所以训子弟也。因不揣谫陋，猥加厘定，间亦略为补缀。分三十四部，汇成四卷，亟付梓人，公诸同好。惟不忍令西昌、锡山两先生嘉惠后学之苦心，一误再误，伊于胡底。夫"三豕渡河"，得卜氏子始正其说，而金根一言，为嗤百世。人之识见，相越岂不远哉？是书之误，余得而正之矣。余之误不自知，倘更有正余之所正，因并正余之所未及正，俾不致贻误于无穷。固后学之幸，亦余之幸也。余且引领跂之。

乾隆岁在丁丑七月既望，恕斋钱元龙自题于礙眉书屋。

邹圣脉 《幼学琼林·序》

　　欣逢至治，擢取鸿才，时艺之外，兼命赋诗。使非典籍先悉入胸中，未有挥毫不窘于腕下者。然华子之《类赋》、姚氏之《类林》，卷帙浩繁，艰于记忆。惟程允升先生《幼学》一书，诚多士馈贫之粮，而制科度津之筏也。但碎金积玉，原属无多，则摘艳熏香，应增未备，庶几文人足供驱使。奈坊刻所补，殊不雅驯。在老成能知去取，固诮续貂；若初学未识从违，反云金璧。一经习染，俗不可医。即用针砭，难瘥痼疾矣。爰采汇书，各增编末。文必绝佳，片笺片玉。语期可诵，一字一缣。并汰旧注之支离，易新诠之确当。详所当详而不厌其繁，略所当略而不嫌其简。务归明晰，一阅了然。如蓝田之琬琰，玄圃之琳琅。能令见者宝之，各欲私为枕秘。因颜之曰《琼林》。览是书者，其以余言为不谬否。

　　时乾隆贰拾伍年，岁在庚辰仲春上浣，雾阁邹圣脉梧冈氏书于寄傲山房。

董成《幼学求源·自序》

粤自隋唐以来，类书日夥。惟程允升先辈《幼学须知》一书，其典简括而易竟，其义明白而易知，经文贯串而易记，以故读者多。先大父及先君子应酬之作，皆喜驱使之，且命予取法焉，以为雅俗共赏，贤于用人所不经见之书也。第此书虽善，惜无善注，直接兔失之略，琼林更失之诬。其间数典忘祖，舍古而引今，若显而引僻者，无论已甚。且移易原书字句，依所《幼学》正文，优孟衣冠，贻误匪浅。夫读书者，岂能尽搜石室金匮之藏，苟是其征引，辄信以为真，则踵谬承讹，伊于胡底耶。予自束发后，即欲厘而正之。博稽载籍，每恨多遗。迨舌耕于歙，居停仰君惺圃，架积牙签；方君云卿，亦时出其枕籍秘，得以随阅随登，辑成此注。盖易稿者已数四矣。凡所引典故，必亲见原书，方敢载入，名之曰"求源"，志慎也。十余年来，藏巾箱中，未敢灾梨祸枣焉。去年秋，及门仰生醉白、方生小云辈，以为可公诸世，爰相与衷其繁，益其简，校雠其异同，并公醵金，付之剞劂氏。予诚知《兔园》册子，徒足取笑于大方家。然为初学之士辟谬正讹，似亦不无小补。若必抗志书淫，希踪腹笥，则古今之经史子集原书具存，是编以之覆瓿可耳。

道光二十有二年，岁在壬寅雨水后二日，瀛峰氏董成识。

图书在版编目(CIP)数据

幼学琼林/李正辉,刘洪霞注译. —郑州:中州古籍出版社,2010.6(2012.2重印)
(国学经典)
ISBN 978-7-5348-3338-0

Ⅰ.①幼… Ⅱ.①李…②刘… Ⅲ.①汉语-古代-启蒙读物②幼学琼林-译文③幼学琼林-注释 Ⅳ.①H194.1

中国版本图书馆 CIP 数据核字(2010)第 059972 号

出版社：中州古籍出版社
　　(地址：郑州市经五路 66 号　邮政编码：450002)
发行单位：新华书店
承印单位：河南大美印刷有限公司
开本：640mm×960mm　1/16　　印张：22.5
字数：250 千字　　　　　　　　印数：5 001－10 000 册
版次：2010 年 4 月第 1 版　　　 印次：2012 年 2 月第 2 次印刷

定价：28.00 元
本书如有印装质量问题，由承印厂负责调换。